Heibonsha Library

プルードンの社会革命論

平凡社ライブラリー

Heibonsha Library

プルードンの社会革命論

阪上 孝

平凡社

本書は、『フランス社会主義――管理か自立か』
（新評論、一九八一年）を改題・改訂したものです。

目次

プルードンの社会革命論

凡例

引用出典は、本文中の〔　〕内に原則として著者名（同一著者のものが複数ある場合は刊行年も）と頁数による略号で示し、書名等は巻末の参照文献略記表に記した。ただし、サン＝シモンとプルードンの著作などについては、書名、論文名の略記を用いた。邦訳のあるものは訳書を利用させていただいたが、訳文は必要に応じて変更した。

序章　フランス社会主義の歴史構造

二月革命の特徴――トクヴィルの指摘

一八四八年二月二四日、一八年にわたってフランスを支配した七月王政はあっけなく崩壊し、臨時政府が成立した。政治に不満をもち財産による制限選挙の撤廃を求めるブルジョアジーの運動と、不況と失業のなかで境遇の改善を求める労働者民衆の運動が勝利を収めたのである。しかしそれは、問題の解決ではなく、その開始を告げるものでしかなかった。

『旧体制とフランス革命』などによって、大革命後のフランスの政治と社会について透徹した分析を行なったアレクシス・ド・トクヴィルは、『回想録』のなかで、二月革命の特徴をつぎの二点に見出している。

ひとつは、その民衆的性格である。大革命時の第一共和政において、民衆はいくつかの重要な役割をはたしたけれども、国家の指導的部分でもなく、唯一の支配者でもなかった。復古王政をうち倒した一八三〇年七月の革命は、民衆によってなされたが、その主な成果を手にいれたのは中間階級であった。「それに反して二月革命は、完全にブルジョアを排除して、またブルジョアに反対して行なわれたように思われた」〔Tocqueville, 邦訳三一〇頁〕。

いまひとつは、社会改革をめざす無数の理論の登場である。それらの理論は多種多様で、しばしばたがいに対立さえしているが、「政府よりも根本的なものを狙い、政府の土台として役立つ社会そのものに打撃を与えようと努めていたから、社会主義という共通の名前を受取った。社会主義は、二月革命の本質的な特徴、そのもっとも恐るべき思い出であり続けるだろう」〔同、三一二―三一三頁〕。

しかし一八四八年四月以降の経過が示すように、民衆的と社会主義的という要素は順調に発展してはゆかなかった。そして失業者の雇用のために設立された国立作業場の閉鎖に端を発した「六月蜂起」の敗北が、この二つの要素の挫折を決定的にした。フランスの共和政は第三共和政（一八七〇年）によって本格的なものとなるから、その意味からすれば、第二共和政は「共和政の徒弟時代」（M・アギュロン）といわれる。だとすれば、二月革命期は、〈社会主義〉とそれをめざす民衆の最初の試練と徒弟修業の時代であったといえよう。それでは、この試練を受けた〈社会主義〉とは何であったのか。また〈社会主義〉を待ち構えていた試練はいかなるものであったのか。本書の主題はプルードンの思想形成を中心に据えてこの問題を検討することにある。その詳細は次章以下で論じるけれども、ここでその概観を提示しておくことが適切であろう。

社会問題と〈社会主義〉

七月王政期は、繊維産業を中心に産業革命が進行した時期である。たしかにフランスの産業革命はイギリスほどドラスティックには進行しなかったが、労働者民衆の生活を大きく変化させた。資本家や地主がさまざまな保護政策や制度に守られてますます富裕になっていったのにたいして、労働者民衆の失業と貧困は深刻化していった。紡績業では朝五時から夜八時まで働いて、一日、二、三フラン、年間六〇〇―七〇〇フランしか稼げず、食うや食わずの労働者がざらであった。しかし労働者だけが失業と貧困にさらされたのではない。農民も穀物価格の低下、農村工業の没落などのために貧困にあえいでいた。かれらは就業の機会を求めて都市に流入し、それが失業と貧困をいっそう深刻なものにした。

都市には労働貧民があふれた。労働者街は、暗くて狭い路地、日光も空気もろくに入らぬ住居、まったく不備な下水や便所などのために、非衛生で不健康きわまりない場所になった。北フランスの工業都市リール市のサン＝ソヴール地区、リヨン市のクロワ＝ルス地区、パリのサン＝タントワーヌ街などはその代表的な地区である。こうした衛生状態がチフスやコレラなどの悪疫を周期的に大流行させた。なかでもコレラは猖獗をきわめ、一八三二年の大流行の際には、パリで一万七〇〇〇人近く、リールで七〇〇〇人以上が死亡した。七月王政期は、失業、貧困、悪疫の流行などの〈社会問題〉の出現期であった。

これらの社会問題は、単なる政治改革によっては解決不可能であった。こうして七月王政のもとで、とりわけ一八四〇年代に入って、さまざまな社会改革のプランが提出される。カベ派、フーリエ派、ルイ・ブラン、アトリエ派、さらにグループとしては解体してしまっているが理論的には依然として影響力を保持するサン＝シモニアンなどが競って社会改革プランを提出する。このような社会改革案の洪水は、もちろん直接的には〈社会問題〉の深刻化とそれに抵抗してくりかえされる労働者の根強い闘争に呼応するものであった。しかしこれらの改革案は、単なる部分的改革をこえて、社会全体の変革をめざすものであり、それゆえに〈社会主義〉を自称した。いいかえればこれらのプランは、多かれ少なかれ、理論的思考の産物であった。だとすれば、まずその問題構成の理論的条件を検討することが必要であろう。

これらのプランは社会全体の変革をめざしているから、その成立には社会の全体像を提示する理論が必要であった。政治、宗教、経済、さらには家族といった全体社会の部分をなす領域が相互にどのように依存・関連しあっているか、問題の鍵をにぎる領域は何であるかが明らかにされなければならなかった。それと同時に、これらの改革プランは現実の具体的な条件のなかで実行に移されることを要求するものだったから、その成立には、社会のあり方はどのように変化して来たか、また今後どのような方向で変化してゆくのかを見通すことが必要であった。現在を事実にもとづいて歴史のなかに位置づけることが必要だったのである。一言でいえば、〈社会主義〉は社会と歴史の科学の成立と不可分に結びついていたのである。

この意味で、一九世紀に入って開始される社会についての「実証的科学」の模索は重要な意味をもっている。それは一七世紀の科学革命によって生みだされた自然科学的方法が、一八世紀のコンドルセなどの人類史の構想と結びつくことによって開始される。社会現象やその歴史的継起にたいしても、自然科学的方法を用いてその因果関係をとらえることが可能であり、それによって社会と歴史にかんする客観的で実証的な知識を獲得することができる、したがって未来にたいしても自然科学的な正確さをもって見通すことができるという確信が、この模索を支えていた。

ところで社会現象を単に記述するだけでなくその因果連関をとらえようとすれば、社会現象を究極的に決定しているものは何かという問いに答えなければならない。いいかえれば社会諸領域間の決定あるいは支配関係を明らかにすることが必要になる。この問いにもっとも有力な解答を与えたのは、サン＝シモンであった。サン＝シモンによれば社会は一つの有機的な結合体であり、社会を構成する諸領域は相互に依存・関連しあっていると同時に全体としての社会によって規定されている。ところで社会は、生物的有機体と同じく外部から物質的栄養をとりいれることによってのみ存続することができるのであり、したがって富の獲得が不可欠の条件である。

富の獲得は、他の社会あるいは他の階層から暴力的に掠奪する戦争か、自然そのものに働きかけて獲得する生産＝産業か、二種のいずれかの方法で行なわれうるが、前者は後者が未発達な状態で行なわれるにすぎず、後者の発達とともにそれにとって代られ消滅する。それとともにかつては社会の中心的活動であった戦争は無意味化し、軍人階級も存在理由を失なう。社会は軍事的段階から産業的段階に移行するのである。政治つまり国家についても同じことがいえる。サン＝シモンは『組織者』でいう。「学問、芸術、技術によって、社会の繁栄というはっきりとした目的のために組織された社会においては、社会が進むべき方向を定めるというもっとも重要な政治的行為は、……社会体それ自体によって行なわれる。……そのとき、命令の活動であるかぎりでの統治の活動はゼロに、あるいはほとんどゼロになる」〔L'Organisateur, XIX, pp. 197-198〕。いいかえれば、社会のあり方を決定しているのは広い意味での産業であり、現代社会が危機と混乱のまっただなかにあるのは、産業の原理によって社会が統一されておらず、産業が組織されていないからである。問題解決の鍵は産業に、産業の組織化にある。

サン＝シモンのこのような主張は、多少とも社会の問題に関心をよせる知識人や産業家に社会の全体像と問題のありかを提示する理論として広く受けいれられるとともに、〈社会主義〉の出発点になった。この意味で、イギリスのリカード派社会主義が経済学的あるいは経済主義的であり、ドイツの社会主義が哲学的であるとすれば、フランス社会主義は社会学的であるといえよう。

産業の組織化として主張される〈社会主義〉は、いちはやく産業革命を達成したイギリスに追いつき、またそれに対抗しようとするものであった。当時のフランスは、イギリスの産業的発展を羨望と恐怖をもって見ていた。〈世界の工場〉としての地位を固めつつあるイギリス資本主義によって、ヨーロッパの経済連関のなかで従属的な地位を強制されようとしていたからである。こうして〈社会主義〉は国民経済の合理的編成、産業化の促進という課題を担うことになる。〈社会主義〉は産業主義的、生産力主義的性格をもつことになるのである。あるいは、産業化を促進し、国民経済の合理的組織化を追求しようとすれば、社会の現在のあり方の根本的変革が必要だという考えから〈社会主義〉が生まれるという方が、より事実に即しているかもしれない。いずれにせよ、〈社会主義〉と社会的生産力の拡大とは不可分に結合していたのである。

しかしもちろん、イギリスで急速に進行中の、あるいはフランスで緒についた産業化は、〈社会主義〉にとって、嫌悪すべき事態、そうなってはならない見本でしかなかった。〈社会主義〉が、現に進行中の産業発展のなかに見たものは、つぎのように要約できよう。第一は、科学技術の産業への応用と生産の組織化による富の未曾有の増大、それにもかかわらず貧しい労働者の増大と貧困の増大、その結果としての資本家と労働者の階級的対立の激化、恐慌と失業などの社会的、経済的問題の深刻化である。もうひとつは、産業発展が物質利益至上主義と利己主義を瀰漫(びまん)させ、社会を競争と敵対のなかに解体させてしまうという、産業の道徳的効果の問題である。〈社会主義〉はこれらの問題を解決しながら、あるいはその出現を防止しながら産業化を促進するものでなければならなかった。そして〈社会主義〉はその方策を、産業あるいは社会全体の組織化に見出した。協同組織(アソシアシオン)がその鍵だとされた。

「普遍的協同社会」

このことをもっとも鮮明にうちだしたのはサン＝シモニアンたちであった。かれらによれば、現在の経済的無政府状態は、生産手段の配分が無能な資本家と所有者の手にゆだねられていることに由来している。すべてが資本家や所有者の貧弱な個人的知識にゆだねられているために、国民経済にかんする全体的な視野がまったく欠落しているからである。現代の産業的危機の真の原因は「消費需要と生産資源にかんする全般的視野の欠如」〔Doctrine de Saint-Simon, p. 258〕にある。それゆえかれらは、社会を現代の病患から救出するためには全体的視野をもって全産業を配置し統括することが必要だと考え、「全般的銀行制度」にその実現のための機構を求めた。かれらの構想は国民経済全体を単一の指導中枢にむけて求心的に組織すること、かれらの比喩を用いれば、社会全体を一個の工場のように組織するということであった。かれらは、このように組織された社会を「普遍的協同社会（アソシアシオン・ユニヴェルセル）」とよんだ。この構想は、さまざまなヴァリエーションをともないながら、この時代の社会改革案に受けつがれた。たとえば、二月革命直後に臨時政府が労働問題の解決のために設定したリュクサンブール委員会の主要メンバーになるペクールは言う。「全労働用具を社会化し国有化すること、全市民の生産と活動を例外なしに統一と政府による集中にみちびくこと——この二つの重大な方策で、これまでの社会的政治経済学の解決できなかった問題を容易に解決するに足りる」〔C. Pecqueur, p. 675〕。これらの構想は、のちにデュルケムが〈社会主義〉を定義して述べたように、「すべての経済的機能、あるいは現在では分散している経済的機能のいくつかを社会の指導的で意識的な中心に再結合すること」〔E. Durkheim, p. 49〕を要求するものであった。そこでは個々の生産者あるいは経済単位の自立性は否定されるか、きわめて限定されたものとなり、これらの構想は集権的な性格を帯びることになる。

　産業の道徳的効果の問題は、社会的、経済的問題とならんで、あるいはそれ以上に根本的な問題と考えられた。物質利益至上主義と利己主義の破壊的効果をおしとどめ、それらにとって代るべき道徳的原理を確立することは調和に満ちた有機体としての社会の再建にとって不可欠だと考えられた。〈社会主義〉は、けっして経済的、産業的問題のみにかかわる主張ではなくて、道徳的、宗教的なものへの傾斜を強くふくんでいたのである。統一体としての人類社会への帰属と献身を命ずる道徳＝サン＝シモン教を主張し、宗教的活動にのめりこんでいったサン＝シモニアンは、けっして例外的な存在ではなかった。当時、ほとんどすべての〈社会主義〉の「メシア的公式」となった協同組織（アソシアシオン）の主張においても、生産手段の共有などの経済的方策だけでなく、あるいはそれ以上の重みをもって協同組織への献身、連帯、友愛の美徳が強調された。プルードンが協同組織の主張を批判したのは、こうした超越的な道徳性、宗教性のゆえであった。

　個人主義と自由競争が〈社会主義〉の批判の対象とされ、その克服が共通のテーマになったのは、個人の能力や自助の原理によっては労働者が窮状から逃れることは不可能だと考えられたからであった。しかしそれとならんで、個人主義と自由競争が利己主義にもとづく敵対を生みだし強化し、社会を破壊しているということが、この批判のもう一つの根拠であった。そして経済学はこうした風潮の元凶として、またその表現として批判される。サン＝シモニアンの経済学批判の根本は経済学の個人主義的性格、唯物主義にたいする反対ということであった。かれらによれば、個人主義は社会が統一性を失ない、有機的結合体でなくなった〈危機の時代〉の一時的産物にすぎない。この〈危機の時代〉こそ現代の経済学が依拠し表現しているものである。それにたいして〈有機的時代〉においては、産業的活動が指導中枢によって組織されるだけでなく、価値観のうえでも諸個人が単一の価値によって組織され指導される。あたかも自然界が法則にしたがうように、諸個人が非人格的な力としての社会に依存し統合されること――これが未来社会における個人のあり方とされた。個人主義にたいする反対、個人の社会への統合は、〈社会主義〉の共通の性格として存在しつづけることになる。

共和派の〈社会主義〉への接近

〈社会主義〉に規定的な影響を与えたものとして、産業革命とともに、フランス革命があることはいうまでもない。あるものは、フランス革命が達成した法の前での平等という形式的平等を財産の前での実質的平等にまで進めるべきだと主張した。他のものは、フランス革命はアンシァン・レジームの破壊には成功したが、それに変るべき新秩序の建設には失敗したとして、新しい原理にもとづく社会を構想した。政治的革命としてのフランス革命を経済的・社会的革命によって補完しなければならないと考えられたのである。

他方では共和派の〈社会主義〉への接近が見られた。七月革命によってブルボン家の世襲王権は否定されたけれども、それにとってかわった七月王政は依然として財産によるきびしい制限選挙王政でしかなかった。一八三一年四月の選挙法によって認められた有権者は、全人口約三二〇〇万人中の一六万七〇〇〇人にすぎなかった。権力の座についたのは少数の大ブルジョアだけであり、労働者民衆はもとより、大部分の中小ブルジョアも政治体制から締めだされたままであった。「七月革命以来、銀行は国家を支配している。ブルジョアジーが、フォーブール・サン＝ジェルマン［ブルボン貴族街］にとってかわったわけで、銀行はブルジョア階級の貴族なのです」。スタンダールは『リュシアン・ルーヴェン』でこう述べている。

こうした状況のもとで、制限選挙の撤廃＝普通選挙の実現を求める共和主義の主張が、政治体制から疎外された民衆や小市民をひきつけた。「人民の友」や「人権協会」といった共和派の結社は根強い影響力を保持した。共和派にとっても、真の人民主権を追求する以上、社会問題は無視しうる問題ではなかった。ブランキは、すでに一八三〇年代はじめに、社会問題の解決が共和政の実現と不可分であることを主張している。共和派の急進部分は共和政によって社会改革を実行するという立場から〈社会主義〉に接近する。こうして社会共和派が誕生するのである。

いずれにせよ、〈社会主義〉にとって、フランス革命は自らの事業の前提条件と考えられた。それだけにはとどまらない。フランス革命は、特権的集団の廃止と万人の平等を主な要求のひとつとして遂行されたけれども、その結果として生まれたものは、諸中間集団の一掃と強大な中央集権的国家の成立であった。ル・シャプリエ法はあらゆる職業的団結を禁止したが、ナポレオンのもとでこの法律は労働者の団結にたいして雇主のばあいよりも重い罰則を科すという仕方で強化された。地方の自立性もすでにアンシァン・レジームのもとで大幅に制限されていたが、単一不可分の共和国のスローガンのもとで決定的に弱体化された。方言を廃絶し標準語に統一するという革命期の言語政策はその象徴的な現われである〔西川長夫、一九八〇年、六三—七四頁〕。作田啓一によれば、市民社会は市民全員に平等な権利を保証する万民平等主義と、職業集団や地域に属する人びとの要求を代表し擁護する組織や制度（たとえば地方自治制）——作田は機能代表制とよぶ——という、対立しながらも補完しあう二つの原理にもとづいている。しかし革命後のフランスにおいては後者の原理はいちじるしく弱められた〔作田啓一、一九七二年、二二三—二二八頁〕。このような条件のもとで強力な中央集権国家と無力な個人、両者のあいだの支配＝依存の関係が生まれる。プルードンは、こうした事態を政府万能主義（グーヴェルヌマンタリスム）とよび、その克服が人民の解放にとって不可欠だと主張したのであった。

　機能代表制の欠如の最大の犠牲者は、労働者民衆であった。かれらは産業化の進展がもたらす不利益をはねかえすために、非合法化された職人組合や相互扶助組合に依拠して闘ったけれども、かれらを待ち受けていたものは当局による厳しい弾圧であり、かれらが勝ちえた僅かな成果もつぎの不況で失なわれた。そのうえ、職人組合は、相互間あるいは内部の抗争のために弱体化しつつあったし、機械の導入や農村から流入してくる非熟練労働者との競争にたいしては、有効な抵抗の武器ではなかった。こうしてかれらには、職人組合などに代ってかれらの利益を代表し擁護する新しい集団の設立が不可欠になった。そしてかれらは労働者による生産協同組織（アソシアシオン・ウーヴリエール）にそれを見出したのである。II—三で見るように、一八三三年の仕立工のストライキにおいては、その指導者グリニョンが、相互扶助と闘争の組織として、職能別組織をふまえたすべての労働者団体による協同組織（アソシアシオン）の結成をよびかけた。同じ年の靴工のストライキにおいては、エフランが労働者による仕事場の自主管理の機関として協同組織の結成を訴えた。しかし労働者による生産協同組織のもっとも熱心な主張者は、労働者のみによる編集をうたって一八四〇年から刊行される『アトリエ』紙であった。

　こうして〈アソシアシオン〉は、この時代の労働者運動の結集軸、合言葉になったのである。かれらにおいては、自らの利益を代表し擁護するための組織は、労働組合組織としてではなくて、自らの手で生産と経営を管理する生産協同組織として構想されたのであった。それはル・シャプリエ法をはじめとする弾圧立法によって労働組合結成が禁じられていたこと、またこの時代の労働者運動の中心的な担い手が職人的熟練に依拠し小作業場で働く〈職人的労働者〉とよぶべき存在であったことにもとづいている。しかしかれらの〈アソシアシオン〉志向はユートピア的であるとはいえ、抵抗や部分的利益の獲得にとどまらずに自らの手で自己の解放を勝ちとろうという理念に支えられていたことは、見落としてはならないだろう。

いまひとつ、見過してはならないことは、生産協同組織の運動と共和主義運動との結合である。この運動の指導者が人権協会のメンバーであったことや共和派の『ナショナル』紙と密接な関係にあったということばかりでなく、労働者組織の弱さと財産による制限選挙という政治的大状況に規定されて、普通選挙による人民主権の実現が生産協同組織形成の不可欠の条件だと考えられたからである。生産協同組織は共和政を必要とし、真の共和政は労働者の境遇改善を必要とするとして、両者は結びつくのである。〈アソシアシオン〉と普通選挙が労働者民衆の運動のスローガンになったのである。

生産協同組織の主張をサン＝シモニアン風の〈社会主義〉の〈アソシアシオン〉論と対比するなら、つぎのようにいえるだろう。〈社会主義〉においては、アソシアシオンはあるべき社会全体の組織原理にほかならなかった。それは労働者民衆の境遇改善をめざすものであったけれども、一義的には社会と歴史の全体を包括する原理として提起されたのであった。そしてそれゆえに、労働者の直接的な要求とは大きな距離をもたざるをえなかった。そのことを鮮明に示したのは、II—二で見るように、一八三一年のリヨン絹織物工の蜂起にたいするサン＝シモニアンの対応である。サン＝シモニアンは、賃率の改善を求めて闘う絹織物工にたいして、もっぱら原理の高みから普遍的協同組織を説いたのであった。

それにたいして労働者運動のなかで提起された〈アソシアシオン〉は、一義的にはかれらの利益と要求を代表し擁護する組織の結成ということであった。もちろんあるべき未来社会の全体像の提示をふくんでいなかったというのではない。それどころかそれをつらぬいているのは、社会の真の主人公は労働者民衆であり、その資格において自らの利益にとどまらず社会全体の利益のために変革プランを提出するという姿勢であった。このことが労働組合形成の運動とは異なった〈アソシアシオン〉運動の特質を示すものといってよいであろう。けれどもかれらの〈アソシアシオン〉論の出発点はあくまでもかれらの要求を結集し実現することにあった。いいかえればそれは、社会全体の組織化を出発点とする〈社会主義〉とは反対のヴェクトルをもっていたといえよう。

プルードンの相互主義

機能代表制を欠落させた大革命後のフランス社会の問題性を尖鋭な仕方で指摘したのはプルードンであった。かれが二月革命期にルイ・ブランを先頭とする社会共和派にたいしてはげしい批判を加えたのは、経済的革命が現代の革命の課題であり、それは政府の手では行なわれえないという周知の理由のほかに、政府の手による経済改革が強力な国家と無力な個人という大革命後の事態を拡大再生産すると考えたからである。ルソー風の全面譲渡にもとづく社会契約の理論とジャコバン主義にたいする罵倒に近い攻撃も、中間集団を排除した平等主義が〈全体主義〉的状況を生みだす、という理由によると考えられる。

プルードンはこの点にかんする主張をポジティヴな理論として提起せずに、個人主義にも「共産主義（コミュノテ）」にも反対するという仕方で、しかも十分に理論化されないかたちで主張したから、かれの主張はわかりにくいものになった。しかしかれが家族や、民主的に（かれの用語でいえば相互主義的に）組織された小作業場、さらにコミューンを中核とする地域集団などに執着しつづけたことを見れば、かれの主張は、これらの集団の活性化によって、機能代表制を欠いたフランス社会の抑圧状況の克服をめざしたものと考えることができるであろう。そしてこのように理解することで、個人主義にも「共産主義」にも反対するプルードンの思想の意味は多少ともわかりやすいものになるであろう。

しかしこれらの集団（とりわけ作業場と地域集団）がこのような役割をはたしうるためには、一定の条件が必要である。集団の成員は平等でなければならないし、集団が一切のものの所有者になり、すべてが集団に帰属するというようなことになってはならない。そんなことになれば、強力な国家と無力な個人のあいだの支配―依存関係のミニチュア版ができるだけである。プルードンが〈アソシアシオン〉の主張に反対したのは、Ⅲで見るように、かれらが「分割も譲渡もできない資本」の定款や献身とか連帯とかの名のもとで一切のものの所有者としての集団を結成しようとしており、それは形を変えた支配―依存関係の発生にほかならないと考えたからである。

こうしてプルードンは、集団のよるべき原理を〈相互性（ミュチュアリテ）〉に求める。〈相互性〉とは平等な当事者の自発的合意にもとづく相互の必要物の等価交換ということである。それは個人と個人のあいだにおいても、個人と集団のあいだにおいても成立すべき関係であり、また交換対象も財貨やサーヴィスにかぎらず一切のものをふくみうるものであった。要するに〈相互性〉は、個人間あるいは個人と集団のあいだの平等で双務的な相互交換関係であり、それをもっとも明確に表現するものが契約にほかならなかった。こうした関係をつうじて、諸個人は自由と独立を保持しつつ相互に結合して相互主体的世界を形成する。その結果、諸個人の力の算術的合計をこえる力――物的生産力としては集合力、社会的結合としては社会力、観念にかんしては集合理性が生みだされる。そして集団とその成員の関係が平等で双務的であれば、これらの力は各成員に還元され、諸個人はそれだけ豊かになり力を増すと考えられた。プルードンの考えでは、〈相互性〉は諸個人が自由でありながら相互に連帯するための基本条件であった。

プルードンがこのような着想を得たのは、経済学、とりわけアダム・スミスの分業観、すなわち分割された労働の交換による結合という考えからであった。人間が社会のなかで生きるかぎり、何らかの交換なしにすますことはできない。そして当事者双方がこの交換のなかに利益を見出すことがないかぎり、どんな交換も継続されない。こうして交換は人間のもっとも基本的な社会行動であり、当事者がそれぞれの利益のために行なう自発的合意にもとづいている。そこでは一方の自由と利益は、相手の自由と利益を承認し尊重することによってはじめて実現される。かれらは交換をつうじて「孤立的自由」の世界から「複合的自由」の世界に入るのである。

交換がつくりだすのは一つの相互主体的な世界であり、そこで生みだされるのは個人の力をこえる集団的な力である。こうしてプルードンにとって自発的合意にもとづく等価交換、それによって創出される相互主体的世界が自由と平等の不可欠の条件であり、〈相互性〉はその保証であった。このような考えは、アダム・スミスの分業論の「平等主義的読みこみ」〔佐藤茂行、一五頁〕によってもたらされたといってよい。〈相互性〉は、交換にもとづく労働の結合の純粋化、理念化されたものであった。

このような〈相互性〉の理論、さらにそれにもとづく「交換の組織化」の主張は、マルクスによって『哲学の貧困』以後、プチ・ブル的だとして徹底的に批判されることになる。しかしプルードンが〈相互性〉によって目指したものが、個人の自由と独立をあくまでも重視しながら、同時に平等な連帯関係を樹立することにあったことは見落してはならないであろう。また、マルセル・モース以後の人類学によって、〈相互性〉が一切の制度に先立つもっとも基本的な社会行動として確認されたこと（参照〔竹内芳郎、二三三頁以下〕）から見れば、プルードンの〈相互性〉の主張を別の視点から見直すことも必要であろう。

ところでプルードンによれば〈相互性〉は、単にあるべき社会関係の姿なのではない。それは、もっとも基本的な社会行動として、現実の社会関係の根底に息づき、それを支えている。しかしわれわれの眼前にある社会関係は、〈相互性〉とは反対の搾取と支配の関係でしかない。それは何故か、その理由は、〈相互性〉が疎外されてその反対物に転化してしまっていることにある。集合力は資本として、社会力は国家として、集合理性は宗教として外在化している。そして一たびこの疎外の道筋が確立されれば、資本、国家、教会が社会の存立根拠と見なされるにいたる。こうして搾取と抑圧の体系――〈絶対主義の三位一体〉が完成する。

プルードンの経済学にたいする批判は、経済学がこの疎外を認識せず、その産物にほかならない資本を所与の前提として理論を構築していること、交換をつうじて形成される相互主体的世界に気づかず、個人主義＝〈純粋な自由の体系〉に固執していることにたいする批判であった。それにたいしてプルードンは、この問題を〈現実の社会〉と〈公認の社会〉の疎外関係として明らかにしようとした。この疎外をいかにして阻止するか、〈現実の社会〉に息づいている〈相互性〉をいかにして現実のものとするか――これがプルードンの問題であった（Ⅳ―三）。かれはこの問題を、国家や全体としての社会組織といった〈上から〉の視点からではなく、労働者民衆の生活圏という〈下から〉の視点から解決しようとした。二月革命期の「交換の組織化」を中心とする主張、かれの最後の到達点である連合主義の主張は、その試みにほかならなかった。

〈社会主義〉は最初、あるべき社会の組織原理として、またより直接的には、国民経済の合理的編成のための理論として、一群の知識人によって提示されたが、貧困や失業などの社会問題に直面し苦闘する労働者民衆の要求と運動に出会うなかで、運動としての〈社会主義〉への転化を迫られる。〈アソシアシオン〉も、理念の段階から、現在の社会のなかで設立されるべき現実的で具体的な組織としてとらえなおされる。労働者による生産協同組織が、魔術的ともいうべき力を獲得するのである。こうして二月革命期は、さまざまな〈アソシアシオン〉構想の百花繚乱状態を呈することになる。もっとも、ルイ・ブランの「社会作業場」も、『アトリエ』派の労働者生産協同組合も、リュクサンブール委員会に結集した労働者の急進的部分が結成した「合同コルポラシオン協会」も、すべて絶望的な六月蜂起の敗北をはじめとするさまざまな挫折を味わわざるをえなかったけれども。

しかしこれらの挫折の経験は、労働者が国家や政治家に頼ることをやめて、自らの自立的な運動を組織することの必要性を教えるものであった。二月革命期は、労働者民衆が、知識人によって上から与えられた〈社会主義〉を自らの思想とし、労働者自身による自己解放の思想と運動を獲得するための避けることのできない苦い経験であった。このようにして、知識人の社会主義とは区別され、のちのサンディカリズムにつらなる〈労働者社会主義〉の源流が形成されるのである。

I　経済学と社会主義

一　経済学と社会主義

一九世紀前半のフランス思想の展開を規定したのは、フランス革命と産業革命の二つの革命であった。自由、平等、友愛の合言葉は人びとの心にこだましつづけていたし、共和主義の運動は秘密結社に担われて影響力を保持しつづけていた。しかしこの時代の思想家たちにより大きな刺激を与えたのは、産業革命であっただろう。イギリスにおける事態が示すように、産業革命は社会のあり方を一変させ、一連の新しい問題を登場させつつあったからである。フランス社会主義もまたこの二つの革命の子であった。産業化の進行をふまえながら、フランス革命をとらえ直し、その精神を継承しながら、その不十分さを克服する方策をさぐること、イギリス社会を模範としてと同時にそうなってはならない〈反面教師〉ととらえ、それとは別の発展の道筋を見出すこと、これがフランス社会主義の出発点であった。

フランスの産業化はイギリスよりも遅れて始まり、またその進行はイギリスにくらべて緩慢であったけれども、貧困と失業、経済恐慌などの共通の問題を生み出し、社会のあり方に心をくだく思想家や改革家はこれらの問題に関心を寄せ、その解決策に腐心した。しかしかれらにとって、これらの問題とならんで、あるいはそれ以上に重大だと考えられたのは、産業化とともに現代社会に瀰漫しつつある物質利益至上主義と利己主義であった。こうした風潮は社会を競争と敵対の中で解体させてしまうと考えられたからである。社会の道徳的再生はかれらの重大な関心事だったのである。

かれらは現代の道徳的頽廃の思想的原因を啓蒙期以来の個人主義に見出し、その現代における代表は経済学であると考えた。かれらは経済学を超える新たな社会理論をうちたてることによってはじめて、現代の病患を根本的に解決することができると考えたのである。個々の社会問題にたいする個別的な解決策は、〈社会主義〉の構成要素ではあるけれども、それだけでは理論としての〈社会主義〉は生まれない。〈社会主義〉が生まれるためには、個人主義とその代表者としての経済学の包括的な批判が必要であり、その試みに最初にとり組んだのはサン＝シモニアンたちであった。かれらの標的は個人主義にあり、それにとって代る体系――サン＝シモン教の確立がかれらの目標であった。

この意味で、はじめて〈社会主義〉という言葉を用いたルルーの、七月王政初期の思想状況についての叙述が興味深い。ルルーはこの言葉をはじめて用いた論文でつぎのように言う。「現在、われわれは個人主義と社会主義という二つの排他的な体系の餌食になっている」。現代社会を支配する個人主義は、物質的利益の利己的な追求を無条件に肯定し、「自由の名のもとで人間を貪欲な狼に変化させ、社会をアトムに解体して、すべてを偶然の解決に委ねる」。このような個人主義の代表がイギリス経済学にほかならない。それにたいして〈社会主義〉は個人主義こそ現代の悪の根源だとして、「有機的時代」、組織化などの名のもとに個人の一切の自由、一切の自発性を葬り去る。それはかつての献身の体系の再版――「人類を一つの機械に変える新しい教皇政治」である。そこでは「人間は、もはや自由で自発性をもつ存在ではなくて、影が物体に従うように、社会の活動に不本意ながらも服従するか、幻惑されて応えるかする、一個の機械なのである」〔D. O. Evans, pp. 223-238〕。

ルルーが〈社会主義〉とよんでいるのはサン＝シモン主義のことであるが、社会主義＝サン＝シモン主義と個人主義＝経済学との対比は、多少一面的であるとはいえ、当時の社会思想の状況を的確にとらえるものであった。サン＝シモン主義は信用組織と鉄道網の整備による産業化の促進、国民経済の効果的編成といういわゆる産業主義の側面をもっているが、その核心は有機的全体としての社会への個人と諸活動の全面的包摂ということにあったのである。そしてサン＝シモン主義はこのような視点から個人主義＝経済学を批判することを通じて、体系的思想に成熟していったのであった。

いま経済学の批判といったが、それは経済学の個々のカテゴリーや命題にたいする個別的、分析的な批判を意味するのではない。それは何よりも、社会哲学、政治哲学として理解された経済学にたいする批判であった。のちに見るように、経済学のカテゴリーや命題が論じられるばあいでも、その経験的、分析的な批判ではなくて、その根底にある社会観にたいする哲学的批判が問題であった。サン＝シモンはセーの経済学にたいしてその哲学の欠如を批判し、サン＝シモニアンは「新しい哲学の確立」を自らの課題としたのである。他の〈社会主義〉においても、サン＝シモン主義ほど明瞭ではないとしても、経済学にたいする同じような批判がその理論的基礎をなしていた。

そうだとすれば、〈社会主義〉の検討に先立って、経済学を成りたたせている社会観―経済的イデオロギーを簡単にでも考察しておくことが適切であろう。

「自己調整的市場」

〈社会主義〉が経済学にかんしてもっとも強く批難したのは、そこに見られる利己心の肯定と自由放任(レセ・フェール)の主張であった。これらのものこそ、社会を敵対と無秩序に陥れているというのである。しかし経済学からすれば、これらこそ社会にとって望ましい秩序を生みだすものであった。このような自由放任＝秩序という主張を支えるのは、経済システムは社会の他の諸領域の統制から解放されるべきであり、しかもそうなればそれに固有の調和と秩序が生まれるという確信であった。そしてこのような確信の根拠をなすものが「自己調整的市場」〔カール・ポラニー、九二頁〕の概念であった。すなわち、「すべての生産が市場での販売のために行なわれ、すべての所得が市場での販売から生まれる」〔ポラニー、九二頁〕ようなメカニズムである。このような機構が成立し機能するには、すべての生産要素について市場が存在すること、市場の形成と運動にたいする外的な統制が除去されることが必要である。このような条件が満たされるとき、「すべての所得は市場での販売から生ずることになり、これらの所得は生産された財のすべてを購入するのにちょうど十分な大きさになるであろう」〔ポラニー、九二頁〕。このようにして自己調整的市場はおのずから均衡を生みだし、この均衡を通じて財貨の最適配分を実現すると考えられたのである。

さきに経済システムの分離あるいは自立と述べた。しかし市場が自己調整的であるためには、すべての生産要素を市場に組みこむことを必要としている。そうだとすれば、経済システムは単に社会の他の部分から分離され自立しているだけでは十分でない。というのは、欠くことのできない生産要素であるけれども、本来、商品として生産され販売されるものでなく、市場社会に先立つ社会においては社会組織そのものの統制下におかれていた土地と労働をも商品として市場に包括しなければならないからである。土地は封建的秩序の中心であり、封建制のもとでは土地にたいする権利は市場に委ねられることなく、「社会組織そのものに埋めこまれていた」〔L. Dumond, p. 14〕。労働にかんしても、賃金、修業期間、労働時間などはギルドの管轄下にあり、職人組合の規則や慣習などに規制されていた。これらの生産要素は政治や宗教や道徳などの非市場的統制のもとにおかれていたのである。それゆえ土地と労働を市場メカニズムのもとにおくためには、これらの非市場的統制の力を奪い、うち倒すことが必要であった。自己調整的市場は、その機能と存続のために、社会全体を自己の支配下におくこと、あるいはむしろ社会全体を市場化することを必要としたのである。

これまで市場メカニズムを財貨の交換とのかかわりで考察してきたが、市場が社会組織全体を包摂することが必要だとすれば、市場はもはや単に財貨の交換にかかわるものにはとどまりえない。それはいわば社会組織の中心に、社会全体の組織原理にまで高められる。市場は単なる経済学的概念ではなくて、包括的な社会的概念として登場するのである。

市場の観念の社会学的意味を検討したローザンヴァロンによれば、市場の観念は、社会契約論が不十分にしか解決しえなかった二つの問題の新しい解決を可能にするものとして登場した〔P. Rosanvallon, p. 42〕。一つは、国際平和の問題であり、もう一つは社会体における服従と自由の合致の問題、いいかえれば社会の一般利益と私的利益の一致の問題である。

第一の問題から検討しよう。ホッブズにおいては、社会契約にもとづく絶対的な国家主権のもとで国内の平和が達成されるとされたが、諸国民間の平和については世界国家の成立がはるか彼方に展望されただけであった。ルソーにおいても国際平和の問題は解決の困難な問題であった。ルソーによれば、現在の国家間の関係は悪しき自然状態＝戦争状態にあり、対外的戦争とそれがもたらす国内の圧政という二つの悪を克服し、国際平和を達成するには国際契約によって国家間の関係を社会状態に導く以外にないということであった。国際契約は、社会契約が個人にたいしてはたしたのと同じ役割を、諸国家にたいして担うのであり、その成果である国際機構がルソーの政治思想の帰結であった。ルソーは、国際機構の権限とその構成国の主権の調和を重視し、諸国家間の結合がゆるやかで一時的にすぎない同盟は平和維持に無力であり、反対に結合が緊密で永続的な連邦制は構成国の主権を侵害すると考えて、その中庸である国家連合を推奨したけれども、その具体的構造についてはほとんど書き記さなかった〔樋口謹一、一九七八年、一一六―一一九頁〕。自分の理想とする国家さえ実現されていない現状から見れば、国家連合の形成ははるか彼方の問題であったからである。ルソーにとって緊急の問題は理想的国家の形成を推進することであり、それゆえにルソーは「祖国愛が排他的になることを知りつつも、あえて祖国愛を強調する必要があると信じた」〔同、一二二頁〕。いずれにせよ「国家をその外的諸関係によってささえる」という『社会契約論』があとに残した問題はついに解決されずに終った。

それにたいして市場の概念は、この問題を新しい仕方で提起＝解決する。解決の根本条件は、ダドリー・ノースが一七世紀末に述べたように「商業の観点から見れば、世界全体は一国家または一国民にほかならない」(cf.〔Rosanvallon, p. 43〕) ということにある。アダム・スミスにとって、英仏戦争をはじめとする当時のヨーロッパの戦争状態は、重商主義政策による国内再生産構造の歪みに由来するものであった。つまり農業→工業→外国貿易という投資の自然的順序が重商主義政策によって転倒させられた結果、国内市場の狭隘化→外国貿易向け産業への投資→外国市場の獲得・独占のための戦争という事態が生じているのである。それとは反対に、「自然的自由の体制」のもとでは、資本は自然的順序にしたがって投下され、その結果、ゆたかな国内市場とゆたかな生産力が生みだされる。このような経済構造は国民的独立を可能にし、自由な通商関係をもたらすであろう。このような条件のもとで外国貿易は国際平和を可能にするであろう。要するにスミスは、国際平和の問題を国内の再生産構造の問題としてとらえなおし解決しようとしたのであり、その鍵となる概念が「自然的自由の体制」であった〔内田義彦、一九七〇年、一一頁〕。「自然的自由の体制」とは、自己調整的市場のことにほかならなかった。

このような自由な通商関係こそ国際平和実現の条件であるという考えは、自由貿易主義の主張としてその後も生き続けた。英仏通商条約（一八六〇年）のフランス側の推進者であったサン＝シモニアンのミシェル・シュヴァリエは、ティエールらの保護貿易の主張に反対して、自由貿易こそ世界を一体化し、諸国民間の対立を消滅させるものであることを主張しつづけた。かれは一八五一年の万国博覧会を論じて、万国博は「地上のあらゆる国民がそれぞれに固有の才能を殺すことなく、国民的憎悪を消滅させる境地に近づきつつある」〔M. Chevalier, p. 309〕こと、城壁と関税障壁による諸国民の敵対の時代が終りつつあることの証拠だと主張したのであった。[*1]

このようにして市場の概念は、国際平和の問題を政治の領域から経済の領域に移動させた。もちろん、自由な通商関係は諸国民間の新たな戦争＝産業戦争を排除するものではない。しかしこの戦争＝競争は、国内市場における競争と同じく、それを通じて諸国民間の新たな均衡が実現される契機にほかならない。軍事的戦争は新たな戦争の種子でしかないが、競争は新たな均衡＝平和の契機だと考えられた。

第二の問題は、「社会契約への服従の根拠の問題」〔Rosanvallon, p. 45〕、いいかえれば服従と自由の問題である。[*2] ルソーは「政治体の本質は服従と自由の合致である」〔『社会契約論』第三篇第一二章〕としてこの問題に真正面からとり組み、完全な「人為」としての「法」＝社会契約にその解決を見出した。「どんな思いもよらぬ人為によって、人間を自由にするために人間を服従させる手段を見出すことができたのか。国家の構成員を強制したりかれらの意見をきいたりすることなしに、かれらの財産、力、さらには生命さえも国家に奉仕させるべき手段、かれら自身の同意のもとにかれらの意志を束縛する手段、かれらの拒否にもかかわらずかれらの合意を調達する手段、……を見出すことができたのか。……この奇跡は法の所産である」〔『ジュネーヴ草稿』〕。しかし服従と自由の合致の困難さは「のり越えがたいと思われる」ほどのものであるから、「思いもよらぬ人為」の遂行者すなわち「立法者」には神にも似た能力が要求される。「一つの人民に制度を与えようとあえて企てるほどの人は、いわば人間性を変えることができるという確信をもっていなければならない。それだけで一つの完全で孤立した全体をなしている各個人を、この個人にある意味で生命と存在を与えるいっそう大きな全体の一部に変え、人間の本質を強化するためにこれを変質させ、われわれがすべて自然から受けとった身体的、独立的な存在を、部分的、精神的な存在に置きかえる、そういうことができるという確信をもっていなければならない」〔『社会契約論』第二篇第七章〕。

このような「立法者」の完全な人為によって、服従と自由の合致が達成されるとしても、それは不安定であり、たえざる解体の危険にさらされている。この合致を支える一般意志と特殊意志、あるいは一般利益と特殊利益の一致の持続がむずかしいからである。「ある特殊意志がなんらかの点で一般意志と一致することは、ありえないことではないにしても、少なくともこの一致が持続し常態となることは不可能である。なぜなら、特殊意志は、その本性上、自己優先のほうへ、一般意志は平等のほうへ傾くからだ。そうした一致がたとえつねにあるはずだとしても、その一致の保証を手に入れることはもっと不可能である。この一致は人為によるものではなく、偶然の結果であろう」〔『社会契約論』第二篇第一章〕。ルソーはこの一致の持続を、これまた「事物の力」にさからう人為――平等の維持や「部分的社会」の抑制などによってもたらそうとした。ルソーの体系は徹底した〈利害の人為的調和の体系〉であった。しかし、さきに引用した文章が示すごとく、ルソーがこのような人為の効力にたいする深刻な疑念にとらわれていたことは否定できない。この点にかんするルソーの主張にたいしてさまざまな相対立する解釈が提出されていること自体が、ルソーによるこの問題の解決の困難を物語っている。ルソーによる服従と自由の合致の問題の提起＝解決は、かえって、この解決の不可能ないし困難さの表白であるといえよう。

同感と正義

アダム・スミスは、一般利益と特殊利益の一致の問題を、経済人と見えざる手の概念を武器に新しい仕方で解決する。スミスは言う。個々人は社会一般の利益の増進を考えて行動するのではない。かれはただ自分自身の安全と利益のために行動する。「だが、こうすることによって、かれは、他の多くの場合と同じく、この場合にも、見えざる手に導かれて、みずからは意図してもいなかった一目的を促進することになる。かれがこの目的をまったく意図していなかったということは、これを意図していた場合にくらべて、かならずしも悪いことではない。自分の利益を追求することによって、社会の利益を増進しようと真に意図する場合よりも、もっと有効に社会の利益を増進することもしばしばあるのである。社会のためにと称して商売をしている徒輩が、社会のためにいい事をたくさんしたというような話は、いまだかつて聞いたことがない」〔『国富論』第四篇第二章〕。交換においても同じである。「交換の当事者は自己の利益のみを考え、それを動機にして交換はおこる」。しかし「交換なる行為が無数に行なわれるその客観的な結果は、両当事者の労働が結合され、いままで、自然に対して孤立して個々的に働きかけていた人間が、社会的に結合した労働をもって自然に働きかけるようになる。すなわちその結果は、社会的生産力の上昇という、行為者自身が意図しない社会的事実である」〔内田義彦、一九六一年、一〇七頁〕。諸個人は、結果としては社会のために労働を提供し、それに応じた富の配分を受けとる。こうして個人の利益は社会一般の利益＝社会的生産力の上昇と一致するのである。

いま、社会的生産力という物質的側面から一般利益と特殊利益の問題を考察したが、スミスの議論はそれにとどまらない。さらに重要なことは、交換の反復と広がりのなかで「同感」の働きを通じて「自然的正義の感情」が成長・定着してくるということである。商業社会において自分の必要を満たすためには、他人の博愛心に訴えても無駄であって、反対にかれの利己心に働きかけかれの利益を満たしてやらなければならない。交換の反復と拡大によって、各人のなかに、自分の利己心とは別のもう一つの自己として、他人の利己心への同感が育ってくる。同時に、各人は自己の利益の追求にたいして外的な統制を受けないが、交換の相手も同様に自己の利益を追求する権利をもつ存在であるという認識が、各人の心に植えつけられる。それによって、利己心の満たし方は変革される。このようにして「正義」の感覚が定着してゆくのである〔内田義彦、一九七〇年、一二二頁〕。同じような視点から、スミスは、正義の根拠を社会全体にたいする効用におくヒュームの理論に批判を加える。正義の法が守られていなければ社会は存続できないということが正義の法の強制の根拠だと考えられてきたが、スミスによればそれは間違いである。個人にたいしてなされた犯罪の刑罰にわれわれが関心を寄せるのは、社会の保存にたいする顧慮からではない。「個人に対するわれわれの関心は、全体に対するわれわれの関心からは起らない」〔『道徳情操論』、二一〇頁〕。そうではなくて、特定の個人にたいしてなされた不正は、その本人だけでなく、「被害者とは何の関係もないけれども、利己的人間として、自己の利益が侵害されることにはたえられないという意味で、被害者と同質の第三者も、被害者に同感し、加害者に対して報復感をもつ。この無数の第三者が人間の心に入りこんで

「良心」となって「正義」の侵犯を内から見張るのだ」〔内田義彦、一九六一年、一四三頁〕。この利己的人間の報復感こそ正義の法の強制の根拠、あるいは人びとが処罰を是認する根拠だというのである。

このようにしてスミスは、各人の利己心にもとづく行動が、その意図とは別の、社会体の存続にとって善なる客観的結果を生むこと、利己心と同感が正義の根拠であることを示すことによって、社会の一般利益と私的利益の一致を説明したのであった。スミスの体系はルソーとは反対に「利害の自然的調和の体系」〔E. Halévy, pp. 89-92〕であり、この体系の中枢をなすものこそ「見えざる手」の発現の場である自己調整的市場にほかならなかった。こうしてスミスにとって、市場は単に財貨の交換の限定された場ではなくて、市民社会そのものであり、経済的規制の場である以上に、近代社会の組織化のメカニズムそのものであった。そして市場はそのようなものとして政治、法、さらには道徳にかんする問題の解決の場であると考えられた。スミスの独創は「哲学と政治の実現を経済の地平に移した」〔Rosanvallon, p. 59〕ことにあるといえよう。

しかしスミスは、一般利益と私的利益がつねに一致するとか、現に一致していると主張したのではない。内田義彦によれば、スミスの主張は、「各個人が利己的に行動することによって、一国全体の富裕と秩序が自ら（強制によらずとも）もたらされるような、そういう政治の制度があるはずだ。……ところが現在の政治の制度は、またそれに規定される各人の行動はそうなっていない」〔内田義彦、一九七一年、一一頁〕という趣旨のことであった。スミスは、この政治の制度――遠い未来に実現されるはずの「自然的自由の制度」の視点から、特権とそれを守るための諸政策によってゆがめられた現実を批判するとともに、この制度にいたる道筋を明らかにしようとしたのである。この点は、〈社会主義〉が経済学を批判するさいに、無秩序と敵対に満ちた現実を経済学それ自体と等置して経済学の批判を行なっているだけに、注意しておくべき点である。このような批判方法をとることによって、〈社会主義〉は二重の錯誤をおかすことになる。一つは現実と経済学の等置それ自体であり、今一つは、この等置によってひきおこされる経済学にたいする誤解あるいは一面的理解である。

富と労働

以上、経済的イデオロギーの中心をなす市場の概念について検討してきたが、最後につけ加えておきたいのは、市場の確立によって富のカテゴリーが根本的に変化するということである。これは経済的イデオロギーの問題で、経済的イデオロギーの生成を分析したデュモンはこの点をつぎのように説明している。近代以前の諸社会においては、動産と不動産＝土地所有とは明瞭に区別されていた。土地財産は人間にたいする支配権と不可分に結びついており、したがって単なる富以上の存在であった。土地にたいする権利は人間関係をコントロールするものであり、そのようなものとして社会の階層的秩序の中枢をしめていた。不動産は動産にたいして圧倒的に優越した地位をしめていたのである。しかし土地革命によって、土地にたいする権利は人間にたいする支配権から切り離され、人間関係の規制者の地位を失なって富の単なる一形態になってゆく。それとは反対に、市場の確立・拡大とともに、動産的富は自律性を獲得する。動産的富は政治や宗教から分離された自律的で統一的な富になり、富の優越的形態になる〔Dumond, pp. 14, 131〕。このような人間にたいする支配権と結合した不動産の優位から動産の優位への変化は、政治＝支配から経済＝富の生産・分配への優位の移動を意味している。いいかえれば、人と人との関係の優位から人と物との関係の優越への移動ということである。こうして市場においては、すべての人間は平等で独立の財産所有者として登場し、個人間の関係は各人がもつ財産間の質と量の関係において表現される。「近代的個人」の成立とは、この変化の別の表現にほかならない。

富のカテゴリーのこのような変化は、土地所有と地代にたいする深い違和感を育てる。ケネーからリカードにいたる古典派経済学の歩みは、労働を富の唯一の実体的基礎として規定し、そこから出発して経済的運動の法則的認識をもたらそうとする努力のつみ重ねであった。それは土地所有＝地代の問題性を際立たせてゆく過程でもあり、リカードは地代と利潤・労賃の対立を証明することによって、この批判を決定的におしすすめたのであった。

フランス経済の現実は、「利害の自然的調和の体系」からほど遠いものだった。自由競争は多くの小企業の存立基盤をゆるがせた。ブルジョア的自由主義の立場から労働者の団結を禁じたル・シャプリエ法によって労働者は賃下げや解雇に抵抗する武器を奪われていたから、かれらにとって自由競争はいっそう苛酷なものであった。かれらは非合法に生き残っている職人組合や合法組織である相互扶助組合に依拠してストライキで抵抗を試みたけれども、多くのばあい待ち受けていたのは当局のきびしい弾圧であった。七月王政のころから始まった産業革命は、このような小規模経営や労働者の窮境を解決するものではなかった。たしかに産業革命の進行が職人や熟練労働者を駆逐し、無一物のプロレタリアを生みだすというのは図式的にすぎるし、フランスの産業革命はイギリスにくらべてはるかに緩慢であり、したがって労働者の貧困もイギリスほど苛酷ではなかった。けれども産業革命がもっとも急激に進行した繊維工業の町リールやミュルーズでは何千人という労働者がまさに餓死線上にあった〔A. Blanqui, 邦訳四―一〇頁〕。農民もそれに劣らず困難な状況下にあった。かれらは不作や農産物の低価格にたえず悩まされ、就業の機会と現金収入を求めて都市に流入した。とりわけ日雇いの農業労働者はそうせざるをえなかった。そしてこのことが都市の労働者の窮境をいっそう激化させた。個人的現実としての貧困（ポーヴルテ）から区別された、社会的現実としての貧窮（ポーペリスム）が出現した。いわゆる「社会問題」が深刻な問題として登場したのである。

経済学批判と〈社会主義〉

〈社会主義〉は、これらの社会問題の解決を目指すものであった。[*3] しかし個々の社会問題について検討を加え改革案を提起するだけでは、〈社会主義〉は成立しない。〈社会主義〉にとって重要なことは、社会問題の根源をつかみ、現存の社会のあり方を根本から変革することであった。〈社会主義〉は、その根源を「自由競争」に、そしてその理論的母体である経済学に見出した。〈社会主義〉は、利害の自然的調和、自己調整的市場、経済人＝「近代的個人」を骨格とする経済学のパラダイムにたいする包括的批判として成立するのである。[*4] 個別利害を出発点にすえて社会をとらえる仕方は、のちに見るように、〈社会主義〉の強く拒否するところであった。自由競争、究極的には市場メカニズムにたいしては組織化（計画化）が、私的所有に基礎をおく個人主義にたいしては生産手段の社会的所有＝協同組織、有機的全体としての社会または人類への帰属が説かれた。そして経済的領域の自立化にたいしては、全体としての社会組織への服属が主張された。経済学が調和と繁栄を見出したところに、〈社会主義〉は無秩序と不平等の深化を見たのである。

しかし〈社会主義〉は、同時に、経済学の継承者でもあった。人間による人間の支配から物の管理へ、人間による人間の搾取（エクスプロワタシオン）から人間による地球の開発（エクスプロワタシオン）へというサン＝シモニアンの標語は、産業化の促進、政治＝支配から経済＝富の生産へという経済的イデオロギーの表現するものの継承と見ることができる。産業は平和をもたらすという主張も[*5]、経済的イデオロギーを受けつぐものであった。要するに政治と哲学の問題を社会の経済構造の問題に帰着させ、その改革に問題解決の鍵があるという問題設定を、〈社会主義〉は批判的に受けつぎ徹底化させたのである。

経済的イデオロギーのパラダイムのこのような批判と継承は、〈社会主義〉に新たな問題を提起した。産業化の進展は、社会組織による統制から経済的構造を離脱させ、自立化させる傾向を強化するとともに、物質的利益中心主義を生みだす。他方では産業化はエゴイズムの温床になり、有機的全体としての社会を解体の危機にさらすであろう。そうだとすれば、〈社会主義〉は、物質的世界の肥大化にたいして精神的・道徳的契機の重要性を、エゴイズムの瀰漫にたいして社会的結合の不可欠性を強調しなければならない[*6]。このことをもっとも鮮明に示したのは、サン＝シモニアンであった。かれらが、信用の組織化を中核とする産業化を強調すればするほど、信用組織の道徳性にたいする幻想（信用制度（クレディ）の発展がそのまま人間の信頼（コンフィアンス）関係の発展をもたらすとする幻想）を肥大させ、宗教性を強めざるをえなかったのは、このためである。サン＝シモン教は単なる逸脱や一時的熱狂ではなくて、産業化の主張と不可分の裏面をなすものであった。能力主義や産業の組織化による近代社会の純粋培養的な実現というかれらの主張は、中世讃美ともいうべき社会の階層的秩序の強調、集団への諸個人の服属と献身の主張、修道院風の宗教的活動と結びついていた。かれらはこのようにして単なる産業主義を超えようとしたのである。このような宗教性は、サン＝シモン主義においてもっとも明白であるけれども、他の諸社会主義も多かれ少なかれ共有するところであった。一九世紀前半は「世俗宗教」〔D. G. Charlton〕の時代だといわれるゆえんである。

しかし私たちはあまりに先走りしすぎたようだ。サン＝シモンによる経済学の読み方の検討からはじめて、〈社会主義〉による経済学の批判と継承を検討しよう。

＊1——ミシェル・シュヴァリエのこの問題にかんする主張については、〔藤田その子、一九七六年、阪上孝、一九七七年〕を参照。

＊2——ホッブズの社会契約は主権者と臣民とのあいだの法的契約ではなくて、諸個人が戦争状態を終らせるために絶対的な第三者＝主権者を創出する契約である。いいかえれば、それはある人を指名し、その人に服従することへの同意ということであり、したがって服従と自由の問題は社会契約それ自体においてすでに解決ずみであり、あらためて提起されはしない。

＊3——〈社会主義〉だけが社会問題の解決を目指したわけではない。ゲパン（Guépin）のような共

和派、ヴィルヌーヴ＝ベルジュモン（Villeneuve-Bergemon）のような正統王朝派も社会問題に注目し、その解決を訴えた。さらに七月王政が研究の中心機関にしようとした精神・政治科学アカデミーは、アドルフ・ブランキやヴィレルメに委託して、社会問題の調査を行なった。これらの社会調査は、社会経済の現実が経済学の想定する世界とはまったくの反対物であることを白日のもとに曝した。アドルフ・ブランキとヴィレルメの社会調査については、抄訳であるが、〔河野健二、一九七九年、四一一〇頁、二六一三六頁〕を参照。

＊4――サン＝シモニアンは、このことをよく自覚していた。科学の進歩は細部の諸事実の観察と研究の局面とよるべき基本原理の変革の局面の二局面から成っており、現代経済学に必要なことは後者の局面を切り開くことだというのが、アンファンタンの考えであった〔本書、九七―一〇〇頁参照〕。

＊5――「産業は一つのものである。その全成員は、生産という一般的利害によって、仕事における安全と交換における自由を入手する必要によって、結びついている。あらゆる階級、あらゆる国の生産者はしたがって本質的に友人である」〔L'Industrie, XIX, p. 47〕というサン＝シモンの主張は、その後も変ることなく受けつがれた。産業を基礎にした国際主義が、〈社会主義〉の基調であった。

＊6――こうして人民の道徳教育が〈社会主義〉のもっとも重要な課題の一つになる。

二　サン＝シモンにおける経済学

〈産業〉の発見と経済学の読み方

晩年のサン＝シモンの思想、一九世紀前半のフランス社会思想に決定的な刻印を印した思想は、産業の意味の発見によってはじまる。一八一五年に書かれた『産業』の刊行趣意書は、産業が社会のなかでしめる地位と役割を高らかに謳いあげている。「一八世紀は破壊しか行なわなかった。それにたいしてわれわれが企てるのは、新しい構築物の基礎を築くことである。……社会全体は産業のうえになりたっている。産業は社会の存立の唯一の保証であり、あらゆる富とあらゆる繁栄の唯一の源泉である。だから産業にとってもっとも好都合な状態は、それだけで社会にとってもっとも好都合な状態である。ここにわれわれの一切の努力の出発点があり、同時に目的がある」〔L'Industrie, XVIII, p. 13〕。

いうまでもなく、産業の発見はサン＝シモンに独自のものではなく、他に先がけてなされたものでもない。レイモン・アロンがいうように、「一九世紀初めのすべての社会観察者に衝撃を与えた新しい事実は、産業であった。だれもが、過去にくらべて何か新奇なものが生まれつつあると考えた」〔R. Aron, pp. 87-88〕。サン＝シモンによる産業の発見は、このような時代の問題意識のなかで、『ヨーロッパの再組織について』（一八一四年）の公刊以来親密になった、J＝B・セーやシャルル・デュノワイエなどの自由主義的経済学者、かれらの周辺に集まる革新的な産業家たちとの交流を通じて、かれらの見解を受けいれることによってなしとげられた。のちにサン＝シモン自らが名づけた〈産業主義〉の主張は経済学への接近によって誕生したのである。[*1]

それではサン＝シモンは経済学をどのように読んだのであろうか。『産業』（一八一六―一八年）に、セーとスミスについていくつかの言及が見られるので、それを追ってみよう。

サン＝シモンは、セーの経済学のなかに「政治組織の新しい体系」〔L'Industrie, XVIII, p. 182〕の探求にもっとも有効な諸観念を見出しながら、セーの『経済学概論』につぎのような論評を加える。セーはその序論で、科学は対象領域を確定することによってのみ進歩することができるという。ところが経済学においては、これまで、富の生産、分配、消費を対象とする科学と社会組織を論ずる「本来の意味での政治学」とがつねに混同されてきた。ルソー然り、ステュアート然りである。しかし富は政治組織から本質的に独立しており、「国家はうまく管理されれば、どのような統治の形態のもとでも繁栄することができる」〔ibid. pp. 183-184〕。専制政のもとでも富は増大しうるし、民主的議会政のもとでの富の減少もありうる。それゆえ「良い政府を構成する原理と富の増大がもとづく原理を混同する」〔ibid. p. 184〕ことは混乱をもたらすだけであって、経済学の科学としての進歩のためには、両者をきっぱりと区別し、富の生産、分配、消費の原理の解明に専念しなければならない。経済的世界の自立性、それにもとづく経済学と政治学の峻別、これがセーの主張であった。

サン゠シモンはまず、セーのこの主張をアダム・スミスにくらべて進歩していると肯定的に評価する。スミスはたしかに「産業の原理」゠経済学をうちたてたが、それを「政府が富裕になるための手段」〔L'Industrie, XIX, p. 155〕としてしか提示しなかった。したがってスミスにおいては、経済学は「副次的な科学、政治学の従属物」〔ibid. p. 155〕としての地位しかもたなかった。それにくらべれば、政治学からの経済学の独立というセーの主張は「哲学的に見てスミスよりも一歩前進だ」〔ibid. p. 156〕というのである。しかしセーは『経済学概論』や議義において、経済学の独立よりもさらに進んだ、それと対立する主張を行なっている、とサン゠シモンはいう。そこでは「セーは経済学だけが道徳と政治学にたいして確実で実証的なものを与えるとくりかえし述べている」〔L'Industrie, XVIII, p. 185〕からである。セーはいわば各論で主張したことを総論で否定するという矛盾を犯しているのだが、この矛盾は「セーは経済学が政治学の唯一の真実の基礎であることを漠然と意に反して感じてはいたが、はっきりとは見ていなかった」〔ibid. p. 185〕ことの結果である。こうしてサン゠シモンは、経済学が「もう少しの勇気ともう少しの哲学をもって」〔ibid. p. 186〕このような躊躇と矛盾をのりこえてそれにふさわしい地位を得るところまで進むことを要求する。「初期には経済学は政治学に支えられていたが、〔今後は〕政治学が経済学を拠りどころにするであろう。あるいはむしろ、経済学がそれだけで政治学のすべてになるであろう。そうなるときは遠くない」〔ibid. p. 186〕。逆にいえば、サン＝シモンにとって、政治学とは「生産の科学、すなわち、あらゆる種類の生産にとってもっとも好都合な事物の秩序を対象とする科学」〔ibid. p. 188〕であるべきものであった。

ここではサン＝シモンは、経済学の批判者としてよりもその継承者として、それも経済学のよってたつ原理的認識を究極にまでおしすすめることを要求するラディカルな継承者として経済学を読んでいる。ラディカルな継承者としての資格において、かれは経済学の勇気と哲学の不足を批判しているのである。このような読み方をしようとすれば経済学を経済学として読むわけにはゆかない。じっさいサン＝シモンは、生産、分配、消費の分析を立入って論じてはいないし、いわんや個々の諸命題の当否を検討してもいない。そうした検討に先立って、産業と統治の関係、理論のレベルでいえば経済学と政治学の関係を明らかにしなければならない。要するに新しい社会組織の組織原理の解明を何にもまして優先させなければならないのである。

こうしてサン＝シモンの理論的関心は形成されつつある産業社会全体の組織原理に集中されるが、この組織原理が〈政治〉としてつかまれるかぎり、サン＝シモンの経済学の読み方は、直接的には経済学を「産業が権力を行使するさいの方法にかんする知識」〔L'Industrie, XIX, p.

151〕として読む政治論ないし政策論としての読み方になる。じっさい『国富論』も、国民が自由かつ富裕であるためには政府の原理と本性を産業に合致させなければならないことを教えた書物として、「封建制にたいするもっとも強力で完璧な批判」〔ibid. p. 154〕として読まれているのである。

政治の観念

しかしこの点を単に政治的ととらえ、サン゠シモンにおける政治の視点の優越をうんぬんすることは表面的にすぎる、と私は思う。[*2] というのもサン゠シモンにおいては、政治および政治学の意味内容が変化しているからである。セーのいう政治および政治学は、専制政や民主政といった統治形態、あるいは「良い統治を構成する原理」のことであり、伝統的な意味での政治および政治学のことである。それにたいしてサン゠シモンは、政治にかんして「われわれは統治形態に過度の重要性を与えてきた」が、それは二義的な問題にすぎないという。議会制という統治形態がいかに好ましいものであっても、「それは統治の形態にすぎず、所有の構成こそがその土台だ」からである〔ibid. pp. 81-83〕。サン゠シモンの考える政治とは、社会の全体構造のなかの一部分的領域としての政治のことではなくて、社会の全体構造そのもの、その組織原理のことであった。

セーとサン＝シモンは政治という同じ言葉を用いているけれども、その意味するものは異なっている。セーは政治を政府＝統治の形態ととらえ、富の増減がそれから独立していること、いいかえれば経済的世界と政府の二元的構造を承認したうえで、富にかんする独立した科学としての経済学の確立を目指した。セーは、政府と市民社会の規定関係を中心とする社会の全体構造の問題をいわば解決ずみだとして問題関心の外においたのである。サン＝シモンはセーのこのような態度のなかに勇気と哲学の不足を見た。サン＝シモンにとっては、この問題こそ真実の問題であり、その解決の手掛りを経済学に求めていたからである。[*3] こうしてサン＝シモンにおいては、経済学は個別科学であるよりも近代社会の全体構造にかかわる科学でなければならず、まさにそのような科学として経済学を読もうとしたのである。

このように、サン＝シモンの理論的関心は経済学のパラダイムを究極点にまで推し進めることにあったけれども、かれがここでひきだす実践的結論は、当時の自由主義的経済学者の主張と変らない。サン＝シモンはいう。社会の真の構成者は有用労働に従事する人びとであるが、かれらに必要なことは自由、すなわち生産活動にたいする拘束と生産物の享受にたいする妨害からの解放につきる。ところで現時点においては、何も生産せずに消費し、他人の労働に依存する一群の寄生者が存在する。このことから「怠け者が産業を脅かす暴力を防ぐことを目的とする仕事」〔L'Industrie, XVIII, p. 130〕が必要になる。この仕事の担い手が政府である。しかし政府の存在が産業にとっていかに有用であっても、それは産業とは根本的に異質であり、それゆえ政府が産業に介入し支配するときには必ず産業の桎梏になる。こうしてもっとも好ましい政府のあり方とは、「有用労働の妨害を防止するためだけに活動と力を行使する政府、勤労者がかれらの労働生産物を直接かつ自由に交換しうるようにすべてが秩序づけられている政府」〔ibid. pp. 165-166〕である。

サン＝シモンの自由論

一見して明らかなように、『産業』の実践的結論は、産業の最大限の自由、最小限の統治ということ、要するに夜警国家論である。サン＝シモンは経済学の主張に完全に自己を同化させているように見える。[*4] しかし経済学を究極点にまで推し進めることによってそれを超えようとするサン＝シモンの問題意識は、かれの〈自由〉のとらえ方に影をおとしているように思われる。

この点で重要なのは、自由が普遍的で超歴史的な原理や人間の本質としてではなく、歴史的過程のなかでの問題として論じられていることである。サン＝シモンの考えでは、現代社会に至る歴史過程のなかでもっとも重要な事件は一二世紀におこった「コミューンの解放」であった。それは、封建的・軍事的諸階級の支配のもとで、それとはまったく異質な集団である産業家階級が金で解放を買いとることによって自立的な力を獲得したこと、すなわち産業家の階級としての誕生を意味していた。これを基点として、産業家階級の上昇と封建的諸階級の没落の過程が進行する。この過程は、最終的には「全般的革命」つまり「人間存在の巨大で全般的な改善」〔L'Industrie, XVIII, p. 167〕に到達するであろう。〈自由〉は、産業家階級と封建的・軍事的階級とのこのような歴史的関係と過程のなかで、前者の一層の発展を可能にすることによってこの過程を促進するための条件として主張されているのである。

それにたいして、啓蒙主義者たちが主張し、フランス革命で宣言された「人間の権利」としての自由には消極的な評価しか与えられない。フランス革命は、産業家階級が、かつて行なったように、封建的諸権利を買いとって産業の利益のための革命を遂行する好機であったし、じじつその初期には革命は産業的な性格をもっていた。しかし産業家は「共通の理念」を欠いており、また「啓蒙の偏見」に染まっていたために、自己の利益を明確に提示し追求することができなかった。かれらは、あるいは「平等や軍事的栄光」を望む「一般的感情」に頼り、あるいは「他人の事柄を論じることを職業とし、現実と事物によりもはるかに強く観念と抽象に熱中する人びと」〔ibid. p. 199〕に依存した。これらの連中、すなわち法学者と形而上学者は、産業の現実的利益ではなくて、もっぱら「自由という永遠の権利」について熱弁をふるった。こうしてフランス革命は、産業の現実的利益から逸脱して、「想像上の善についてのあいまいで無規定な願望」〔ibid. p. 158〕にほかならぬ「人間の権利」の宣言に、自由の絶対化に帰着したのである。これがフランス革命と「人間の権利」としての自由とにたいするサン＝シモンの評価であった。

このように見てくれば、サン＝シモンが、それ自体で価値をもつ原理や人間の絶対的権利として自由を主張しているのでないことは明らかであろう。サン＝シモンにとって、真の問題は個人的自由と恣意的権力の対立や前者の擁護にあるのではなくて、封建的・軍事的階級と産業的階級、軍事的活動と産業的活動という二つの集団、二つの活動の対立にあった。かれの主張する自由は、社会の基礎が産業にあることの認識を前提とし、産業家階級と封建的諸階級の対立関係の現存という条件のもとで、それを産業的に止揚するための手段として提起されているのである。いいかえれば、サン＝シモンの主張する自由は現時点での過渡的な要求であって、この条件がなくなれば、すなわち封建的諸階級が消滅して社会の全成員が有用労働に従事するようになれば——それは歴史的必然である——、自由はもはや達成すべき目的ではなくなるであろう。もちろん『産業』の議論はそこまで煮つめられてはいない。その結論は政府の拘束からの産業の自由という消極的自由の要求にとどまっている。しかしそこにはすでに、消極的自由にとどまりえない方向性がふくまれていると考えることができる。

サン＝シモンは、経済学を通じて、社会の運動は客観的必然性に従っていること、近代社会の基礎は産業にあり、産業は分業にもとづくまったく新しい社会的結合を成立させること、政治は不生産的であることなどを学んだ。そしてかれはこの認識をさらにラディカルにおしすめることによって、富の増大の政府からの独立というセーの立止まった点をこえて、社会の自律性――逆にいえば国家死滅の可能性の主張にまで前進する。サン＝シモンには早くから社会を一つの有機的統一体としてとらえる視点があったが、それが経済学への接近を媒介として社会の自律性への確信として深化される。そしてこの深化とともに、社会の全体認識の深化とともに、かれは経済学から遠ざかってゆく。経済学は、サン＝シモンが社会の全体理論を成熟させてゆく過程で、「触媒」〔吉田静一、九一頁〕の役割をはたしたのである。

社会組織の理論

社会の自律性への確信が明確な姿をとり、この確信にもとづいて国家と市民社会の関係を基軸とする「社会組織の理論」がポジティヴに展開されるのは、『組織者』（一八一九―二〇年）以後である。サン＝シモンは『組織者』の「第一一の手紙」でつぎのようにいう。かつての統治原理は、国民を統治者の世襲財産と見なし、この財産をうまく搾取し増大させることが統治の目的とされた。このような統治にたいして被統治者から反対がわきおこり、フランス革命のなかで、かれらによって新しい統治原理が提起された。すなわち「統治者は社会の管理者にすぎず、かれらは被統治者の利害と意志にしたがって社会を指導しなければならないということ、一言でいえば、国民の幸福が社会組織の唯一の目的であること」〔L'Organisateur, XX, p. 187〕が統治原理として提起され、承認されたのである。このことは新しい統治原理の確立に向かっての重要な一歩だが、しかし「修正的原理」であって「指導原理」ではありえない。というのもこの原理は、新しい政治組織の基礎たりうるにはあまりにもあいまいだからである。

サン＝シモンは、この原理があいまいである理由をつぎのように説明する。この原理においては、たしかに社会の幸福が統治の唯一の目的であることは認められているけれども、社会はいかにして幸福になりうるか、その手段は何かは、まったく不分明なままである。そして手段が明らかでないかぎり、統治は必然的に統治者の恣意にゆだねられることになる。というのは「社会が、その繁栄のための一般的手段についての理念を確定せずに、ばくぜんと統治者に自分を幸福にしてくれるように命令することに甘んじているかぎり、……統治者は社会を与えられた方向に導くという本来の役割とともに、社会の方向を決定するというまったく別の重要な役割を兼任することになる」〔L'Organisateur, XX, p. 189〕からである。しかし問題は、手段の不明確ということにとどまらない。真の問題は国民の幸福という〈目的〉のあいまいさにある。目的があいまいであるかぎり、目的に適合的な手段の確定などありえない。手段は目的の従属変数にすぎないからである。こうしてサン＝シモンは、さきの引用につけた註で言う。「社会が結合（アソシアシオン）のポジティヴな目的を手にいれなかったかぎり、つねに恣意が存在せざるをえなかった。さらに統治の形態を変えることによって、恣意を消滅させることはけっしてできないことは明らかである。なぜならわれわれが述べてきたことはすべて、統治形態から独立しており、あらゆる統治形態にあてはまるからである」〔ibid. p. 191〕。

このようにサン＝シモンは、社会が自律的であるためのもっとも基本的な問題を「結合のポジティヴな目的」の確立に見出した。これ以後、サン＝シモンは「社会組織の理論」と歴史理論をもっぱら「社会の活動目的」、「社会の目的」の概念で構築してゆくことになる。この概念は以後のサン＝シモンにとって鍵概念になるのである。それはこんなぐあいである。「いくらくり返してもたりないが、社会には活動の目的が必要である。それなしにはいかなる政治体制もありえない」〔Système industriel, XXI, p. 14〕。「社会体制がじっさいに変革されるためには一般的な活動の目的が変革されなければならない。その他の改善はいかに重要なものであっても修正にすぎない。いいかえれば形式の変化であって体制の変化ではない」〔ibid. p. 13〕。しかし秩序の維持や個人的自由の維持は社会の目的たりえない。秩序の維持は社会の活動の基本的条件ではあるが目的ではない。秩序の維持が目的と見誤まられるのは、「結合が目的をもたないかぎりのことにすぎない」〔L'Organisateur, XX, p. 200〕。個人的自由は文明の進歩の一つの結果であって目的ではない。「人間は自由になるために結合したのではない。未開人は狩りをし戦いをするために結合したのであって、疑いもなく自由を得るために結合したのではなかった。……くりかえすが、活動の目的が必要であり、自由はその一つではありえない。なぜなら自由は目的を前提としているからである」〔Système industriel, XXI, p. 15〕。それでは社会の真の目的は何であるのか。いうまでもなく産業であり、サン＝シモンは、産業を結合のポジティヴな目的として確立した社会を「産業的アソシアシオン」とよんだ。「産業的アソシアシオン」について立入って論じる余裕はない。ただ「産業的アソシアシオン」においては、諸個人は共同の目的にむかって能力による階層制のもとに編成され、諸個人は独立で自由な主体としてではなく、アソシアシオンの一員として、それが遂行する事業の共同の担い手として位置づけられ、遇されること、共同の目的を社会の成員に浸透させ、エゴイズムを払拭して共同の目的に向かって諸個人を統合する「共通の道徳観念」の必要性が強調されていることを指摘するにとどめよう。[*5]

こうしてサン＝シモンは、「社会の目的」の概念によって、国家と市民社会の二元的構造という経済学の世界をこえて、社会の自律性にもとづく社会組織の理論の地平に到達した。しかし「社会の目的」の概念にはうさんくささがつきまとう。目的集団として形成されたのではない社会について、その目的を〈実証的に〉語ることができるであろうか。それは摂理史観の焼直しではないのか。サン＝シモンが考えたような実証主義の確立ではなくて神秘主義の復活ではないのか。じっさい、サン＝シモンが「社会の目的」の概念を強調しはじめるのは、ド・メストルやボナールといった神秘主義的思想家から大きな刺激を受けてからのことなのである〔吉田静一、二七二頁〕。そしてサン＝シモンはこの視点から、すくなくとも目的という点では封建体制のもとで「社会は大戦争を行なうという明確で決然たる目的をもっていた」〔Système industriel, XXI, p. 13〕として封建制を再評価するのである。しかし大戦争という目的は封建社会の支配階級の目的であったとしても、社会の目的であったといえるであろうか。産業的アソシアシオンについてもこうした疑念なしとはいえないであろう。産業的アソシアシオンにおいては、階級関係や支配・被支配の関係は存在しないとしても、能力による階層的構造が厳然として存在するとすれば、産業的アソシアシオンの目的は階層的構造の頂点に立つ指導者の設定する目的に等しいのではないか。しかも個人的自由についてはつぎのように言われているのである。個人的自由の名において主張されている形而上学的自由は「文明の発展とよく秩序づけられた体制の組織に反するであろう。なぜならよく秩序づけられた体制は、諸部分が全体に強く結合され、全体に依存することを必要とするからである」。それにたいして「真の自由とは、アソシアシオンにとって有用な物質的、精神的諸能力を、妨げられることなく、かつ可能なかぎり広く発展させることである」〔ibid. XXI, p. 16〕。

社会の目的の強調は、有機的統一体としての社会への全面的な包摂を意味するから、利己心＝エゴイズムの告発と結びつき、諸個人が利己心を払拭して社会に完全に同化するように導くための「共通の道徳観念」の必要性の強調に結びつく。「共通の道徳観念」の重要性は、サン＝シモンが『産業』においてすでに強調したところであったが、いっそう大きな重みを賦与され、「新キリスト教」として結実することになる。

ところでサン＝シモンは、かれが自由主義経済学にもっとも接近したときに、「産業家の特殊利益は、ただ事物の力だけによって、共同利益と完全に一致する」〔L'Industrie, XIX, p. 169〕と書いた。けれどもここでかれは個々の産業家の利益ではなくて、産業家階級の利益について語っているのである。さらに重要なことは、サン＝シモンが特殊利益の共同利益への一致の道筋をアダム・スミスとはまったく別の仕方で考えていることである。さきに見たように、アダム・スミスは、諸個人の利己的動機にもとづく活動が、結果としてかれらの動機とは別の、社会にとって善なる目的を実現すると考えた。内田義彦の卓抜な表現を借りれば、スミスは人間の動機―行為の分析という「主体的自然法」から出発して、客観的過程の認識という「客体的自然法」に到達する〔内田義彦、一九六一年、一〇二―一〇九頁〕。それにたいしてサン＝シモンが産業家の特殊利益の共同利益への一致を考えるのは、こうした媒介的な道筋をとおしてではない。かれのいう産業家の利益は、個々の具体的な個人のそれではなくて、理念化された産業家、いいかえれば産業そのものの利益にほかならず、したがって個人の動機―行動に「ついてゆく」というスミスの主体的自然法の手法はとられない。サン＝シモンが問題にするのは、もっぱら客体的自然法である。こうしてサン＝シモンにおける両者の一致は、動機とは別の意図せざる結果として生みだされるのではなく、産業家が社会の基礎であり、普遍的階級であることによって生まれるのである。サン＝シモンにおいては、特殊利益と共同利益の一致は結果的ではなくて本来的であり、媒介的ではなくて直接的に考えられている。社会の目的の概念は、このような差異を鮮明にするものであった。「自分の利益を追求することによって、社会の利益を増進しようと真に意図する場合よりも、もっと有効に社会の利益を増進することもしばしばあるのである。社会のためにと称して商売をしている徒輩が、社会のためにいい事をたくさんしたというような話は、いまだかつて聞いたことがない」〔『国富論』第四篇第二章〕とアダム・スミスは書く。それにたいして「政治的改善を行なうには、この変革によって最大の利益を得るはずの階級のエゴイズムという情熱よりも、公共の善への情熱の方がはるかに有効に作用する。要するに、経験が証明したことだが、新しい事物の秩序にもっとも利益をもつものが、その設立にもっとも熱心に努力するものではないということである」〔Système industriel, XXII, p. 120〕と書くのがサン＝シモンである。[*6]

このようにして一八一七年には経済学のラディカルな継承者であったサン＝シモンは、急速に経済学の世界をつきぬけ、その対蹠地に立った。それは「人間はたがいに兄弟のように振舞うべし」というドグマに要約される宗教的世界であった。そしてサン＝シモニアンたちは、そこから出発してこの宗教的世界を探索することになる。

＊1――〈産業主義〉の名称をめぐる問題、またサン＝シモンの〈産業主義〉にたいするデュノワイエの批判については、〔吉田静一、二二四、二三七―二四一頁〕を参照。

＊2――サン＝シモンと経済学の関係にかんして、サン＝シモンが経済学を理解しなかった、あるいは経済学を読むさいに政治の視点を優越させたことがしばしば指摘され、それがサン＝シモンの理論的欠陥とされてきた〔坂本慶一、一九六一年、一五九―一六〇頁、吉田静一、一一七―一一八、二三〇、二三五―二三六頁〕。たしかにサン＝シモンには経済学的認識は欠けており〔坂本、一五九頁〕、たとえば『国富論』が政治論として読まれている〔吉田、一一七頁〕ことは事実であるけれども、そのことを政治と経済の混同〔坂本、一六〇頁〕あるいは、政治の視点の優越として負の評価を与えることでは、サン＝シモンの問題設定(プロブレマテイク)を認識することはできないのではないだろうか。本論で見るように、サン＝シモンにおける政治あるいは政治学とは統治形態という狭義の政治ではなくて、社会の全体構造およびその組織原理のことであり、これこそかれが全力をあげて明らかにしようとしたものであった。いいかえればサン＝シモンの関心は、経済学的認識それ自体を深めるのではなくて、経済学をてこにして近代社会の組織原理を解明することにあった。この点を見落すならば、『産業』から『組

織者』および『産業体制論』への、自由主義から反自由主義へのサン＝シモンの発展の必然性はとらえられない、と私は思う。

＊3――この点にかんして、「市民社会と国家」の二元論的シェーマをのりこえて社会の有機的見方をうちたてることにサン＝シモンの企図を見出したアンサール、この視点をふまえてサン＝シモンの国家論の展開を綿密に論じた広田明から大きな示唆をえた〔P. Ansart, 1970a, 広田明、一九七四年〕。

＊4――こうして『産業』においては問題設定と解答のあいだに不均衡あるいはずれがある。そしてこのずれは、『産業』の過渡的性格、『産業体制論』への移行の徴候である。

＊5――自由にたいする目的の優越は、言葉をかえれば、消極的自由にたいする積極的自由の優位ということである。『産業』においては積極的自由が消極的な仕方で提起されるにとどまった――そこでもすでに自由は産業的活動という目的に関係づけられているかぎりで積極的自由の契機を内包しているが、その結論は拘束からの産業の自由という消極的な仕方で展開されている――のにたいして、ここでは明瞭に積極的自由が積極的に主張されている。そして社会の目的による社会の組織化という主張は、必然的に権威主義的傾向をはらむことになる。

＊6――F・マニュエルは、サン＝シモンが晩年にいたってそれまでの自己利益への訴えかけから人類愛へのアピールに力点を移動させたことを指摘している〔F・マニュエル、下、六二〇―六二三頁〕。利己心の否定、全人類の未来の幸福を目指す人類愛というサン＝シモンの到達点が、サン＝シモニアンの出発点になる。

三　サン゠シモニアンの経済学批判

産業と経済学の定義

サン゠シモンは、一八二五年はじめに、オランド・ロドリーグ、レオン・アレヴィなどの弟子とともに、自らの主張の普及のために『生産者（Le Producteur）』誌の刊行を企てた。その後まもなくサン゠シモンは死ぬが、弟子たちはその直後から師の計画の実行にとりかかった。同じ年の六月には、銀行家のラフィットらの出資をえて、ロドリーグとアンファンタンを代表者として『生産者』刊行のための会社が設立され、一〇月には「新しい哲学の諸原理の普及」をめざす『生産者』第一号が刊行された。

かれらのいう「新しい哲学」は、人間存在と社会を肉体的、知的および感性的゠道徳的の三つの欲求と能力の統一体ととらえる人間・社会観にもとづき、これらの能力の最大限の発揮によって、「外的自然を人類にとってもっとも有利に変形する」ことを主張するものであった。「三つの要素が社会体の幸福を構成する。肉体の維持、教育、人間の道徳的発展と調和した快楽、がそれである。社会はそれ自身のうちにこれらの必要を満たす手段をもっている。産業技術、科学および芸術の結合こそが、この完全な幸福を生みだすはずである」〔Prospectus du Producteur, I, p. 10〕。こうして『生産者』は、産業、科学、芸術の現状とそれらの発展の方向を論じ、同時にこれらを共通の原理——「歴史の一般的原理」によって結合しようとする。『生産者』の誌面の多くは産業と「産業の哲学」である経済学にわりあてられたけれども、その排他的な対象ではなかった。[*1]

サン＝シモンには、産業のなかに科学と芸術をもふくめる産業の広い定義と農・工・商業および信用に限定する産業の狭い定義が併存しており、ある種の混乱を招かざるをえなかった。[*2]それにたいしてサン＝シモニアンにおいては、産業は狭義の産業に、「人間的必要の充足のための物質的生産」〔O. Rodrigues, p. 97〕に限定される。産業は社会全体をおおうものではなく、「過去においても未来においても、また現在においても、社会的活動の諸様式の一つをあらわすにすぎず、社会の必要の一部を満足させるにすぎない」〔P. J. Rouen, 2, Producteur, III, p. 144〕。当面は産業の問題が重要だとしても、それを社会のすべてだと考えることは、物質的利益しか考えない〈危機の時代〉の思想の特質であり、根本的にまちがっているというのがかれらの主張であった。

サン＝シモニアンはこのように産業の位置と役割を限定すると同時に産業の進歩が産業外の諸条件に依存していることを強調する。産業の進歩は物質的富の生産・流通と産業家のおかれている状態の改善にかかっているが、これらは産業外の諸条件に依存している。生産においては科学の進歩が決定的だし、交換と流通にかんしては社会の一般利益の増進を目的とする組織化がいかに行なわれるかに依存している。そしてそのためには私的利益の追求を出発点とし自由放任を帰結とする現代の経済学の根本的変革が必要であるが、それは社会と歴史を全体として把握する「一般的観念」の完成にかかっている。産業家の状態についていえば、社会全体の指導が産業家にゆだねられるようにすること、「各人の利益がその能力に比例し、各人の全能力の十分な発展を可能にする手段を手にいれる」〔Bazard, 1, p. 549〕こと、そのための政治的活動が必要である。そしてこれらのことは「人類社会の発展にかんする全般的な見方」〔ibid. p. 549〕にもとづいてはじめて可能になる。要するに「産業の運命は社会を支配する一般的原理に直接あるいは間接に結びついている」〔ibid, p. 549〕のである。

こうしてサン＝シモニアンの産業＝経済観は、古典派ないし自由主義経済学のそれと根本的に異なる。後者にとって、経済はそれ自身の法則にしたがって運動する自律的領域であり、非経済的要因による攪乱が排除されれば、おのずと調和を生みだすはずのものであった。それにたいしてサン＝シモニアンにとっては、それは社会の全体構造に支配される部分領域にすぎない。経済恐慌は経済の社会からの分離・孤立の結果であり、したがって現代文明そのものの危機のあらわれにほかならないと考えられた（cf.〔G. Iggers, p. 136〕）。こうしてかれらの理論的関心は、経済的領域それ自体の分析や法則的認識ではなくて、社会の「一般的原理」に集中することになる。

経済学はこのように把握された産業の「哲学的歴史」である。経済学の対象と目的について、アンファンタンはつぎのようにいう。「社会組織と産業の関係の研究、すなわち過去における産業家の社会的地位の検討とますます科学的になってゆく地球の開発の完成のために分業がなしとげた進歩の検証、これらがこの科学の研究すべき事実である。これらの事実から、産業家と産業の未来にかんする考察、すなわち勤労者の相互関係およびかれらと他の社会諸階級の関係がこうむるべき変革と、協同(アソシアシオン)の精神による分業の完全化とにかんする考察をひきだすこと——これが、経済学が自らに課すべき目的である」〔P. Enfantin, 8, pp. 388-389〕。サン＝シモニアンの考えでは、経済学研究にとって何よりも重要なことは社会組織の全体をとらえる視点と歴史的視点をもつことであり、かれらの経済学にたいする批判は、現代の経済学がこうした視点を欠いていることにたいするものであった。

さきに述べたように、産業は社会的活動の一部をおおうものにすぎなかった。とすれば「産業の哲学的歴史」である経済学も社会組織の全体を明らかにするものではありえない。P・J・ルーアンはシャルル・デュノワイエの『自由との関係における道徳と産業』を批判していう。デュノワイエは「産業のなかに社会の必要かつ十分な要素を見出した。かれは産業の理論だけから道徳と諸制度を作りだそうとする」〔Rouen, 2, Producteur, III, p. 143〕。しかし産業は社会の諸欲求の一つを満たすにすぎないから、かれの試みは不可能である。「科学と芸術は産業と同じ線上に位置しており、科学、芸術、産業を包括する三つの系列の現象の比較研究によってのみ申し分のない政治構造に到達することができる」〔ibid. p. 144〕。アンファンタンはさらにはっきりと、社会全体を把握する「社会組織の科学」は経済学から直接に演繹しうるものではけっしてなく、「歴史哲学、もっと適切にいえば、人類の哲学的歴史」〔Enfantin, 8, p. 383〕に依存していると言う。そして経済学はといえば、「社会組織の科学にたんに材料を提供するだけ」〔ibid. p. 386〕なのである。

経済学の位置と役割をこのように限定するサン＝シモニアンは、「経済学がそれだけで政治学のすべてになること」〔L'Industrie, I, p. 186〕を主張する師サン＝シモンの立場から社会組織の科学と経済学の峻別を主張するセーの立場に後退したように見える。じじつアンファンタンは、セーのこの主張は部分的に正しいと述べているのである。しかしそうであろうか。この点は次節で検討したいが、つぎのことだけを指摘しておこう。サン＝シモニアンは、全体構造によるその諸部分の決定、部分にたいする全体の優越を強く主張した。かれらも経済学と社会組織の科学を峻別したけれども、それはセーのようにそこから経済学の独立性を結論するためではなくて、反対に経済学が社会の全体把握である「歴史哲学」によってつらぬかれなければならないことを主張するためであった。このような歴史哲学の圧倒的優越はかれらの観念論的傾向を強め、さらに歴史哲学の把握における感情的契機の重視によって実証科学から宗教に向かわせるであろう。

経済学の方法

サン＝シモニアンは、社会を一個の有機的な統一体としてとらえた。「社会がかりに人間のたんなる集合体にすぎないとしても、また社会が個別的諸要素をふくむにすぎないとしても、諸要素の結合という事実によって諸要素が相互に変化し、社会がおよぼす影響によって諸要素が一定の特性を獲得するということも、それに劣らず真実である」〔Rouen, 2, Producteur, II, p. 160〕。いいかえれば、社会にかんするすべての事実は「相互依存のもとにあり、正確にいえば、それらがその部分を構成する全体のなかでのみ意味と価値をもつ」〔Bazard, 2, p. 406〕のである。それゆえ社会的事実の研究のためには、まずもって社会の全体を把握することが必要なのである。かれらのいう社会とは、「存在以来の人類全体」のことであり、それにたいして個人は人類という「より一般的な体系の特殊性、部分にすぎない」。したがって個人にかんする研究は、「社会科学にたいしてただ補助的に協力することができるだけ」であり、社会科学の出発点たりえない。社会科学には人類史的視点が不可欠なのである〔Rouen, 2, Producteur, II, pp. 160-161〕。

経済学の対象である産業においては、たしかに現時点では私的利益と社会の一般利益が対立しており、私的利益の追求が産業活動の原動力になっている。現代の経済学者たちはこのような事態を人間社会の本来的なあり方だと考え、それにもとづいて個人の私的利益の追求を出発点として研究を進めている。しかしこのような事態は、社会の共同の目的が実証的に認識され定立されていないかぎりで成立する過渡的な現象にすぎない。[*3] 産業の真の意味と役割を明らかにするためには、このような一時的現象から出発してはならないのであって、人類史的視点からする産業の本質規定から出発しなければならない。そのとき、私的利益が原動力になるという現代の状況の過渡的性格も明らかになるであろう。

　こうして経済学の理論的確立のためには人類の歴史的発展の全体把握が不可欠だとされる。この全体観を獲得する唯一の方法は、「まず社会の発展を、他のすべての事実の要約的表現であるもっとも一般的な事実の系列において考察し、他の事実の系列にはその一般性の順序にしたがって接近してゆくこと」〔Bazard, 2, p. 406〕である。それでは産業にかんする「もっとも一般的な事実」とは何であるのか。技術的側面においては、「外的自然にたいする人類の征服手段の完全化」〔Enfantin, 2, p. 562〕であり、その社会関係における表現としては、「全人間科学を支配する一般的現象である協同（アソシアシオン）、すなわち、すべての個人的労働の社会的利益における結合」〔Enfantin, 4, p. 67〕である。経済学において問題となる利子、地代などのカテゴリーは、この一般的事実にもとづいて把握されなければならない。これが、サン＝シモニアンの考える経済学の方法論的前提であった。*4

ケネーとスミス

このような視点から、アンファンタンはケネーから現代にいたる経済学の展開をつぎのように総括する。「スミスまでのすべての経済学者は、社会関係全体にかんするもっとも一般的な考察から叙述をはじめた」〔Enfantin, 8, p. 388〕。かれらは、あるべき社会秩序について自分たちが抱く一般的観念を出発点において、経済学の研究をこれに合致させようとした。ステュアートは『経済学原理』の叙述を「人類の統治について」からはじめたし、ケネーも「自然的秩序」を出発点においた。ルソーの『政治経済論』も統治の格率の検討からはじまっている。「かれらにおいては、経済学の研究は社会の全体把握から片時もはなれることはなかった。「かれらは哲学者として経済学を研究した」〔ibid. p. 386〕。この意味でかれらの経済学は社会にかんする一般的観念にもとづいていたといえる。かれらは「富の科学を社会組織にかんするかれらの理論の帰結としてのみ論じた」〔ibid. p. 386〕。アンファンタンがケネーの経済学を評価するのは、その経済学的分析の側面ではなくて、社会の全体論的把握という理論的枠組、そのもとでの経済的領域の位置づけであった。*5 しかしかれらが依拠する一般的観念は実証的観念ではない。ケネーの経済学の前提であると同時に帰結である「自然的秩序」の観念は、「社会諸現象の継起と連鎖の厳密な研究」にもとづいてはいないし、「人類の漸進的な歩みの観察の結果」でもない。それは「自然法にかんする憶測」〔ibid. p. 379〕の産物であり、「抽象的個人の観察からひきだされた」〔ibid. p. 386〕ものにすぎないのである。さらにケネーの経済において地主がもっとも重要な役割をしめていることが、かれの生きた時代の状況とかれの階級的な立場を示しており、この点でもケネーの依拠する一般的観念は問題的だ、とアンファンタンはいう。

それにたいして、アダム・スミス以後の経済学者たちは、「社会の形成または社会組織にかんするいかなる基礎的観念も必要としない、価値、価格、生産といった用語の定義のような細目の点」から出発して、「事後的に社会組織の基礎をうちたてようとする」〔ibid. pp. 387-388〕。かれらがこのような方法をとるのは、「かれらの全著作が、あらゆる社会原理の否定にほかならない自由の原理の支配のもとで生みだされたからである」〔ibid. p. 388〕。サン＝シモニアンは、サン＝シモンが『産業体制論』で示した反自由主義の立場をさらに徹底させた。かれらはいう。自由の観念は障害との関係において成立し、意味をもつ観念であって、したがって「障害が存在しないばあいには、自由の観念は生みだされえない」〔Rouen, 2, Producteur, II, p. 167〕。社会の形態と人民の必要が合致・調和しているところでは抑圧や障害が存在しないから自由の観念は存在しないし、ましてや何らかの役割をはたすこともありえない。要するに自由の観念は、特定の社会のあり方のもとでそれを否定し破壊するという役割を担って登場する一時的な観念であり、ポジティヴな価値をもたないのである。スミス以後の経済学者はこのような自由の観念を絶対視したために、経済的諸事実を社会組織のあり方との関係のもとで考察することができなかった。かれらが行なう細部の諸事実の観察と分析が精密でそれ自体としては価値のあるものであっても、それらは相互関係をもちえず、社会の全体構造との関連のなかで意味づけられはしなかったのである。

これらの経済学者のもう一つの根本的な誤謬は、歴史的視点を欠いていることにある。かれらは、ある時代、ある国民にみられる現象を永久的な現象と見なし、これらの現象間に成立する法則を永続的な法則と取り違える。地代や利子にかんするかれらの議論は、このことを明らかにするであろう。さらに、かれらが中世を暗黒の時代としてえがきだすとき、かれらの歴史認識の誤謬が端的に暴露される。かれらは歴史時代を、歴史発展の必然的な因果の系列においてとらえるのではなくて、現在を規準にして恣意的に設定した優劣関係においてとらえているからである。アンファンタンは、このように経済学の歴史を総括した。

ところでアンファンタンは、経済学の研究を二つの領域に分ける。一つは産業の生産力的側面の研究であり、産業の技術的および組織的関係を対象とする。その主要な問題は、一つは分業の規制の問題であり、いま一つは生産手段の計画的で効率的な配分の問題である。後者の問題の解決は「全般的銀行制度」の構想で企てられることになる。もう一つの領域は生産物の分配を対象とする。この領域はさらに、「勤労者相互の位置、すなわち労働の指揮者と労働者（ouvriers）の関係と、生産者を非生産者に結びつける関係」〔Enfantin, 8, p. 385〕の二つに分けられる。企業家と労働者の関係、いいかえれば利潤と賃金の関係が問題として登場していることに注目しよう。しかしいうまでもなくサン＝シモニアンが力を注ぐのは、生産者と非生産者＝所有者の関係の問題である。この問題は根本的には所有制度の変革の問題であるが、『生産者』では所有問題は真正面からは論じられず、利子と地代の本質と歴史的傾向の問題として論じられる。そしてこの問題の解決も信用制度の変革に求められることになる。

まず第一の領域にかかわる問題として、サン＝シモニアンが分業、所有、競争のカテゴリーをいかにとらえたかを検討し、次いで第二の領域である「生産物の分配」にかんして、地代、利子、賃金についての所説を検討しよう。

分業論

現代社会では、分業は個々の作業場の内部で企業の長の指揮のもとで行なわれるか、独立生産者間の交換を通じて自然発生的に行なわれるか、のいずれかである。そして現代の経済学者たちは、このような分業の形態をその究極的な形態と見なしている。その結果、かれらは分業の問題を歴史的に論じることができず、またあるべき社会組織に関係づけることができない。

サン＝シモニアンは、経済学者の分業観をこのように批判しながら、分業の問題をさきに述べた〈一般的観念〉にもとづいて考察しなければならない、と主張する。サン＝シモニアンにとって、地球は「すべての結合した産業家が共同して働く仕事場」〔Rodrigues, p. 105〕であり、個々の労働は〈地球の開発〉という「一般的生産」のなかに秩序づけられた一分枝と考えられるべきものであった。だから分業とは、〈地球の開発〉という「共同の目的にむけられた、さまざまな労働の結合と結びついた労働の分割」〔ibid. p. 103〕であって、作業場内の分業や交換による自然発生的な分業は、その特殊的で一時的な形態にすぎない。サン＝シモニアンにとって、分業のもっとも重要な点は、人類の共同の目的にあり、それにむかってすべての労働を目的意識的に配分することにあった。

ところでかれらは分業の成立根拠を「勤労者間の能力の差異」に見出した。もっとも有効な分業は、「それぞれの勤労者が自分にもっとも適した仕事を遂行するような仕方で、すべての勤労者に労働を配分する」〔ibid. p. 103〕ことである。こうして分業にもとづく労働組織は、能力による階層秩序を根幹とし、もっとも有能な人びとが指揮・監督するものになる。この指揮・監督は〈共同の目的〉にそって、かつ実証的知識にもとづいて行なわれるから、いかなる恣意もふくまないし、労働者はあたかも自然が法則にしたがうようにそれにしたがい、強制や支配の関係はありえないと考えられた。かれらは能力の差異を固定なものとは考えなかったし、かれらのこのような主張の力点は産業の運営を無能力な所有者の手から勤労者の手に移すことにあったことは認めなければならないけれども、かれらの構想する産業組織が著しく能力主義的なものであったことには異論の余地はない。

分業の問題は、このように考えれば、社会組織全体のあり方の問題に発展する。「各人が自分の能力から自分と他人のために最大の利益をひきだすことに分業の利点があるとすれば、……そこから必然的に、道具、機械、土地、一言でいえば社会の全資本はもっとも有能な人間によって使用され、管理されるべきだという結論がでてくる」〔ibid. p. 105〕。こうして分業の展開は、社会の組織原理を根本から変えることによってはじめて完全なものになり、銀行はそのための不可欠の手段であるというのが、サン＝シモニアンの主張であった。

しかしかれらは分業の肯定的側面だけを見たわけではない。分業がもたらす労働の細分化・専門化によって、個々人が「自分の専門的活動と社会の活動全体との関係を認識することは困難になり」、したがって「自分の個別利害を、ますます知覚しがたくなってゆく共同の利益から切り離して考える」〔A. Comte, p. 325〕ようになる。[*6] 分業の発展は社会の全体像を見えにくくさせ、個人を社会の共同の利益から逸れさせて私的利益に、「純粋に物質的な欲求に服従させる」〔Rouen, 3, p. 309〕。要するに、分業は適切な精神的コントロールのもとにおかれなければ、社会的結合を弱め、社会を解体させる傾向を内包しているのである。それゆえかれらは、分業が発展すればするほど、諸個人に社会の共同の目的を教化し、かれらの関心を社会の全体利益にひきよせる「精神的権力」の必要が増大すると主張する。こうしてかれらの分業論は、能力にもとづく階層秩序と「精神的権力」の確立・強化に帰着する。かれらのサン＝シモン教への熱狂はこのことの表現にほかならなかった。

所有論

有能な人びとによる生産用具の使用・管理が分業論の帰結の一つであるとすれば、分業の問題は当然、所有権の問題にかかわることになる。所有制度の変革がまとまったかたちで論じられるのは『サン＝シモン学説解義』以後であり、『生産者』においては、議論の中心は「所有権を事実の問題として考察し、所有者が働かないで暮らすばあいにおいても、産業的財産を構成する資本をできるだけ有効に用いうる手段を検討する」〔Enfantin, 1, p. 147〕ことに限定されている。いいかえれば、現存の所有制度を事実として容認し、その枠内での改革が考えられているのである。この点で『生産者』の議論と『解義』のそれとのへだたりは大きい。ここでは、いくつかの点を指摘するにとどめよう。

サン＝シモニアンが問題にする所有は、以上からも明らかなように、所有一般ではなくて生産手段の所有であり、かれらは「労働が生産の唯一の担い手である」〔Rodrigues, p. 97〕という視点から、所有が生産にたいしていかなる作用を及ぼすかを論じた。かれらがこのような視点からくりかえし批判し攻撃したのは、土地と資本の所有者を生産者と定義するセーの主張であった。

セーは、土地と資本が生産の不可欠の要素であることから、それらの所有者を生産者にふくめている。さらにセーは、農地がだれの所有でもなければ、「だれも耕作の前払いを行なおうとせず、農地は未開拓のまま放置されるだろう」〔Enfantin, 2, p. 247〕と述べて、地主の農業生産にたいする積極的貢献を強調している。資本の所有者についても、資本が生産の過程でたえず更新されなければならないことを理由に、資本家の積極的役割が強調される。アンファンタンは、セーのこれらの主張にたいして、土地と資本が生産の要素であることと、地主・資本家が所有者であることとは無関係であり、土地の改善や資本の更新の必要は地主と資本家の存在を正当化するものではない、と批判する。資本の更新と拡大は「資本の怠惰な所有者の手中で行なわれなければならないのであろうか。資本が、それを再生産するような仕方で消費する術を心得ている人びとの手中にとどまることを要求すべきではなかろうか」〔ibid. p. 249〕。また歴史的に見れば、所有者と生産者が対立関係にあることは明らかである。産業家は、一二世紀のコミューンの解放以後、所有者の圧迫に抗して成長してきたのであり、「産業家の社会的影響力は明らかにたえず増大しているのにたいして、所有者のそれはますます減退しつつある。

したがって両者を経済学上の分類において同じ資格のもとにおくことはできない」〔Enfantin, 4, p. 69〕[*7]。こうして所有者を生産者と見なすセーが根本的に間違っていることは明らかであり、その原因は所有の問題を歴史の一般的原理にもとづいて考察しなかったことにある、とアンファンタンは主張した。アンファンタンはセーをこのように批判したうえで、「資本と土地の所有は隷属と無知の必然的結果」〔Enfantin, 2, p. 556〕であり、「何も生産せずに消費する特権」〔Enfantin, 8, p. 377〕だという。この特権の具体的形態が地代と利子にほかならない。こうして『生産者』においては、所有の問題は地代と利子の歴史的運動の問題に帰着することになる。

競争論

現代の経済学が社会的結合の視点を欠いていることに由来する欠陥がもっとも明白にあらわれるのは、〈競争〉の主張においてである。アンファンタンはいう。「競争は、自由の絶対的ドグマと同じく、何らの秩序原理もふくまない」〔Enfantin, 6, pp. 398-399〕。それは諸個人を私的利益にむかって狂奔させ、敵対させ、社会を解体する。「競争原理の全般的採用は、そこから秩序と統一の観念をひきだすことのできる共同原理の不在の新たな証拠である」〔ibid. p. 389〕。にもかかわらず現代の経済学者たちは、競争は価格＝生産費の引下げをもたらすから消費者に有利だ、と主張する。そしてかれらは、「若干の人びとだけが生産者であるのにたいして、すべての人は消費者であるから、一般利益が特殊利益にうちかつべきであり」〔ibid. pp. 385-386〕、競争こそは社会の一般利益にかなうと結論する。アンファンタンの考えではこの主張は二重に間違っている。第一に、すべての人が消費者であるとしても、そこには「何も生産しない消費者」すなわち所有者もふくまれており、かれらを生産する消費者と同じカテゴリーにいれるわけにはゆかない。社会の成員を決定的に分かつ規準は「労働か無為か」という点にあるのであり、したがって生産者対消費者の対立ではなくて生産者対非生産者＝所有者の対立が決定的なのである〔ibid. p. 385〕。消費者の利益を規準にするならば、結局のところ、所有者の生産者にたいする専制を是認することになる。

第二の誤謬は、生産費の引下げという観念にふくまれている。生産費の引下げは、生産方法の改善あるいは企業家の利潤と労働者の賃金の削減によって可能になるが、この両者はまったく性格の異なるものであり、根本的に異なった効果をおよぼす。すなわち生産方法の改善は「人類の自然にたいする征服手段の完全化」という歴史の一般的原理に合致しており、社会の全成員に利益をもたらすのにたいして、後者は生産者を犠牲にして非生産者＝所有者に利益をもたらすだけである。それは歴史の一般的原理に反しているのである。このように根本的に異質なものを同じ観念のもとに包括することが誤りであることは明らかであろう。要するに生産費という概念は、生産者と所有者という現代社会の根本的対立を無視した不正確な観念なのである〔ibid. p. 386〕。

アンファンタンはこのように競争をその原理と作用の両側面から批判したが[*8]、その視点は生産者と非生産者の対立、前者の優位ということであった。こうした視点は、地代、利子、賃金の考察においてもつらぬかれるであろう。

地代と利子

生産物の分配がいかに行なわれるかは、経済学の第二の分野であった。しかしサン＝シモニアンにとって、この問題の中心は、セーが定式化したような、土地、資本、労働という生産要素の所有者への所得の分配法則の問題にあったのではない。かえってかれらは、セーがこのような仕方で地代、利子、賃金を論じていることを批判し、地代および利子と賃金とは根本的に異質であることを示そうとしたのである。アンファンタンの「動産および不動産の賃借料の漸進的低落にかんする考察」を中心に、地代と利子の問題を検討しよう。

まずアンファンタンはセーの価値規定を問題にする。セーは「需要と供給がつねに価格に影響を及ぼす」と述べて、価値の基礎を「その物の需要を決定する効用と、需要の範囲を制限する生産費」とにおいた〔Enfantin, 2, p. 242〕。それにたいしてアンファンタンはいう。「セー氏は、需要・供給が価格を決定すると主張することによって、特殊なばあいにしか適用しえない原理を一般的規則として述べた」〔ibid. p. 245〕。アンファンタンによれば、「自分が需要する生産物とひきかえに供給すべき生産物をもって市場に現われる人びとと、交換のために将来の労働の約束しかもたずに市場に現われる人びととのあいだには、大きな相違がある」〔ibid. p. 246〕。いいかえれば地主と小作人、資本家と企業家、雇用主と労働者のあいだには、大きな条件の相違がある。これらの両者の交換関係は、平等な関係ではなくて依存関係なのである。とすれば、たとえば地主と小作人のあいだの交換関係を、ともに交換すべき財貨をもって市場に現われる人びとのあいだの交換関係と同一視してはならない。地主と小作人のあいだで交換される財貨の価格＝地代が直接的には需要・供給の関係によって決定されるとしても、根本的な問題は両者のあいだの依存関係にあり、それを明らかにしないかぎり、地代の問題は明らかにならない。「この価格（地代）は一つの特権、独占に依存する」〔ibid. p. 246〕のであり、この特権、独占こそが問題にされなければならない。セーの価値論はこのもっとも根本的な点を閑却している、これがアンファンタンのセー批判の核心であった。

　このようにセーを批判したうえで、アンファンタンは「商品の交換価値はその生産に必要な労働のみに依存する」というリカード説に賛成する。この定義の意味するところは、地代と利子は商品の価値部分を構成しないということ、それらは「勤労者の労働によって生みだされた生産物の一部の天引き」〔ibid. pp. 242-243〕にほかならないということだ、とアンファンタンはいう。この定義からでてくる結論は、地代と利子は「一つの特権の結果にほかならない」ということであり、所有者の利益は生産者の利益に敵対するということである。リカードが経済学の研究を通じて明らかにしようとしたのはまさにこのことだ、とアンファンタンは述べている。以上から明らかなように、アンファンタンにとって、価値論はけっして商品価値の量的規定にかんする議論ではなかった。かれが価値論のなかに見出そうとしたのは、商品の価値量の分析ではなくて、生産者と非生産者のあいだの歴史的な社会関係であった。さきに見たように、アンファンタンは、スミス以後の経済学が社会組織にかんする基礎的観念とかかわりのない価値などの用語の定義から出発していると批判したが、この批判自体の当否は別として、それはアンファンタンが価値論を歴史の「一般的原理」として読みとろうとしたことの表現であった。

アンファンタンのこうした意図は、地代と利子をめぐる議論のなかでさらに明白になる。地代と利子は「怠惰な所有者と生産者の関係が、文明のさまざまな段階において示す現象」〔Enfantin, 3, p. 110〕であり、したがってこれらを正しく論じるためには、生産者の社会的上昇と所有者の没落という歴史の一般的傾向を規準にすえることが必要である。いいかえれば地代と利子の問題は社会の根本的な組織原理にかかわる問題なのである。このような視点からアンファンタンは、地代を土地の質の差にもとづけるリカードの差額地代論を批判する。土地の質に差があっても、たとえば土地の共有にもとづく「共同体」では地代は存在しないし、「各所有者が自分の土地を耕し、この土地の生産物で暮らすばあいには、地代は存在しないであろう」〔Enfantin, 2, p. 253〕。要するに「土地の質の差は地代の存在の十分な理由ではない」〔ibid. p. 253〕のである。地代の根拠は土地所有の存在に、土地所有者と生産者の関係に求められなければならないのであり、リカードはその価値論からしても当然そこまで進むべきだったというのが、アンファンタンの主張であった。

つぎに、産業の発展はより劣った質の土地の追加的耕作を不可避にし、したがって地代は必然的に騰貴してゆくというリカードの議論にたいして、アンファンタンはつぎのようにいう。「われわれは反対に、怠け者の、無為な所有者の身分はますます悪化し、土地は資本と同じく労を惜しまず土地を耕し使用する人びとにますます有利な地代で貸される、と確信する」〔ibid. p. 245〕。ここでアンファンタンは、リカードの述べる地代の上昇傾向は「経験に反する」というけれども、地代の変化にかんする経験的事実を検討した形跡は見られないし、またその意図もなかったように見える。むしろかれは、生産者の社会的上昇と非生産者の没落という歴史の一般的原理から直接に地代の低落傾向を演繹したのであろう。

利子率についても同様である。「利子率は富の増大とともにつねに低落する」〔Enfantin, 3, p. 110〕のであり、「資本はよりよく用いられるにしたがって、より安く貸される。この賃貸価格を資本家の生産物と呼ぶなら、この生産は、外的自然にたいする人間の労働によって現実的生産が増大するにつれてたえず減少してゆく」〔Enfantin, 2, p. 248〕。要するに「自然にたいする征服手段の完全化」＝資本蓄積の進行と利子率とは反比例の関係にあるというのである。[*9] この命題もまた経験的事実よりも歴史の一般的原理からひきだされたのであった。そして利子率の低落を促進する手段として、資本家から遊休資金を吸収し有能な産業家に低利で貸付ける「貸付および借入一般銀行（Banque générale de prêt et d'emprunt）」の創設が企てられた。この構想は『サン＝シモン学説解義』において「全般的銀行制度」として体系化されることになる。[*10]

いずれにせよ地代と利子は「社会に所有者と生産者という二階級が存在する」〔Enfantin, 5, p. 218〕ことの結果であり、前者の後者にたいする特権にほかならない。歴史の必然の結果、社会全体が生産者で満たされ、「すべての社会力が共通の指導によって同一の目的に向けられる」〔Enfantin, 4, p. 76〕時代が到来すれば、地代と利子の問題は消滅する。そのときこの問題は過去の蓄積された労働による生きた労働の搾取という現在の意味を失ない、「引退した生産者と現役の生産者の関係」〔ibid. p. 76〕の問題に、社会福祉の問題に帰着するであろう。信用組織は、このような時代への平和的な歩みの担い手だというのがサン＝シモニアンの確信であった。

利潤と賃金

それにたいして賃金は、地代や利子とはまったく本質の異なるものである。賃金は生産の唯一の担い手である労働にたいして支払われるものであり、したがって賃金の増大は生産者の地位の上昇、社会の全般的改善を意味しているからである。ところでアンファンタンは、企業家の利潤を賃金のカテゴリーにふくめている。企業家利潤は「企業家の労働の価格」〔Enfantin, 2, p. 245〕すなわち賃金である。アンファンタンによれば、賃金の増大は利潤の減少をもたらすというリカードの所説は、賃金と「資本家の利子収入」の対立関係を述べたもので、賃金と「企業家利潤」との関係を述べたものではない。

しかしアンファンタンは、企業家利潤と賃金とが、現在、対立関係にあることを見ないわけではない。先に述べたように、企業家＝雇用主と労働者の関係は、すでに交換する財貨をもっている人と未来の労働の約束しかもたない人との関係であり、したがって依存関係を、前者の後者にたいする特権をふくんでいる〔ibid, p. 246〕。しかも企業家が賃金問題については所有者と同じ偏見に囚われているために、事態は悪くなっている。すなわちかれらは所有者と同じように、「賃金を多く支払えば支払うほど、ますます多くの酔払いと怠け者を作りだす」と考えて、「最低の産業階級でさえ高い賃金を受取っているところでは、産業の指導者や製造業者……も大きな安楽と社会的尊敬を享受している」〔Enfantin, 6, pp. 386-388〕ことを知らない。経済学者も、たとえばマルサスに見られるように、労働者の境遇改善に関心をもたないか、関心をよせていても正しい解決策を提示しえない。こうして賃金は低くおさえられ、労働者は奴隷や農奴と同じような境遇におかれている。企業家と労働者の関係は所有者と生産者のあいだにあるような搾取関係ではないとしても、一定の搾取・依存関係が現存しているのである。この認識は、『解義』においてつぎのように整理される。「現在、勤労者大衆全体は、かれらが用いる財産の所有者によって搾取されている。すなわち産業の指導者自身は、労働者とは比較にならないほど弱い程度でではあるが、所有者との関係においてこの搾取を蒙っている。だが今度はかれらが搾取の特権に参加し、その重圧は労働者階級つまり大多数の勤労者の上に降りかかる。このような事態のもとで、労働者は奴隷や農奴の直接の後継者として現われる。かれらの人格は自由である……しかしそれがかれの獲得したもののすべてであり、このような条件のもとでは、かれらは少数の階級によっておしつけられた条件のもとで生きることしかできない」〔Doctrine de Saint-Simon, p. 239, cf. L'Organisateur, 2 oct. 1830, p. 54〕。

サン＝シモニアンはこのように、企業家と労働者の関係のなかにある種の支配・従属の関係――搾取関係を見出した。しかしそれは価値論、剰余価値論にもとづいてではなくて、企業家と労働者の市場における不平等な関係にもとづいてであった。[*11] それゆえ、労働者の状態にかんするこのような問題意識は、かれらを経済構造の分析に向かわせはしなかったし、賃金と企業家利潤の同一視を変化させるものでもなかった。かれらにとって現代の根本問題はあくまでも生産者と非生産者の関係、つまり地代と利子の問題にあり、賃金問題は産業家が所有者の偏見から解放されて生産者としての真の利益に目覚めれば、また協同（アソシアシオン）の精神が社会全体に浸透してゆけば、おのずから解決する問題だと考えられた。さらにかれらの能力主義の立場からすれば、労働者階級は境遇改善の対象ではあってもその主体ではなかった。こうして賃金問題は、生産者と非生産者の関係の変革とは別箇に検討を要する問題としては登場しえなかったのである。

サン＝シモン主義経済学は存在したか

サン＝シモニアンにとって、科学とは諸事実の観察によって認識を生みだすものであり、認識における進歩とは憶測から観察にもとづく実証への移行にほかならなかった。しかし同時に、諸事実の単なる観察からは認識は生みだされえないということも、かれらの強調するところであった。観察から認識を生みだすためには、まず雑多な諸事実を同質の諸系列に分類して秩序づけなければならない。そしてこの分類には、分類原理である全体観、歴史観が不可欠である。たとえば地代の変化や利子の運動を有閑階級の歴史的運命という「一般的原理」に包括することによってはじめて、地代・利子の運動法則の認識は可能になる。こうして、諸事実の観察とそれを結びつける「一般的原理」の確立とが、認識のための不可欠の条件だとされる。

アンファンタンは、以上の点にもとづいて、科学の進歩の二つの契機を区別する。一つは

「諸事実のより正確な観察による細部の完成」であり、いま一つは、「新しい原理の採用によって得られる全般的進歩」である〔Enfantin, 8, pp. 380-381〕。前者は、科学のなかでたえず働いている契機であるが、一定の「一般的原理」のもとでのみ有効に作用することができる。それにたいして後者は、新しい視点の提起によって理論の枠組に根本的変化をもたらす。それはパラダイムの変革を通じて理論的革命をひきおこすのである。アンファンタンによれば、科学はこの二局面の反復によって進歩してきたのであり、経済学においてはアダム・スミスがこの二局面の分水嶺をなしている。ケネーらが最良の社会組織についての観念から出発して細部の諸事実に到達したのにたいして、スミス以後の経済学者は反対の方法をとるからである。そしてサン＝シモニアンの経済学にたいする批判は、経済学が「一般的原理」を欠いていること、その結果、諸事実を孤立的・非歴史的に論じていることに集中されたのであった。

このように総括するならば、アンファンタンをはじめとするサン＝シモニアンが、経済学にかんして自らに与える課題は明らかであろう。すなわち新しい実証的な「一般的原理」を確立し、それにもとづいて諸事実をとらえなおし編成しなおすことである。〈サン＝シモン主義経済学〉があるとすれば、それはこのようなものでなければならなかったであろう。かれらはこの課題をどのように果たそうとしたのであろうか。最後にこの点を簡単に考察しておこう。

サン＝シモニアンが第一に力説したことは、経済学的カテゴリーの社会関係的把握である。

利子、地代などのカテゴリーを有閑階級と勤労階級の社会関係の表現ととらえるサン＝シモニアンの議論についてはさきに述べた。弟のジャックとともにクレディ・モビリエを設立して鉄道建設を中心に産業投資を推進して第二帝政の経済成長を支えたエミール・ペレールは『産業・金融講義』（一八三二年）の冒頭で価値の概念についてつぎのように言う。価値概念が成立するためには交換関係がなければならず、交換関係は孤立した諸個人間の関係としてのみ成立する。価値と交換とは不可分に結びついており、両者は「今日まですべての人間関係に刻みこまれてきた個人主義と敵対関係とを表わしている」〔Péreire, p. 2〕。このように考えれば、リカードの労働価値説は、価値―交換―孤立的諸個人のあいだの不可分の関係を見落している点でまったく不正確である。それにくらべれば、セーの価値論は需要・供給というかたちで「販売者と購買者の社会関係を明確にするという利点をもっている」〔ibid. p. 2〕。ペレールのリカード価値説の評価は、さきに見た『生産者』におけるアンファンタンのそれとは対立しているが、いずれのばあいにもリカードの価値説が価値の量的分析にいかに有効であるかということではなくて、社会関係をいかに把握しているかが問題とされているのである。アンファンタンは労働価値説が生産者と有閑者の社会関係をつかんでいる点で労働価値説を評価し、ペレールは労働を価値の実体とすることが社会関係的視点を欠落させる点を批判するのである。こうしてペレールは言う。「勤労者が相互に孤立し、たがいに争うかわりに協同するならば、またたとえば家族内である程度まで行なわれているように、一定のメンバーが生産および消費の元本を形成するすべての生産物の分配を担当するならば、販売と購買は消滅し、交換価値への熱中は姿を消し、金貨や銀貨は目的をもたなくなるであろう」〔ibid. p. 3〕。ペレールの考えでは、生産物の価値は実体として存在するのではなくて、特定の社会関係のもとでその表現として成立する社会関係概念にほかならなかった。

競争や自由放任主義にたいする現象論的な批判をこえて、交換＝市場そのものの本質に迫り、商品価値を歴史的社会関係としてとらえるペレールの視点はまことに鋭い。しかしペレールはこの視点を経済学的にさらに深化させること、あるいはこの視点にもとづいて現在の経済システムの矛盾を経済学的につきつめることはしない。かえって価値概念を敵対的な社会関係の表現としてとらえる視点が、価値量の分析や富の生産・分配の現代の様式の研究からかれを遠ざけ、協同の拡大という「一般的原理」にひきよせる。いいかえればこの視点は経済学的研究の深化ではなく、経済的イデオロギーとは異なった、そしてサン＝シモニアンの考えではそれを克服するイデオロギーの確立の方向に作用したのである。「経済学の道徳化」がペレールの目標であった〔S. Charléty, p. 86〕。こうしてペレールは、生産物の流通様式を〈敵対から協同＝信頼への進歩〉という一般的原理に則して、物々交換、販売と購買による流通、信用による流通の三段階として措定し、協同＝信頼関係の最高の発展段階である、信用による流通の組織者としての銀行の本性と役割の考察に移ってゆくのである。ペレールの議論は経験的事実の分析の地平をはなれて、一般的原理＝歴史哲学に、またその担い手と見なされる信用組織をめぐる議論に集中してゆく。経済的イデオロギーから別の新しいイデオロギーへの飛翔が行なわれるのである（cf.〔G. Iggers, pp. 155-156〕）。

つぎに指摘すべきことは、経済学の非実践的性格にたいする批判と、その実践的学問への変革の企てである。この点についてアンファンタンはつぎのように言う。経済学は富の生産・分配の法則的認識をめざしているが、それらがそのもとで行なわれる社会組織の問題を無視してしまっているために、まったく形式的な学問になり、「正真正銘の頭の体操」〔Enfantin, 9, p. 120〕に堕している。それゆえ経済学は正確な計算家や統計家を作りあげることはできても、人民の利益を包括的に認識し、人類を産業的協同に導くことのできる実践的な理論家を生みだすことはできない。このような状態を克服して、経済学を実践的な学問に、すなわち「労働用具、労働生産物、および労働者がもっともうまく配分・結合されるための社会的条件」を解明する「産業的政治学（ポリティク・アンデュストリエル）」に変革しなければならない〔ibid. p. 120〕。

「産業的政治学」の中心内容は二つにわかれる。一つは普遍的協同組織を招来させるための移行の手段にかかわる。ここでの問題は、「残存する唯一の生得特権」である所有の変革である。さきにも述べたように、サン＝シモニアンが問題にする所有は生産手段の所有であり、それが有閑者による勤労者の搾取と労働用具のまずい分配という二つの弊害の源泉になっていることが問題なのである。アンファンタンは、所有権の平和的、漸進的改革の具体策として、傍系親族による相続の禁止と直系親族による相続にたいする強度の累進課税を提案する。財産相続は一般に、当事者の勤労の意欲と能力とは無関係に財産を分配するものであり、したがって生産用具の使用を偶然の支配にゆだねるものであるけれども、傍系親族による相続においては、このことが極端にまでいたっているからである。この二つの方策によって、生得特権としての所有権は徐々にではあるが確実に縮小されると同時に、これらの財産は「勤労者の協同組織（アソシアシオン）」としての国家の手中に社会的財産として蓄積される〔ibid. pp. 83-86〕。そしてこの基金を用いて「もっとも貧しくもっとも多数をしめる階級の境遇改善」が可能になるという。他方では、財産の使用権から切りはなされた「所有者の収入の聖職録」としての所有権を所有者の手許に残したままでも、労働用具を勤労者の手により有利な仕方で移し、さらにその分配の権限を有能な人びとに移譲することは有益かつ可能な改善であるとされる。そしてそのための方策として、所有者の手中にある遊休財産を動産化し、勤労者に低利で提供する、勤労者のための銀行組織の設立が提案される。この二つの方策によって、勤労者の協同組織が漸進的・平和的に実現されるというのが、サン＝シモニアンの見通しであった。

このようにして実現された普遍的協同組織のもとでの産業の組織論が「産業的政治学」の第

二の内容をなす。その核心は、生産と消費の必要にもとづいて、勤労者と生産手段を配分することにあり、その機構が〈全般的銀行制度〉にほかならなかった。すなわち、生産と消費にかんするすべての情報を掌握し、全体的視野にもとづいて各産業、各地域に信用を供与することによって、生産と消費の全体的均衡を実現するべき中央銀行と、その指導のもとでもっと個別的な信用業務を行なう特殊銀行からなる階層的な銀行組織である。[*12] サン＝シモニアンにとって、信用組織は産業的協同の実現のための過渡的手段であると同時に協同組織の中枢をしめるものであった。

こうして「産業的政治学」は産業的協同の実現のための政策と産業的協同の組織論から成るが、しかし「産業的政治学」はそれだけでは普遍的協同組織の実現には不十分だとアンファンタンは力説する。この科学は普遍的協同組織の物質的側面しかおおっておらず、それに劣らず、あるいはそれ以上に重要な精神的・道徳的側面をふくんでいないからである〔ibid. p. 121〕。それだけでなく、産業的協同そのものも、利己心をこえる協同組織への熱意、共通の感情がなければ存在しえない。たとえば信用紙幣による貨幣の代置にしても、成員のあいだに真の信頼関係がなければ、ジョン・ローの「システム」[*13]がたどったのと同じ運命におちいるであろう〔Péreire, p. 17〕。信用組織の拡充は人間間の信頼関係をはぐくむが、しかし同時により広汎な信頼関係に支えられなければならない。また産業的協同の指導者の道徳性が確固たるものでなければ、協同の実は失なわれるであろう。しかも産業化が進むほど、物質的利益偏重の傾向、さらには利己主義的傾向が助長されるから、それだけいっそう社会的結合における精神的・道徳的要因が重要になるであろう。そして宗教こそ道徳のもっとも簡明で的確な表現であった。それゆえに「協同組織は科学的でも産業的でもなくて、宗教的であるだろう」〔L'Organisateur, 10 jan. 1830, p. 2〕。こうしてサン＝シモニアンたちは、普通的協同組織の宗教的性格をますます強く前面におしだし、サン＝シモン教運動にのめりこんでゆくのである（参照〔見市雅俊〕）。しかしかれらの主張する宗教は彼岸的性格のものではない。反対にそれはすぐれて現世的な性格のものであり、広い意味での産業的活動それ自体が内包するものと考えられた。ペレールは言う。「神は物質のなかにも生きている。すべては神のものであり、産業によって美しく飾られるのは、神自身の物質的表現なのである。宗教は人間を相互に結びつけ、人間を外界と結びつける。それゆえ協同に向かうすべての進歩、地球の開発における一切の進歩は、すぐれて宗教的な進歩なのである」〔Péreire, p. 19〕。このようにして銀行や鉄道にたいするフェティシズムが強化され、体系化される。それなくしてはかれらが銀行設立や鉄道建設にかたむけた情熱は理解できないであろう。

こうして「一般的原理」の革新による経済学の変革というサン＝シモニアンの企ては、現実分析としての、科学としての経済学の発展ではなくて、経済学の歴史哲学による吸収、その究極形態である〈サン＝シモン教〉による吸収[14]と、信用や鉄道のフェティシズムにゆきつくことになった。

たしかにサン＝シモニアンは、生産の優位という視点、労働を富の唯一の実体的基礎と考え、人間の支配―被支配関係ではなくて、人間の自然にたいする関係が決定的であると考える点で、経済的イデオロギーの継承者であった。「人間の支配から物の管理へ」、「人間による人間の搾取(エクスプロワタシオン)から人間による地球の開発(エクスプロワタシオン)へ」というのがかれらのスローガンであり、信用の組織化にしても、「一般的原理」の帰結としてと同時に、フランス経済が当面する問題に応え、生産力を現実に発展させることを目的として提案されたのである。

かれらが信用組織の整備を主張した頃のフランスの金融機関はきわめて未熟な状態にあった。高等金融(オート・フィナンス)と呼ばれる既存の銀行は、産業発展に不可欠の工業投資にたいして消極的であり、高い割引率に固執しつづけた。フランス銀行も信用の拡大には積極的でなく、証券割引には三人の裏書き保証人が必要だという厳格な条件を課していたから、新興の企業家や中小の企業家にはほとんど無縁の存在であった。じっさい七月王政の閣僚をつとめたティエールは、一八四〇年にフランス銀行の機能拡充が議会の議題になったとき、銀行信用は制限されねばならず、割引率は十分に高くなければならないとして強硬に反対した。容易で安価な信用は、「熟練も資金ももたない連中が企業をおこすことを可能にする。かれらは盲滅法に、適度をこえて、綿糸を紡ぎ布を織る。かれらは膨大な量の商品で市場を一杯にし、昔からの商人と競争するにいたる。こうしてこの連中は、いつの日か、四、五十年にわたってしっかりした地歩を築いてきた人びとを破滅させる」〔A. Thiers, p. 25〕というのがその論拠であった。こうして企業家たちは、たえざる資金不足と高利に悩まされていた。かれらにとって信用の拡大は、死活にかかわる問題だった。さらに対外的には、フランスの国民経済は、いちはやく産業を達成したイギリス資本主義によって従属的な地位を強制されようとしていた。それにうちかつためにも、産業に豊富で安価な資金を供給する銀行の設立が必要とされたのである。サン＝シモニアンの産業投資銀行を中核とする信用の組織化の構想は、時代のこのような要請に応えようとするものであった。

かれらの信用改革の構想に直接に影響を与えたのは、かれらと親交のある銀行家で七月王政下の首相にもなったジャック・ラフィットであった。ラフィットは『金利引下げと信用状態に関する考察』（一八二四年）で、産業化の促進のために金利引下げによる産業投資の促進と証券流通の容易化を要求した。「資本を所有し、ふつう金持とよばれている人びとは、自分で資本を使用するには及ばない。しかし利潤を受取るという条件で、労働を余儀なくされている人びとに貸すべきであり」、産業化の進展とともに利子率は低下していくはずだというのが、ラフィットの基本的な考えであった〔B. Gille, pp. 111-113〕。かれはこの考えにもとづいて、一八二五年に、所有者から資金を集め、産業家に低利で貸しつける「産業投資会社」の設立を提案した。アンファンタンやルーアンは、ラフィットの提案に強い感銘を受け、『生産者』誌上でこの提案をくりかえし紹介し賞讃した。[*15] B・ジルのいうように信用改革の構想に関しては、「銀行家がサン＝シモニアンに与えた影響の方が、逆の影響よりもおそらく大きかったであろう」〔ibid. p. 114〕。

サン＝シモニアンはこのように、経済的イデオロギーを批判しながらも生産力主義をともにした。そしてサン＝シモニアンの主張は、その宗教性とは別に、生産力拡大の主張として、また企業家の生産力増大にたいする使命感を鼓舞する主張として受けとめられた。サン＝シモン主義が「フランス産業革命の思想」（坂本慶一）であるとされる所以である。

しかし、くりかえしになるけれども、かれらの生産力主義は、ストレートに生産力主義としては現われない。生産力主義が内包する物質利益至上主義への傾斜、さらには利己主義を助長し社会を解体させる傾向にたいする深い危惧がかれらをとらえていたからである。こうしてかれらは産業主義と同時に、産業化が内包するこれらの傾向を阻止すべく、社会組織全体による産業活動の統制、あるいは経済を精神的・道徳的変革の手段と見なし、全体への献身を強調する。かれらの宗教運動へののめりこみは、産業主義にもかかわらずではなくて、産業主義のゆえにおこったのである。そして社会がかれらの産業主義の主張に多少とも好都合に動きはじめたとすれば、それだけいっそう強く宗教性をおしださねばならなかった。[*16] 産業主義の主張の成功は、逆説的なことに、ますます強くかれらを宗教的活動に導くことになったのである。学説から宗教的ドグマへ、学派から教会へ——これがサン＝シモニアンの歩みであった〔Charléty, p. 58〕。

＊1——『生産者』は、発刊当初は、技術および産業上の実践にかんする部分と、科学、感性、産業の哲学的考察の部分とにわけられていた。その後まもなくして、アンファンタンとロドリーグは、『生産者』の目標をより鮮明にするために、前者の部分を廃止し、哲学的性格を前面におしだした。その結果、編集部内で分裂がひきおこされ、一八二六年三月、編集長のセルクレ（Cerclet）は辞職した〔H. R. D'Allemagne, p. 34〕。

＊2——この混乱のために、サン＝シモンは物質的利益至上主義だという理解が生まれ、サン＝シモニアンは、それにたいしてくりかえし反論しなければならなかった〔P. Ansart, 1970a, pp. 109-111, P. Enfantin, 4, p. 74〕。

＊3——「私的利益の対立……は、私的利益と一般利益の関係について漠然とした知識しかもたない生産者の無知と、征服によってうち固められた産業的または平和な社会秩序の建設に反対する社会習慣の支配とに由来する」〔Rodrigues, Producteur, I, p. 100〕。したがって産業の発展が生産者の私的利益の結合関係を明らかにし、「協同の精神」を浸透させ、社会の一般利

益が「地球の開発」にあることを実証すれば、この対立は消滅する。これがサン＝シモニアンの確信であった。

＊4――ブーグレとアレヴィは、サン＝シモニアンの方法を歴史的方法と社会的方法に要約している〔Doctrine de Saint-Simon, pp. 38-40〕。なお、サン＝シモニアンの歴史観が進歩史観と循環史観（「有機的時代」と「危機の時代」の循環）の結合であることはよく指摘されるところだが（cf.〔ibid. pp. 31-32〕）、『生産者』の段階では、まだ定式化されていない。

＊5――ケネーの経済思想における、近代的な経済学的分析と、伝統的な階層秩序を基礎とする社会理論との逆説的な結合についてはルイ・デュモンが興味深い指摘を行なっている〔Dumond, pp. 53-54〕。

＊6――コントは、『社会の再組織に必要な科学的作業のプラン』（一八二二年）の刊行問題を直接のきっかけにして、サン＝シモンと絶縁したが、『生産者』の刊行時には、サン＝シモニアンと協力関係にあった。サン＝シモニアンたちは、歴史観や社会の結合の中枢としての精神的権力の重要性などの点で、コントから強い影響を受けていた。かれらがコントの「実証主義」と「三段階の法則」にたいしてはげしい批判を加えるのは、かれらがサン＝シモン教を核とするイデオロギーを確立した『サン＝シモン学説解義』以後である。なお、コントは「科学と科学者にかんする考察」と「精神的権力にかんする考察」をそれぞれ三回にわたって『生産者』に掲載している。

＊7――アンファンタンは、生産者の所有者にたいする勝利の起点を、現物地代から金納地代への移

行においている〔Enfantin, 7, IV, pp. 43-44〕。

＊8――アンファンタンは同時に、競争は必然的に独占を生みだし、独占は生産の集中と集積によってアソシアシオンの物質的基礎をもたらすと述べている〔L'Organisateur, 15 juillet 1830〕。

＊9――この命題にかんして、経済発展が利子率の低落と結びついていることに注目していたラフィットの影響を見落とすことはできない〔Gille, p. 111〕。

＊10――『サン＝シモン学説解義』全体にかかわる分析については、〔坂本慶一、一九六一年〕を参照。

＊11――雇用主と労働者の不平等な関係についてのこのような認識は、のちに見るように、ビュシェや、労働運動の活動家、多少ニュアンスは異なるが、プルードンにも見出される。そしてビュシェは、労働者アソシアシオンによって労働者の地位を向上することでこの関係を改善しようと考えた。プルードンの人民銀行もほぼ同じ性格をもっている。またそれは、労働者の団結の必要性の理論的根拠でもあった（II―二、参照）。

＊12――「全般的銀行制度」のもとになった『生産者』誌上でのアンファンタンの「割引銀行」の構想を簡単に要約すれば、こうである。諸産業の指導者たちを結集して、「貸付および借入一般銀行」を設立する。この銀行は、自己の発行する利付証券とひきかえに、「怠惰な所有者」から資金を吸収する。ついでこの銀行は、「その手中で、この資金を維持するだけでなく、増加させることの確実な銀行家」に、かれらの支払い約束手形とひきかえに提供する。かれらは、この資金を、「それをもっとも必要とする産業部門に、借り手の支払能力を保証する

保険料を支払わせて、分配する」。この「銀行による仲介は、個人の支払約束よりも大きな保証を貸手に与えることによって、資金の移動を容易なものにする」とともに、その利子も割引率も、元金が第一級の産業家によって保証されているから、当然、低廉なものになる。これがアンファンタンの割引銀行の構想であった〔Enfantin, 3, pp. 109-127〕。なお、「全般的銀行制度」の構想からクレディ・モビリエへの展開については、〔坂本慶一、一九六一年、次田健作、一九七五年、一九八〇年、B. Gille〕を参照。

＊13――ジョン・ローの「システム」とは、ルイ一四世が残した莫大な債務を解消する大胆な計画のこと。すなわち、国債をインド会社（独占的植民地会社）の株式証券に転換することによって償還する、いいかえれば国家にたいする債権者をインド会社の投資家に変えることによって国家を債務から解放する、というのである。「システム」は当初成功するかに見えたが、インド会社の株価暴落によって瓦解した。「システム」をめぐる狂乱は一八世紀前半の大スキャンダルになった（参照〔浅田彰〕）。

＊14――科学的認識に欠くことのできない「一般的原理」は、社会組織の全体とその歴史にかかわるのだから、その本性上、個別的な諸事実の観察によって得られるものではない。かれらは、「一般的原理」に決定的重要性を与えることによって、根本のところで、諸事実の観察による実証という主張から遠ざかることになる。じっさいかれらは、『サン＝シモン学説解義』の後半部（とりわけ第一四、一五講義）でコントのポジティヴィズムを攻撃目標においた（念のためにつけ加えれば、このことは、コントがじっさいに諸事実の観察と実証を行なったと

いうことではまったくない。コントのポジティヴィズムも通常の意味での実証主義からほど遠いものであった）。かれらによれば、認識においては仮説が推論に先行しなければならず、仮説の定立にあたって想像力や感性の役割を無視することはできないし、科学それ自体が、宇宙の秩序の存在への信仰にもとづいてのみ成立しうるとされる。こうしてかれらは、宗教と科学のあいだにはコントが主張するほどの相違や対立は存在しないし、宗教から実証的科学へというコントの主張は危機の時代における人間精神の運動の説明にすぎない、と主張する〔Doctrine de Saint-Simon, pp. 422-442〕。

＊15――『生産者』におけるラフィットの提案の紹介と評価については、たとえば、〔Rouen, 1, pp. 11-20, 117-125, Enfantin, 1, pp. 145-152, Enfantin, 3, pp. 18-32, 109-124〕。

＊16――坂本慶一『フランス産業革命思想の形成』（一九六一年）は、サン＝シモニアンのドグマティックな活動だけをとりあげて、その思想史的意味を不当に低く評価したそれまでの見解を正す（一八六―一八七頁）うえで、画期的な業績であった。けれども、かれらの思想が産業主義的ないしそれに由来する社会主義的側面にひきよせてとらえられたために、かれらの宗教的活動の必然性が過小評価されている、と私は思う。かれらの「普遍的協同」の理念の宗教性はおおいがたいものであり、また必然的なものであった。なお、サン＝シモニアンの宗教的活動については、〔見市雅俊〕を参照。

II　協同組織(アソシアシオン)思想の展開

一　〈協同組織〉熱

パリ商工会議所が一八四七―四八年に行なったパリの産業労働者調査の報告書は、二月革命期の労働者を支配した〈協同組織(アソシアシオン)〉熱について次のように記している。「パリの労働者には、自分たちの負担で事業体をつくりたがる傾向があるが、一八四八年革命ののち、この傾向は、さまざまな状況から新たな刺激を受けることとなった。……〈協同組織〉という呪術めいた言葉がまったく新しい意義をもつにいたった。……当時は、協同組織があれば資本なしでもすむとか、かりに資本が絶対に必要だとしても、それは国家から得られるだろうといった思想が優勢であった」(「パリ商工会議所報告」〔河野健二、一九七九年、四〇二頁〕)。この時期に、パリで三〇〇、地方で八〇〇の労働者生産協同組織が形成され、その多くは「友愛と連帯の協同組織」

と名乗った。協同組織の理念は「労働者の固定観念」(ダニエル・ステルン)といわれるほどのポピュラリティーを獲得したのである。

このような熱狂的ともいうべき生産協同組織形成の運動は、直接的には当時の状況の産物であった。それは、うちつづく不況と危機のなかで中小の企業の経営不振・倒産が増大し、しかも資本家や政府からは有効な対策を期待しえないという状況にたいする労働者の対応にほかならなかった。しかし同時にそれは、七月王政期とりわけ一八四〇年代の協同組織の理念と運動のつみ重ねなしにはありえないものであり、七月王政期の〈社会主義〉の思想と運動の集約的表現であった。

七月王政期は産業革命の進行期である。工業化それ自体はフランス経済にとって好ましいことであったけれども、労働者民衆の犠牲を伴わずして進行しうるものではなかった。しかも労働者は、団結を禁じられると同時に労働者手帖制度による監視のもとにおかれていた。かれらをこのような窮状から保護することのできるものがあるとすれば、それはル・シャプリエ法にもかかわらず存続する伝統的な職人組合や合法的組織としての相互扶助組合であった。じっさい、七月王政期に仕立工や建築工の大ストライキをはじめ、多くの大争議が頻発するが、職人組合や相互扶助組合がその中核を担うことは少なくなかった。[*1] しかし職人組合は、熟練労働力の供給制限を武器として、自分たちの職業的利益をまもるものであり、こうした本性からして、産業革命によってひき起こされた社会問題にたいして有効に対処する力をもつ存在ではなかった。しかも職人組合は相互間の内部抗争のために力を殺がれ、またいくつかの職種では産業革命によって存立基盤をゆるがされて弱体化しつつあった。社会問題は、その解決のために新たな形態の組織と運動を要求していたのである。

まさにこのような社会問題の根本的な解決プランとして、この時期のさまざまなイデオローグやそのグループによって、さらに労働運動の活動家によって主張されたのが、〈協同組織(アソシアシオン)〉であった。サン＝シモン派やフーリエ派はいうに及ばず、ルイ・ブランの「社会的作業場」の主張、さらにはルイ＝ナポレオンの「農業コロニー」建設による「貧窮の絶滅」の主張も協同組織の構想をもとにしていた。協同組織は時代の〈メシア的公式〉であり、一八四〇年代は協同組織構想の百家争鳴時代であった。

本章では、フランス社会主義の原点ともいうべき協同組織構想の諸相を跡づけながら、フランス社会主義の特質と問題状況を検討しよう。

＊1――七月王政期のストライキの実態については、〔J. P. Aguet, 井手伸雄〕を参照。

二　協同組織構想の原型

サン＝シモニアンの協同組織論

社会のあり方にかんして「勤労者の協同組織」の理念を流布させるうえで大きな役割をはたしたのは、アンファンタンとバザールに率いられるサン＝シモニアンであった。前章で見たように、かれらはすでに『生産者』において協同の拡大に歴史の基本原理を見出し、信用組織の整備にその実現を見ていた。さらにかれらは、一八二九年から翌年にかけてサン＝シモン主義の普及のために開いた連続講演会で、「普遍的協同（アソシアシオン・ユニヴェルセル）」の理念をさらに体系的にさらに高くかかげた。「人類の継続的な発展はただ一つの法則しか認めない。それこそ協同の不断の進歩である」（『サン＝シモン学説解義』〔河野健二、一九七九年、六三頁〕）。「普遍的協同組織こそ、われわれの未来である。各人は能力に応じて、各人の能力にはその仕事に応じて、これこそ出生と征服の権利にかわる新しい権利である」〔Doctrine de Saint-Simon, p. 94〕。そしてかれらは普遍的協同組織の中枢に全般的銀行制度をすえたのであった。その後、かれらは当局の弾圧と内部対立と偏狭な宗教教団化によってグループとしては解体してしまうけれども、かれらが提起した協同組織の理念は、七月王政期の〈社会主義〉の思想的母体になった。かれらの協同組織論のうちで、のちの協同組織の諸構想の展開にとって重要な論点を整理しておこう。

まず第一に、サン＝シモニアンは協同の理念を歴史法則として、また社会全体を統括する統一原理として提起したことを指摘しておこう。いいかえればそれは、現実にたいする直接的・部分的要求ではなくて、歴史と社会の一般的原理としての性格をもつものであった。このような性格は他の協同組織構想も多かれ少なかれ共有しているけれども、サン＝シモニアンのそれにおいてははるかに強いのである。

ところでかれらは、個人主義とそれにもとづく自由競争＝敵対を現代の危機の本質ととらえたから、かれらの構想する協同は、これらを最終的に克服するものでなければならなかった。こうしてそれは個人にたいする社会の優位、社会的分業の計画的規制による競争の排除を意味した。かれらの主張するアソシアシオンは、社会学用語の「特定の共同目標をもつ自発的結社」や全体社会と個人の媒介環としての中間集団ではなくて、全体社会による個人の全面的包摂にほかならなかった。そしてかれらは、サン＝シモン教による個人の道徳的・宗教的統合と全般的銀行制度による労働者と労働用具の計画的配分によって、個人の社会への全面的包摂を実現しようと考えた。かれらの主張の宗教的側面は別として、その産業的側面だけを取りあげても、かれらの主張は労働者・労働用具・生産物の分配を一つの指導中枢——「勤労者の協同組織になった国家」——に委ねることによって、生産と消費の計画的均衡を生みだすことにあった。[*1] かれらの協同組織は集権的だといわなければならない。

このような協同組織論からすれば、個々の作業場を生産協同組合として組織するとか、倒産し閉鎖された企業を労働者が資本家にかわって自らの管理のもとで経営するといった試みは重要な意味をもちえない。要するにかれらの関心事は、全体社会の原理の変革、全般的銀行制度による生産力の拡大と生産手段の社会化を実現することにあり、部分的で自律的な小協同組織の設立などにはなかった。

第二に指摘しておくべき点は、「普遍的協同社会」の内部構造が能力主義的な階層秩序にもとづくものであったことである。「協同の状態においては、人類という名の家族は階級分けされるが、それは一つの分業として、すなわち共同の目的を達成するための活動の組織化として現われる」(『サン＝シモン学説解義』〔河野健二、一九七九年、六三頁〕)。さきに述べたように、かれらの考えでは、分業の根拠は「勤労者間の能力の差異」にあり人間の「自然的不平等」は社会秩序の不可欠の条件であり、協同の基礎であると考えられた。こうして普遍的協同社会は「能力にしたがって階層的に組織された、産業の諸侯」〔Doctrine, p. 395〕が産業上の指揮・監督を行なう厳格な階層秩序をもつことになる。この意味でそれは軍隊に酷似した組織であり、じじつかれらはくりかえし軍隊を協同組織の比喩として用いた〔Enfantin, 9, pp. 138–140, Péreire, p. 24〕。それは平等主義とは正反対の主張であり、本来の意味でのアリストクラシー＝

優秀者支配にほかならなかった。協同組織の内部における平等の問題は、協同組織構想のその後の展開のなかでくりかえし論じられる大テーマになるであろう。

最後に指摘しておくべきなのは、普遍的協同組織の強い道徳的・宗教的性格である。現在進行中の産業発展が失業や貧困といった社会問題とともに物質利益至上主義や利己主義といった道徳的退廃を生みだし強化しつつあることは、サン＝シモニアンの強く注目するところであった。これらの道徳的悪の克服なしには、普遍的協同社会は実現しえない。さらにまた、社会が社会でありうるのは、ただ社会の全成員が共同の目的に向かって動員されるかぎりにおいてであり、したがって人びとを共同の目的に向かって教化し導く道徳的・宗教的機能がきわめて重要な意味をもつことになる。[*2]「協同組織がなければ産業はなく、信頼がなければ協同組織はない。そして宗教、すなわち人間を同じ熱狂、同じ思想、同じ行動のなかで結びつける共通の神的な使命への信仰がなければ、信頼はない」〔L'Organisateur, 23 oct. 1830, p. 74〕。サン＝シモニアンの宗教的熱狂はたんなる逸脱ではけっしてなかったのである。全体への献身を中心とする道徳的・宗教的教化という主張は、サン＝シモニアンにおいてとりわけ際立っているけれども、同時に当時の「社会主義」全体に多かれ少なかれ見られるところであった。協同組織のもつ道徳性・宗教性はのちにプルードンから強い反撥を受けることになる。

以上で明らかなように、サン＝シモニアンの普遍的協同組織の主張は、本質的に上からの大所高所論であった。それは個々の具体的要求や運動を本質的な契機とする主張ではなくて、国民経済さらには社会全体の協同組織的再編を第一義におくものであり、個々の要求はそうした再編をまってはじめて満たされるとする主張であった。かれらはたしかに労働者階級の境遇改善が現代のもっとも重要な課題であると力説したけれども、労働者階級がその主体であると考えたわけではなかった。かれらの考えでは、境遇改善は普遍的協同の実現によってのみ可能であり、その担い手は協同の精神に目覚めた有能な産業家、科学者などを中心とすべきものであった。こうしてかれらは労働者の日常的な要求や運動にたいしては、歴史の「一般的原理」に照らして、その不十分さ、無効性を上から説教するという高踏的態度を取った。このことを示す事例を見ておこう。

一つは、イギリスにおける団結禁止法の廃止をめぐる議論である。イギリスの下院委員会は一八二四年五月に団結禁止法の廃止を決定した。その論旨は、団結禁止法にもかかわらず労働者の団結は存在しており、実効がないこと、雇主の側にも同盟があり、しかも雇主の同盟にたいしては大変寛大なこと、団結禁止法は無力なだけでなく、労働者と雇主のあいだに不信と摩擦をよびおこし、団結に暴力的性格を与え社会秩序に危険を及ぼしていること、これらの理由から労働者も雇主も賃金や労働条件にかんするあらゆる法的制限から解放される必要があり、したがって団結禁止法は廃止されるべきだというのである。それにたいして一八三〇年九月二五日の『組織者』誌はつぎのように論評する。団結禁止法を廃止すれば、たしかに団結は処罰の対象でも社会不安の源泉でもなくなるであろうが、それ以上の結果は生じない。労働者の団結はつねに資本家の団結にたいして無力であるし、「かれらの境遇改善にはなんら寄与しない。……これこそ、労働者が自己の解放を勝ちとるために用いるべき努力を無益な試みに空費しないために十分に心すべきことである」〔L'Organisateur, 25 sept. 1830, p. 48〕。そしてかれらは、「労働者階級の解放のためには、能力に応じて生産手段を分配するようなしかたで所有権を再構成しなければならない」〔ibid. p. 48〕ことを力説するのである。かりにかれらの結論が正しいとしても、そこに「一般的原理」の高みからする現実にたいする超越的ないし高踏的な態度が貫かれていることは明らかである。

リヨンの絹織物工蜂起

第二の事例は、一八三一年にリヨンでおきた絹織物工の蜂起にかんするものである。当時のリヨンは人口一八万人。そのうち一六万人が絹織物工業で生計を立てていたが、その中核は数台の織機をそなえる小アトリエであった。八〇〇〇人を数えるこれら小アトリエの経営者は織機の所有者であり職人の雇主であったが、同時にかれらに資本や原料を前貸しし加工賃を支払う「商人＝製造業者（マルシャン・ファブリカン）」に支配されていた。かれらは半経営者にすぎなかったのである。

アトリエ主と商人＝製造業者のあいだには加工賃や製品の品質・納期をめぐる紛争がたえなかったが、つねに優位を占め富を蓄積していったのは、工賃などの最終決定権をもつ商人＝製造業者であった。アトリエの経営者と労働者のあいだにも対立はあったけれども、支配的な対立関係は商人＝製造業者とアトリエ主を含むすべての絹工業勤労者とのあいだにあった。

一八三一年一〇月、リヨンの絹織物工たちは、「商人たちの強欲と利己主義の結果」である工賃の継続的下落と労働時間の延長に抗議し、事態の改善を求めて、新しい最低賃率の採用を要求した。その母体になったのは、一八二〇年代後半から病気や失業の扶助のために、アトリエ主を中心に設立された相互扶助組合であった。かれらは県および市当局に新賃率確定の請願を行ない、知事と市長はそれを受けて二二人のアトリエ主代表と同数の商人＝製造業者代表から成る賃率表作成委員会を招集した。商人たちの妨害やサボタージュにもかかわらず、一〇月二五日には新しい賃率表が作成されたが、商人＝製造業者のかなりの部分が賃率表の実施を引延し、さらにその撤回を策した。「一八三一年一一月二〇日、日曜日、もっともひどい貧困に追いこまれ、賃率表の犯罪的な不履行を見て期待を裏切られた労働者たち」（B・コロン「リヨン蜂起とその原因について」〔Colomb, 邦訳、一八五頁〕）はストライキに入り、さらに当局の国民衛兵動員にたいして武器を取って立ち上った。かれらは「働いて生きよう、さもなくば闘って死のう」の合言葉と黒旗をかかげて、一二月三日に市庁を占拠し、一〇日間にわたって市政を掌握したのであった（参照〔河野健二、一九七四年、八―一三頁〕）。

絹織物工たちの直接的要求は新賃率の採用であったが、それを貫いているのは「自分たちのために革命を行なおう」〔cité dans Le Globe, 27 déc. 1831〕とする意志であった。リヨン蜂起は、フランス史上最初の巨大な労働者の組織的反乱であり、労働者の自己解放への志向を表わすものであった。

当時、「もはや暴動ではなくて、革命である」と評されたリヨン蜂起にたいして、サン＝シモニアンはどのように対応したであろうか。一八三一年一〇月二五日付の『グローブ』紙は、「勤労者党の出現」のタイトルで、リヨンで進行中の事態をつぎのように論評する。リヨンの事態は「出生にもとづく権利によって高価なビロードのマントを身につけている人びとの没落と、労働によってマントを作っている人びとの上昇」という光景を示している。それはリヨンの特殊な事件ではなく、「生産と労働生産物の分配とに関する一般的事実」と深い関連があり、「全フランスの産業状態の明白なシンボル」〔Le Globe, 31 oct. 1831〕である。かれらはリヨンの事態を有閑者と勤労者の対立、前者の衰退と後者の興隆というかれらの歴史観の証明と受取ったのである。

しかし賃率表の改定は事態の改善に役立たない、とかれらはいう。フランスの絹織物業者はスイスの業者と死活をかけて競争しているが、スイスの製品価格はフランスよりも安価であり、フランスは不利な状況に追いこまれている。「この破滅的な戦争こそがリヨンの製造業者の利益を減少させ、労働者の賃金にたいして残酷な影響を及ぼしている」。この状況のもとでは新賃率を採用しても事態は改善されない。「現状のままであれば、労働者は貧困によって大量に虐殺されるだろう。高い賃率を制定すれば、大多数の製造業者は作業場の閉鎖をよぎなくされるだろう」。こうしてさしあたり必要な改革は、賃率表の改定ではなくて、製造業者の負担を軽減し、賃金の増大を可能にする信用機関の設立であり、穀物、飲料などにたいする消費税の撤廃である、とかれらは主張する。

「しかしこれらは一時的な手段でしかない。なぜなら勤労者にたえずのしかかる競争が、消費税の廃止によって得た地歩をすぐさま奪い去るからである。悪の根源にまでさかのぼらなければならない。根本的改革が緊急に必要であり、不可避である」〔ibid.〕。悪の根源は有閑者の特権、敵対と競争にあり、したがって根本的解決は生産手段を勤労者の手に移すこと、普遍的協同社会の樹立に求められなければならない。これがかれらの主張であった。

かれらの主張のこうした原理主義的性格は、一一月の蜂起のなかで一層強められる。リヨンのサン＝シモン教会の指導者、ペファーとフランソアは、蜂起にかんしてパリの指導部に指示を求めた。「労働者たちは勝利をおさめました。かれらは昨日、驚くべき勇気をもって闘いました。……われわれは、これらの人びとは無力だと考えるというまったく間違った考えをもっていました。われわれは、パンを得るために闘う人びとが何者であるかを体験的には知らなかったのです。……われわれ全員は、あらゆる手段をつくして、労働者の商人にたいする怒りを鎮め、愛しあい理解しあうべく作られた人間によってどれほど多くの血が流されたか、このような災厄からどれほどの害悪が生じるかを労働者に教えようとしました。同時にわれわれは、かれらの貧困をただちに軽減する方策は、実行不可能な賃率表ではなくてかれらにのしかかる租税の廃止にあることを理解させました」〔Le Globe, 27 déc. 1831〕。しかし当然ながらかれらの言葉は少数の人びとにしか聴入れられない。負傷してかれらのところ（ペファーもフランソアも医者であった）に運びこまれた労働者はかれらに言う。「商人たちは自分のために革命を行なった。奴らは貴族と僧侶に恨みを抱いており、かれらを厄介払いした。奴らは地位を望み、手に入れた。奴らは革命を行なうために人民を利用したのだ。われわれはわれわれのための革命を望んでいるのだ」〔ibid.〕。ペファーとフランソアは労働者のこの発言の前に言葉を失なう。七月革命の「栄光の三日間」の英雄でありながら、裏切られ零落させられた労働者の怒りと自らの手による革命への志向を前にして、調停的で鳥瞰的な発言は力を持ちえないからである。かれらは活動方針の変更が必要だと考えて、パリに指示を仰いだ。「われわれはここでおこっているすべてのことが、われわれの行動に影響を及ぼすはずだと考えます。あなたがたの示唆と援助をお待ちします」〔ibid.〕。しかしパリからの指示はすでに確認された原則のくりかえしにすぎない。それは、リヨンのサン＝シモニアンたちが暴力にくみせず、和解の言葉を広めつづけたことを賞讃したうえでつぎのように言う。「諸君の席はブルジョアの側にも労働者の側にもない。諸君の席は両者のあいだにある。われわれは平和の使徒だからだ。……諸君は怒りに逆上した人びとの興奮を鎮め、あらゆる影響力を用いて、暴力が弊害の治療にいかに無力であるかを教えなければならない」〔ibid.〕。プロレタリアにたいしては、一切の悪の根源は「競争の体制」にあり、「この闘争こそが打ち勝ちがたい力で製造業者に賃金の引下げを強制しているのだ」と言うべきである。ブルジョアにたいしては、さきに述べた諸方策の有効性を教えなければならない。「要するに、製造業者と労働者が嘆かわしい争いをやめてたがいの正しさを認めあうように、諸君は製造業者と、また労働者と交流しなさい」〔ibid.〕。リヨンのかなりのサン＝シモニアンはこの指示に失望したにちがいない。じっさいペファーは、サン＝シモン主義の教義は「すぐに成果を生みだすものではない」としてサン＝シモン教から離脱したのであった[*3]〔F. Rude, p. 701〕。

ミシェル・シュヴァリエの筆になるこの一連の論説は、リヨンの事件の意味をいち早くしかも広い歴史的視野の中でとらえている点で見事というべきだろう。しかし同時に、具体的事態を、かれらが一般的原理、根本的解決策と考えるものにひきよせて評価しすぎており、労働者の具体的要求や運動の重み、賃率表にかけられた労働者の主体としての意識などを十分にくみとっているとはいいがたい。それなくしては、リヨンの絹織物工の発した「働いて生きよう、さもなくば闘って死のう」の合言葉の重みを把握しえないであろう。この論説はよくもあしくも一般的原理の高みからする原理論であり、サン＝シモン主義の、より一般的にいえば、原理論的思考の強さと弱さを映しだしているといわなければならない。

以上の点から理解されるように、サン＝シモニアンの主張する協同組織は労働者の日常的な要求や運動にたいして必ずしも適合的に対応するものではなかった。それは、国民経済全体の、さらには社会組織全体のあるべきあり方にかんする有力なヴィジョンであり、それゆえに〈普遍的協同〉の理念は強い影響力を獲得したけれども、労働者の直接的な要求に基礎をおき、それを実現するための直ちに実行可能な方策を提供するものではなかったのである。

ビュシェの協同組織論

サン＝シモニアンの協同組織論が鳥瞰的な上からの大所高所論的性格を色濃くもっていたのにたいして、一八二九年末にサン＝シモン主義から離れたP－J－B・ビュシェの主張した「労働者生産協同組織（アソシアシオン・ウーヴリエール）」は労働者の自発的イニシアチヴに基礎をおく「直ちに実現可能な計画」をめざすものであった。*4

ビュシェの状況認識はサン＝シモニアンから多くのものをうけついでおり、大筋ではサン＝

シモニアンと一致している。人間による人間の搾取、その基礎としての私有財産と相続制度、競争とエゴイズムの告発などである。[*5] しかしそのなかにはビュシェの協同組織論の独自性の基礎をなすいくつかの論点がふくまれている。まずその点を見ておこう。

第一点は、企業主(シエフ・ダンデュストリ)の位置と役割にかんする考察である。ビュシェによれば、企業主は「金持ちによってかれらの土地と資本に利益を生ませることを委託されているか、それとも働かずに暮らすにはあまりにわずかの財産しかもたないために、仕事の先頭に立ち、自分の利益のために利益を投資し賃労働者を直接に支配しかれらに賃金を支払う」〔Buchez, 1842, I, p. 11〕存在である。かれらは怠惰な金持ちと働く貧民のあいだの中間者であり、そのような存在として「かれらから強奪する金持ちを憎悪し、同時にかれらが搾取する労働者と公然と闘う」〔ibid. p. 12〕。他方でビュシェは所有者と企業主の関係よりも企業主と労働者の関係を重視する。競争体制のもとでは企業主は生き残るためによりよい品質の生産物をより安価で売らなければならない。そのための手段は賃金の引下げと機械の発明である。機械の導入、恐慌、企業の倒産によってたえず一定数の労働者が工場の外に投げだされる。かれらが生きてゆくためには企業主の命令をすべて受入れ、最も安い値段で自らを売ることしか残っていない。「飢えだけが圧倒的多数の人間の道徳的、合理的、産業的行動の最高の法なのである」〔ibid. p. 25〕。こうして「賃金労働者は賃金率と義務にかんして完全に企業主の意のままにされる。かれらには自らを守るために団結することは禁じられているし、法がかれらを保護している場合でも飢えが法の助けを望まないように強制するのである」〔ibid. p. 23〕。企業主はますます賃金を切下げ、賃金賃金労働者はますます安い値段で労働力を提供する。これが企業主と労働者のあいだの関係なのだ。

サン゠シモニアンもさきに述べたように企業主と労働者のこうした関係を無視したわけではなかった。しかしかれらの主張の主眼点はあくまでも所有者と生産者の対立関係におかれ、企業家と労働者のそれは副次的なものと考えられ、企業主が自己の真の利益を認識するにつれてこうした対立は消滅するものとされた。さらにリヨン蜂起にさいしてかれらが自らを両者のあいだの調停者と位置づけたことはさきに見たところである。ビュシェの企業主による労働者の搾取の強調は、かれの協同組織論に労働者生産協同組織としての特徴を賦与するであろう。

第二に注目すべき点は、労働者階級内部の区別についての考察である。「労働者は二つの部類に分けられる。一方は、かなり長い養成期間を必要とする職種に携わる者である。かれらにとっては、熟練が基本的な資本であり、生産設備をほとんど必要としない。そのためかれらは職場を容易に変えることができる。もう一方は、製造工場や機械に縛りつけられたり、土地に拘束されている者である」〔Buchez, 1831, 邦訳八九―九〇頁〕。前者が職人的労働者に、後者が工場労働者にあたることは自明であろう。労働者の存在様式にかんするこのような区別は、イザンベールのいうように、独創的なものであり、注目に値いする〔F. A. Isambert, pp. 77-78〕。それと同時にこの区別は社会改革の実践に直接にかかわるものであったことにも注意しておこう。すなわちビュシェは、職人的労働者には生産協同組織を、工場労働者には労働の組織化を境遇改善の方策として提案しているのである。産業革命の開始期である当時において、工場労働者の状態はきわめて悲惨なものであり、多くの博愛家が境遇改善の必要を叫ぶところであったけれども、社会運動の上では職人的労働者が主力であり、社会改革の実現の可能性はかれらに働きかけることにかかっていたこともつけ加えておこう。

最後に指摘しておくべきことは、さきの点と関連することだが、労働者の経営能力に関する考察である。ビュシェは言う。熟練を主要な資本とする労働者と仕事の注文主のあいだには「われわれが請負業者と呼ぶ仲介者」がいる。「これらの仲介者は仕事を指揮しているように見えてはいるが、仕事を円滑にやっていくうえで、かれらが何らかの役割を果たしていると考えるには及ばない。かれらは通常、指揮にすら関与していない」(「都市賃金労働者の境遇を改善するための方策」〔河野健二、一九七九年、九〇頁〕)。かれらは純然たる寄生者である。それにたいして「図面を検討し、仕事を達成するのに必要なさまざまの作業を分割したり結合したりする任務を受けもつのは、職工長(シエフ・ダトリエ)という一人の労働者である」〔同前〕。このようにビュシェは、労働者が企業主にとって代るに足る経営能力をもつと考えたが、この点こそかれの労働者生産協同組織を支える根拠であった。[*6]

以上の点にもとづきつつ、ビュシェは職人的労働者の境遇改善のために直ちに実行可能な方策として「労働者生産協同組織」を提案する。[*7] その主な内容は同一職種の労働者が結合して「特定会社」を組織し、請負業者にとって代ることにある。これらの労働者は労働日数、出来高、熟練度などにもとづいて報酬を受け、これまで「請負業者がピンハネしていたのと同額の金額」、つまり純益はプールされ、その五分の一は協同組織の社会的資本として蓄積され、残りは扶助基金または協同者の分配分にあてられる。ビュシェが協同組織に関してもっとも重視したのは、この社会的資本の形成・増大と協同組織の永続性であった。「毎年収益の五分の一ずつ増大してゆく社会的資本は譲渡されえない性格のものであり、協同組織に属する。……この譲渡されえず、解消されえない社会的資本の形成と拡大は、協同組織における重要な事業である。この種の組織が労働者階級によりよい未来をつくり出すのは、まさにこの事業によってだからである」〔Buchez, 1831, 邦訳九一頁〕。この社会的資本の蓄積を通じて、協同組織に結合した労働者は生産手段の所有者になり、自らの手で境遇改善に取りかかることができるというのがビュシェの主張であった。

ビュシェによれば、この協同組織の存立を支える精神的支柱は、協同組織への献身であった。サン＝シモニアンにとってと同じくビュシェにとっても、エゴイズムは社会を解体させる毒素であった。「エゴイズムが一つの社会にとりついた場合、……その社会は、エゴイズムが各人の目的になってしまい、数年後にはもうおしまいである。目的や行動のあらゆる共同性は消え失せるであろう」〔Buchez, 1834-1838, 邦訳九七頁〕。また革命についていえば、個人あるいは階級のエゴイズムにもとづく革命は、支配者あるいは搾取者を取り替えるだけで、真の解放をもたらすものではない。このエゴイズムは「物質的幸福」の教説としてすべての政治・思想流派によって強力に展開されており、またきわめて「人間の自然的性向に合致している」だけに、社会を維持していくには、それだけ一層、エゴイズムを抑制するものが必要とされる。こうして献身の美徳が主張される。この美徳は社会にとって、またそれ以上に協同組織にとって必要である。「労働における生産協同組織は、各人がエゴイズムを放棄し、自分のことを忘れて他人のことを考えるのでなければ、実現不可能なのである。人びとは協同するに先立って、その精神を根本的に変革する必要がある」〔Buchez, 1834-1838, 邦訳一〇四頁〕。ところで献身の美徳の真の基礎はキリスト教とりわけカトリシズムのなかに見出される。それのみが「各人が共通の義務を負っていること」を教えるからである（cf.〔A. Ott, p. 13〕）。こうしてビュシェは、分割および譲渡不可能な社会的資本を物質的土台とし、カトリック的献身を精神的よりどころとする労働者生産協同組織の設立と拡大に労働者の解放を見たのであった。もっともビュシェはこのような協同組織を「直ちに実現可能な計画」として提案しながらも、協同組織を支える道徳的変革は「至難の業」であり、「人びとに全国規模の生産協同組織を理解させるには数世紀が必要だろう」〔Buchez, 1834-1838, 邦訳一〇四頁〕と考えたけれども。

じっさいにもビュシェの協同組織構想は大して成功しなかった。かれの構想のもととなった「指物工生産協同組合」は設立されたけれども十分活動しはしなかった。フゲレによれば一八四八年までに約一〇の生産協同組合が設立されたが、成功したのは一八三四年に設立された「金箔宝石工組合」だけであり、それもせいぜい一〇人の組合員を数えるにすぎないきわめて小規模な存在でしかなかった[*8]〔H. Feugueray, pp. 211-212〕。

しかしこのような実践上の不成功にもかかわらず、生産協同組織の理念は、とりわけ一八四〇年代に、知識人だけでなく労働運動の活動家にも着実に浸透していった。協同組織の主張はフランス〈社会主義〉の強力な一潮流になったのである。

＊1――競争は必然的に独占を生みだすが、独占はその産業全体の管理を有利にする点で協同組織の前提条件を形づくるとサン＝シモニアンが考えていたことをつけ加えておこう。

＊2――この視点から、ロバート・オウエンにたいしても、人間的共感、宗教性の欠落が批判される〔L'Organisateur, 26 mars 1831, p. 251〕。

＊3――しかしリヨン蜂起はサン＝シモニアンに大きな影響を与えた。かれらは働きかける対象を労働者に移し、「消費と奢侈の都パリ」を去って産業の首都リヨンに拠点をおこうとした。ま

たサン＝シモニアンの中心人物の一人であったローランは、全階級の調和を説くアンファンタンらの主流からはなれて、ピエール・ルルーとジャン・レノーの主宰する『ルヴュー・アンシクロペディク』のグループに加わる。かれらはブルジョアジーとプロレタリアートの対立を認識し、プロレタリアートの政治的条件の改善を緊急で不可欠な課題として提起した〔F. Rude, pp. 709-710〕。

*4——この時点から、協同組織論は、理論としての、社会の組織原理としての協同組織の段階から、具体的な組織形態としての、労働者の境遇改善の現実的手段としての協同組織の段階に移行したと考えることができる。それとともに、ひとつの産業全体をひとつの協同組織に組織するのか否か、協同組織形成の資金、賃金の問題などが提起されることになる。

*5——ビュシェのめざす社会の全体像については、〔Buchez, 1834-1838, 邦訳一〇二—一〇三頁〕を参照。

*6——労働者の経営能力の評価において、ビュシェの主張はサン＝シモニアンの主張と決定的に異なる（cf.〔Isambert, p. 87〕）。

*7——ビュシェの「労働者生産協同組織」の主張は、『ヨーロッパ人』紙に「都市賃金労働者の境遇を改善するための方策」という題で無署名で一八三一年一二月二四日に発表された。この計画には、指物工の生産協同組合契約という最初の草稿、ビュシェによる修正、『ヨーロッパ人』紙に発表された最終的計画の三種類があり、どれほどビュシェの思想にもとづいているかをめぐって論争がある〔Isambert, pp. 82-84〕。

＊8――フーリエ派もファランステールの名のもとで協同組織の構想を提起し、実行に移そうとした。フゲレはビュシェ派に属していたから、ファランステールにたいして低い評価を与えるのは当然だが、かれはフーリエ派の協同組織構想についてつぎのようにいう。かれらは協同組織を単によりよい生産と消費の手段にすぎないと考え、資本の専制を終らせるための武器と考えていない。またかれらは利子や地代の廃絶をまったく主張していない。要するにフーリエ派の協同組織はブルジョア的で保守的なものだというのである〔H. Feugueray, pp. 212-213〕。

三　労働運動と協同組織論

一八三三年の労働争議

一八三三年は、協同組織(アソシアシオン)の理念と労働運動の結合の画期であった。この年の秋から翌年にかけて、パリの仕立工、製靴工、印刷工などの大ストライキがあいついでおこる。これらの闘争は政治的要求ではなくて、賃上げと労働時間短縮などの経済的要求をかかげたものであり、政治組織ではなくて産業組織そのものの変革をめざすものであった。そしてこの闘争のなかで、ストライキを支える機関としてと同時に、労働者の自己解放の拠点として、労働者の協同組織の設立が主張されたのである。パリの仕立工の三つの相互扶助組織を合同し、一八三三年一〇月の仕立工ストライキの指導者になったグリニョンが、この闘争のさなかに出したパンフレット、『労働者の貧困全般に関する一仕立工の考察――労働時間、賃金、労働者と親方の実際的関係、およびそれらの労働条件を改善する方法としての労働者協同組織（アソシアシオン・ドウヴリエ）の必要について』は、このような方向にむかっての第一歩をしるすものであった。グリニョンはこのパンフレットで、労働者の貧困にたいするはげしい非難を展開したのちに、最長一〇時間の労働時間と最低一日六フランの賃金を勝ちとるために、労働者の協同組織を設立しなければならない、と主張している。「われわれ自身の労働時間の上限と労賃の下限を定めるために、すなわちわれわれが決めた労働時間と賃金以外では働かないという契約を結ぶために団結しよう。他の職能団体の仲間にもわれわれの例に続くように呼びかけよう。そうすれば親方は労働者の法律を受入れざるをえなくなるだろう」〔Grignon, 邦訳一九七頁〕。ここでは、協同組織は、同一職種の労働者の団結というかなり抽象的なレベルで主張されており、その主な内容も失業や病気にたいする相互扶助にあった。しかし、ストライキにたいする雇主の団結した対抗とロック・アウトが強まるなかで、一〇月二九日に、仕立工たちは「賃上げが拒否された仕事場で働くことを拒否する仕立工の救援」のために、相互扶助組合の資金をもとにした一種の生産協同組合の設立を決定する。それは「国民作業場（アトリエ・ナショナル）」と名付けられ、一一月五日に開設された〔J. P. Aguet, p. 80〕。「国民作業場」は、翌年一月その指導者の逮捕によって崩壊するけれども、抵抗の拠点として労働者の生産協同組織が設立されたことの意義は小さくない。

同じ時期におこった製靴工の闘争は、明らかに仕立工の例にならい、ひきつぐものであった。製靴工のストライキは一八三三年一〇月末に開始され、六〇〇〇名に及ぶ参加者は生産協同組合を組織して四週間にわたってストライキを闘った。その指導者ゼール・エフランは『あらゆる職能組織の労働者による協同組織について』と題するパンフレットで、従来の職人組合の閉鎖性と内部抗争を批判し、それを克服すべく、同一職種の全労働者の協同組織を結成し、さらにそれらを連合してあらゆる職能団体を結集する連合体の結成を訴えた。エフランの考えでは、この連合体は中央集権的に組織され、闘争と救援のための資金を蓄積して相互扶助を行なうとともに、「消費者から仕事を受け取り組合員に分配する」という自主管理的な生産協同組織でもあった〔Efrahem, 邦訳二〇〇―二〇四頁〕。エフランのこのような主張は、一一月四日に開かれた労働者集会での決議でさらに明確にされた。すなわち労働者の職能別の組織化はつぎの三つの目標を目指すというのである。第一にこれまでの職能団体間の分裂と反目を取除くこと、第二に搾取者の支配に抵抗し、賃率の上昇を得るための救援資金の給付、第三に組合員に仕事を供給するための企業設立に役立つ「社会的資本」の形成、である〔Aguet, p. 93〕。そして社会的資本が十分に蓄積されたときには、労働者の管理する自律的な作業場の設立が予定されたのである。

印刷工組合のジュール・ルルーは、労働者の自己解放の条件としての生産協同組合の設立をいっそう明確に主張している。印刷工たちも一八三三年一二月にパリの全印刷所での共通賃率表の採用を要求して闘争に入ったが、それに前後してジュール・ルルーは、『印刷工労働者に』というパンフレットを発表して労働者が生産用具の所有者になるために協同組織の設立が必要だと主張した。ルルーは言う。一見したところ、現在の問題は簡単に見える。つまり大部分の印刷所で植字工の賃金が下っており、われわれは賃金がもとの水準にまで上ることを要求して賃金の低い印刷所では働かない、ということで十分であるように見える。しかしこのようなやり方では、「植字工の利益だけが重要で、印刷工は除去されている。……われわれを結集させる問題が、他の労働者階級からわれわれを孤立させるだけでなく、われわれの仕事仲間からも分離させるのである」〔J. Leroux, pp. 8-9〕。しかもこのような孤立、エゴイズム、要するに「労働者階級の不在」が賃金の低落の原因なのである。

しかしながら労働者はその職種が何であれ、同じ境遇にある。「われわれの大義は全労働者階級の大義である」〔ibid. p. 13〕。賃金問題も個々の職種の労働者の問題ではなくて労働者階級全体の問題であり、現在の産業組織そのものにかかわる問題である。このようにルルーは現在の賃金問題を根源にまでさかのぼって考察したうえで、つぎのように結論する。「問題は所有の問題であり、解放の問題である。機械や金属版やステロ版や徒弟養成がわれわれに損害を与えるのは、ただこれらすべてが親方の財産だからであり、これらすべてがわれわれと親方のあいだに入って力をふるうからである。われわれの産業はわれわれのものでなく、われわれはその成果にたいして何の権利ももっていない。……だからわれわれの産業がわれわれのものになるようにしよう」〔ibid. p. 13〕。この点で仕立工たちはわれわれに模範を与えてくれた。「かれらは不毛な共同謀議の無益さを認め、……賃金問題をあるべき仕方で解決した。すなわちかれらは協同組織を作った」〔ibid. p. 13〕。こうしてルルーは、労働者の解放の道として労働者自身の出資と管理にもとづく生産協同組織の設立を主張したのであった。

さきに見たグリニョンやエフランにおいては、労働者生産協同組織の設立が労働者の解放の道であることは認められているけれども、ストライキ闘争を支える手段としての性格の方が濃厚であり、また雇主のロック・アウトに対抗するための「必要が命ずる方策」（グリニョン）〔Aguet, p. 81〕であった。それにたいしてルルーにおいては、生産協同組織はストライキ闘争の単なる補完物としてではなくて、それを通じて労働者が生産手段の所有者となり、みずからを解放するという目的として提起されている。

これらの生産協同組合の構想と形成の運動は、直接的には賃上げ、あるいは失業にたいする抵抗をめざすものであった。しかしかれらの闘争の根底には、労働者が社会のなかでしめるべき当然の地位への要求、いいかえれば労働者の労働者としての尊厳の宣言があった。〈働いて生きよう、さもなくば闘って死のう〉はリヨンの絹織物工が一八三一年に決起したときのスローガンだが、〈働いて生きる〉とは商人＝製造業者や権力から独立して、みずからの仕事に誇りをもって生きるということを意味した。「われわれが要求しているのは恩恵ではなくて権利なのだ」〔A. Faure et J. Rancière, p. 13〕というかれらの発言は、かれらが自分の仕事にたいしてもつ自負心をあらわしていた。こうしてかれらの協同組織の模索は、経済的無秩序の解決であるよりもむしろ賃金労働者としての依存を断ち切り、自己を自己の運命の支配者たらしめようとする意志、自立した階級として生きようとする意志の芽ばえであった。ル・シャプリエ法によるきびしい弾圧のもとで、またそれに規定されて労働組合運動が自律的な存在をいまだ獲得していないという条件のもとで、こうした試みは散発的で防衛的なものにとどまらざるをえなかったとはいえ、このような自立への意志は徐々に蓄積されつつあった。キュヴィリエがいうように、協同組織にとっての本質的な問題は、豊かになることや自らの物質的条件の改善にあるよりもむしろ自らを解放することにあったのである〔A. Cuvillier, 1954, p. 242〕。

『アトリエ』派の登場

一八三三年の諸闘争の敗北後、労働運動は沈滞期に入る。ビュシェの主張をうけつぎながら、一八四〇年代における生産協同組織のもっとも熱心な主張者であった『アトリエ』紙が刊行されるのは、労働運動が沈滞からの回復を見せる一八四〇年のことである。『アトリエ』紙の特徴は強固な労働者中心主義であった。[*1]「労働者による執筆と編集」がうたわれ、編集陣は、木版工A・コルボンを主筆に、宝石細工工ルロワ、印刷工組合のルヌヴー、職人組合の改革をめぐって論争していた指物工ペルディギエと錠前工モロー、時計工ゴーモン、さらには二月革命後の臨時政府閣僚になったアルベールなどで構成されていた。また、かれらの主張は政治においては選挙改革による人民主権の実現、産業にかんしては「産業的アソシアシオン」の実現ということであったが、「産業の改革を始めるうえで、上からは何も期待できず、われわれ自身にしか頼ることはできない」〔L'Atelier, oct. 1840, p. 11〕として、労働者が自らの手で直ちに改革にとりかからなければならないと主張されたのである。

さて『アトリエ』派の生産協同組合論は、かれらとルイ・ブラン、カベ派などとの論争を通じて、またかれらの現実主義のために、いくつかの点で変化してゆくが、生産協同組合の不変の原則として保持されたのはつぎの点であった。

一つは、資本家の生産協同組合への加入を認めないこと、いいかえれば協同組合は労働者のみによって構成されなければならないことである。かれらは言う。「われわれの考えでは、金(かね)は労働の用具にすぎず、人間こそこの用具の助けですべてのものを生産し、わがものに変えてゆく知的な存在である」。しかし資本家の加入は、金を支配者の地位につかせ、「労働者は賃金額に等しい価値しかもたない、純然たる用具にすぎなくなる」であろう。このような生産協同組合は、われわれがめざした目的の反対物であり、結局のところ資本家による搾取の新たな形態にすぎないであろう。さらにそれは、道具であることを拒否するわれわれの「尊厳(ディニテ)の感情」に反するものである[*2]〔L'Atelier, nov. 1840, p. 20〕。

第二点は、最初の出資金と利益の五分の一の積立てによって形成・蓄積される生産協同組合の社会的資本が、分割および譲渡不可能で協同組合そのものの所有だとされていることである。この点はさきに見たビュシェの主張を明瞭にうけつぐものであるが、かれらの考えでは、これこそ、私的所有とそれに由来する利己主義を克服して、生産手段の共同所有と友愛と献身にもとづく永続的な「産業的共同体(コミュノテ・アンデュストリエル)」を構築するための根本条件であった。この点に附随して、協同組合の存続は無期限であるべきだと考えられていることもつけ加えておこう。もっともかれらは、この種の組合の存続期間を三〇年と定めた商法にそって、一応、「協同組合の期間は三〇年とする」としたけれども(「生産協同組合契約プラン」〔L'Atelier, jan. 1841, 邦訳二八五頁〕)。

第三に指摘すべきことは、生産協同組合の実現のための不可欠の条件として、人民主権の確立が熱望されている点である。不可分・不可譲の社会的資本をもつ永続的な生産協同組合の実現のためには、個人の営利目的のための協同組織＝営利会社のみを承認し、またその存続期間を三〇年に制限している現行の商法の改正が不可欠である。また協同組合の設立資金についても、資本家の加入を排除し、労働者の出資もその貧困のゆえに多くを望めないとすれば、その多くを「民衆の貧困に配慮をはらい、特別の信用銀行制度によってわれわれを援助する政府」〔L'Atelier, oct. 1840, p. 12〕にまたざるをえない。それゆえ「選挙改革を産業改革の手段と考えなければならない」〔ibid.〕のである。人民主権にもとづく共和政の真の実現は生産協同組織による産業改革を必要とし、生産協同組織の実現は選挙改革による共和政の実現を必要とする、というのがかれらの考えであった。

最後に、生産協同組織の存続と拡大の不可欠の条件としてその成員の道徳的向上が強調されていることに注意しておこう。『アトリエ』派においても、サン＝シモニアンやビュシェにおけると同じく、相互信頼、友愛、協同組織への献身が不可欠の条件であった。しかも「われわれは協同して生きるのに必要な〔このような〕資質のすべてを身につけてはいない」〔L'Atelier, oct. 1840, p. 12〕からには、われわれ自身の教育が必要だ。こうして小さな資本で比較的容易に設立しうる業種を選んで「準備的生産協同組織」を設立し、そこで労働者が自己教育を行なうことが主張される。「われわれはこの小さな組合が永続きするとか大きなものになってゆくとは考えないが、ただ最終的生産協同組織の準備の手段、労働者階級の解放のために真面目に働こうとする労働者に開放された社会教育の学校と考えている」〔ibid.〕。協同組織は達成されるべき未来の体制であると同時に、労働者の自己教育の場でもあったのである。

『アトリエ』派の競争論

これらの点を保持しながらも、『アトリエ』紙は、生産協同組織間の競争の問題、いいかえれば一産業全体を一つの生産協同組織に組織すべきか否かという問題、さらに一般的には競争の評価にかんして、また所有の問題や平等賃金か否かといった問題について、その主張を変化させ、あるいはより明確なものにしていった。これらの論点は協同組織思想の根本にかかわる問題であると同時に、当時の「社会主義」の問題状況を反映するものでもあった。

すでに述べたように、協同組織は競争の弊害を克服し、競争の体制にとってかわるものとして提起された。サン=シモニアンにおいては、競争は主として経済的無秩序の原因としてとらえられ、したがってかれらのアソシアシオン論は中央銀行を中枢とする生産・労働の組織化、計画化を主内容とするものになった。それにたいして、労働運動の活動家においては、競争は主として労働者間の競争としてとらえられ、それゆえかれらの主張する協同組織は、労働者の結合=組織化と労働者による生産手段の共同所有を中核とするものになった。このような相違はあるにしても、協同組織は、競争の廃止を目的とする以上、最終的には一つの業種全体を一つの協同組織に組織し、さらにこれらを一つの協同組織にすることをめざすものであった。

「まず各職種ごとに一つの協同組織をつくり、あらゆる協同組織を統一し、これらの別々の組織を一つの全体に、包括的な協同組織にしなければならない」と考えられたのである〔Efrahem, 邦訳二〇二頁〕。

『アトリエ』派も、ごく初期には同様の主張を行なっていた。協同組織間の競争は新たな災厄をもたらすだけだとされた〔L'Atelier, oct. 1840, p. 11〕。それにたいして年利益の五分の一の蓄積によって増大する譲渡不可能な社会的資本にもとづく諸協同組織は、「それぞれ無限に力を成長させ、いずれ、同一職種の全労働者を吸収するであろう。権力がついにこれらの協同組織の指導を行なうようになれば、産業の改革と統一が同時に遂行されるであろう」〔L'Atelier, avril 1841, p. 57〕。これがかれらの見通しであった。

しかし、一八四一年七月、八月に連載されたルイ・ブランの『労働組織論』にたいする批判のなかで、かれらは一業種一協同組織の考えに明確に批判的な態度をうちだし、さらに競争の評価を転換する。一業種一協同組織の主張、さらにその最終的到達点である政府による全産業の管理という主張は、いいかえれば、政府が一切の産業を独占するということにほかならない。この独占の結果はどのようなものであろうか。「一国の生産と富の全体が、政府の転変に従属させられる。つまりもっとも些細な政治論争さえも産業にとっては死活問題になるのだ。産業は、よい政府のもとでうまく管理されるにせよ、悪い政府のもとでまずく管理されるにせよ、その活力、効力、生命を形づくるすべてのものを失なうだろう。統治者は何もかもを意のままにすることができるから、不可避的でもっともおそるべき専制の道具を手中に収めるであろう」〔L'Atelier, août 1841, p. 93〕。それだけではない。

競争が完全に廃止されたところでは、生産物の価格はどのようにして決定されるのであろうか。競争がなければ各業種の協同組織は生産物価格をつりあげようとするであろうから、政府は最高価格を確定することが必要になるであろう。しかしすべての生産物にたいして最高価格を決定することは、不可能であろうし、また労働が生産費の多くをしめるような分野では、その労働の評価はその分野の人びと、つまり「最高価格の対象となっている人びと」によって行なわれざるをえない。競争の絶滅は価格の決定を不可能にするのである。こうして『アトリエ』紙は、これまでの「協同労働（トラヴァーユ・コオペラティフ）によって競争をおきかえる」という命題を変更して、「協同労働の利点と競争の利点を結合する協同組織の体制によって産業を組織する」〔ibid.〕という命題にすべきだと主張したのであった。

それでは、競争の利点と協同労働の利点はどのようにして結合されるのか。この問題を『アトリエ』紙は、協同組織の適用される領域と競争が支配する領域を画定することで解決しようとした。すなわち協同組織とは生産手段の共有にほかならないから、「協同組織の領域は生産要素にかかわるすべてのもの、生産要素とそれを使用する各協同者との関係を規制するすべてのものに及ぶ」。それにたいして競争原理は消費財の個人的所有に由来するから、「各勤労者の報酬、交換、賃金および利潤にかんする諸条件は競争の領域にふくまれる」。いいかえれば、「生産要素の管理、格づけおよび使用は協同組織に属する。それにたいして各生産者の労働の価格であれ、諸協同組織間の商取引であれ、分配と交易の諸条件はもっぱら競争の領域に属し、利害当事者の自由な合意によってのみ確定されうるのである」〔ibid.〕。要するに生産においては協同組織、分配と流通にかんしては競争という一種の〈混合体制〉こそかれらの主張するところであった。

　このように『アトリエ』紙は一業種一協同組織の主張をしりぞけるとともに、競争にたいして積極的な評価を与える。今日では競争（コンキュランス）は敵対とか対抗（リヴァリテ）の意味で用いられているが、本来的には一つの目的のために協力（コンクリール）するということであり、この意味での競争こそは自由そのものの発現であり、協同組織の生命力をなすというのである。そして競争が抑制されるのは、ただ協同組織や個人の存立が危うくされる地点において、すなわち、「生産者の全必要をほぼ満たすような報酬の最低額と消費者の生活必需品の最高額」においてのみであるとされた。

　所有の問題と賃金の問題についても同様である。生産用具は共同の所有のもとにおかれるべきだが、「消費され、使用によってなくなる財貨は、このことだけによっても共同で所有されるわけにはゆかないし、したがって不可避的に個人的財産になる」〔L'Atelier, juillet, 1841, p. 85〕。

要するに生産財の共有、消費財の私有ということである。また賃金については、各人の必要はそれぞれ異なるから賃金の絶対的平等は誤りだとされ、生産用具の共有によって労働者が資本家の搾取から解放されれば、「各労働者が自分の生産したものに比例して平等に報酬を受けとる」ことこそ平等の実現だと主張される。ここでも生産と分配、生産財と消費財に応じて異なった二つのシステムの併存がよしとされたのである。

『アトリエ』派の協同組織論

これらの主張が産業における政府の役割の限定に結びつくことは見やすいところであろう。『アトリエ』はいう。「産業組織への政府の介入は、生産者を労働用具、共同資金の所有者たらしめることにある。しかし労働者だけが、自己の労働とひきかえに与えられる価値を協同組織と自由に交渉し決定することのできる支配者であり、国家はかれにたいしてその最高額をおしつけることはできない」〔L'Atelier, août 1841, p. 93〕。かれらは、協同組織の実現のために共和政の確立を要求しつづけたけれども、力点はあくまでも労働者の自主的な生産協同組織の設立にあったのである。

『アトリエ』紙のこのような主張は、「社会的統一の観点から出発して、個人を否定し、すべてが共同であることを要求する」共産主義と「個人から出発して社会的統一を否定しすべてが個人のものであることを要求する」個人主義という「二つの原理の統一」をめざしてうちだされたものであった〔L'Atelier, juillet 1841, p. 84〕。かれらのもたらした統一は、はなはだ折衷的で微温的だという印象を与えるかもしれない。しかしかれらが、何らかの超越的な単一の原則や要請から出発して、自らの組織と運動をその鋳型にはめこむのではなくて、自分たちのおかれている条件と運動から出発して、最大限の現実可能性を追求しようとしていることの意味は過小評価されてはならないであろう。かれらにとっては、不変の原則を守ることよりも現実にたいする確かな認識から出発して現実を改革することの方がはるかに重要であり、またかれらの主張は多くの点で、かれらが母体とした、熟練的技能を有する労働者の現実に適合するものであった。じっさいかれらの現実主義は、生産協同組合の実現のために、病人や老人にたいする保障の規定を規約からあえて除外させるほどであった。「人びとはおそらく、この契約〔生産協同組合の契約〕のなかに病人や子供や老人にたいする保障についての規定がいっさい見当らないのに驚かれるだろう。われわれは故意にそれらの規定を省略したのである。じっさい、現代においては、生産協同組合は競争にうち勝っていかねばならないし、また、おそらくは他の障害物にも遭遇するであろう。したがってこれは困難な事業だということを忘れるわけにはいかないのである。ところで、かりに協同組合組織が病人や子供や老人を保障することにまでかかわらねばならないとするなら、それを解体するには病気がたったひとつでもあれば十分だろう」(「生産協同組合契約プラン」〔L'Atelier, jan. 1841, 邦訳二八四頁〕)。かれらの主張には、現実主義に根ざした強さ、穏健なラディカリズムともいうべきものが存在したのである。

さきに述べたように、一八三三年の諸闘争のなかで提起された協同組織の理念の根底には労働者としての尊厳の獲得への意志が存在したが、『アトリエ』派の生産協同組合論もそれと同じく、むしろもっと鮮明な形で、この意志を表現するものであった。かれらは生産協同組合によって自らが生産用具の共同の所有者になることを通じて、単なる道具としての存在を拒否し生産の場の主人公になる道を歩もうとしたのである。「単なる賃労働者(サラリエ)から協同者(アソシエ)へ」というかれらのスローガンは、この意志の表現にほかならなかった。

このような尊厳の獲得への意志、あるいは親方や請負業者から独立して自分の仕事に誇りをもって生きることへの希求は、頼るべき熟練的技能をもつ職人的労働者に共通するものであった。そして生産協同組合はこの意志に確実な組織的、現実的な表現を与えるものとして、かれらに受けいれられたのであり、またかれら熟練労働者の当時おかれていた状況に適合するものであった。[*3]

これらの生産協同組合の主張は人民主権の実現を求める共和主義の主張と結びついていたが、この両者の結合をもっとも端的に主張したのは、ルイ・ブランの『労働組織論』であった。それは最初、一八三九年に『進歩評論』に掲載され、その翌年に単行本として刊行されたが、多くの論評でとりあげられるとともに一八四七年までに五版を重ねるなど大きな成功をおさめた。ルイ・ブランは二月革命期に、二月革命の〈社会主義〉を代表する人物として政治の中央舞台に登場するが、それはこの書物の成功に負うものであった。

次節ではこの書物の内容を検討しよう。

＊1――『アトリエ』紙が〈労働者（ウーヴリエ）〉とよぶのは、「生きるために、自分たちの労働力（bras）を雇用主に提供することをよぎなくされている勤労者階級（トラヴァイユール）」のことであり、肉体労働に従事する人間のことである。『アトリエ』紙は、もっぱらこの階級によびかけると同時にかれらの要求や意見を明らかにすることを目的としていた〔L'Atelier, nov. 1840, pp. 19-20〕。なお、『アトリエ』紙の性格などについては、〔A. Cuvillier, 1954, 杉村和子、一九六九年、谷川稔、一九八〇年〕を参照。

＊2――このような立場から、フーリエ派の協同組織＝ファランステールは資本家を構成員としている点できびしく批判される（「産業の改革――労働者生産協同組織について」〔河野健二、一九七九年、二八二頁〕）。また当時、ルクレールが創設し、『シエークル』紙などが賞讃した「ルクレール生産協同組合」にたいしても同じ立場からの批判が行なわれる（「塗装工たち――ルクレール生産協同組合」〔河野健二、一九七九年、二八七―二九一頁〕）。

＊3――この点にかんするB・H・モスのつぎの指摘は興味深い。七月王政のもとで、熟練に依拠す

る職種の労働者は、農村から流入する安価な非熟練労働力と機械や新技術による効率的な生産方法との競争に直面していた。被服業においては安価な既製服が、建築業においては未熟練の下請労働者が、また高級奢侈品工業においては内外の模造品と規格品がかれらに競争をいどんだ。多くの職種で、分業のいっそうの発展、労働のスピード・アップ、強化が見られた。このような搾取と競争にたいして、ストライキという戦術は有効ではなかった。ル・シャプリエ法によるきびしい弾圧という事情のほかに、労働組合不在の状況のもとでは、ストライキは労働力の流入や新技術の採用を労働者に有利にコントロールする有効な手段ではなかったし、景気回復期にストライキによって得られたものはつぎの不況期に失なわれた。それにたいして生産協同組織は、労働者が生産手段の所有者になることによって、機械や新技術のもたらす利益をわがものにすることを可能にするものと考えられた。しかも生産協同組織は民法の規定に合致しておればル・シャプリエ法の適用から除外されて合法的な存在になりえたのである。このように生産協同組織は、当時の労働運動を担っていた熟練労働者の社会的条件に適合していた。そして生産協同組織の思想と運動は、このようなものとして、「労働者社会主義」の源流ともいえる位置をしめている〔B. H. Moss, pp. 39-41〕。

四　ルイ・ブラン『労働組織論』

競争の告発

ルイ・ブランは、現在の体制の本質を無制限の競争にもとめ、競争が生みだす弊害の告発から始める。まず第一に、労働者間の競争は賃金の引下げをもたらし、生活の維持すら困難にする。そしてそのことが労働者間の競争をいっそう激化させる。機械の採用、婦人および少年労働の導入がこの状況にさらに拍車をかける。こうして競争は「プロレタリアがたがいに絶滅しあうことを余儀なくさせるような産業の方式である」〔Louis Blanc, 1845, p. 11〕[*1]。ルイ・ブランは、競争がもたらす労働者の境遇の悪化を統計的に立証することにかなりのページをついやしている。

それだけではない。競争はブルジョアジーにとっても破滅の原因である。かれらもまた生き残るために値下げ競争を余儀なくされ、たがいに滅ぼしあう。たしかに自由主義者たちがいうように、競争は価格の低下を生みだすであろう。しかしそれは製造業者にとっては「死刑判決」に等しい。しかも競争は最強者による他のすべてのものの征服を不可避ならしめ、独占にゆきつく。そのとき商品価格は逆に高騰するであろう。「競争体制のもとでは価格の低廉化は一時的で偽善的な恩恵でしかない」〔ibid. p. 59〕。さらにまた競争は恐慌の原因である。各生産者は競争に勝つために市場の限度を越えて生産する。他方ではかれらは競争によって強いられる価格の低下を賃金の引下げによって補おうとする。その結果、「競争は生産の増大と消費の減少を強制する」〔ibid. p. 64〕。こうして競争は社会全体を恐慌にまきこむのである。

そして最後に国際関係においては、競争は永続的な戦争、とりわけイギリスとフランスの戦争状態を生みだす。イギリスは早くから競争を原理とする工業国であったが、フランスの経済構造も大革命によって根本的に変化した。同業組合による経済が競争経済によっておきかえられたからである。この時以来、「われわれはイギリス流の工業国民になり」〔ibid. p. 81〕、イギリスと同じく海外市場を必要とするようになった。こうしてその後、両国間の関係は一時的な協定をはさみながらも、海外市場を求めて永続的な戦争状態に入ることになる。「イギリスにとって死活の問題であるものは、競争原理が維持されるばあいにはフランスにとっても死活の問題である」〔ibid. p. 84〕。こうして「競争は世界の大動乱を必然的にする」〔ibid. p. 84〕。

競争の否定は自由と個人主義の問題を提起することになる。自由と個人主義を同一視し、個人的利得の増大への自由な努力とそれにもとづく競争こそ歴史発展の原動力だとする経済的自由主義者からの批判にたいして、ルイ・ブランは自由と個人主義との根本的相違を強調することによって答える。個人主義とは「人間を社会の外におき、義務を指示せずに権利にたいする熱狂的な感情を与え、人間を自分自身の力に没頭させる」〔Tchernof, 1901, p. 322〕原理である。それは万人を万人にたいして敵対させ、強者による弱者の抑圧と搾取を生みだし、社会を解体させる。個人主義は虚偽の、野蛮状態における自由にすぎないのである。それにたいして真の自由は、社会の全員が平等になり、全員が家族の一員であるかのように連帯する「友愛の原理」とともにしか存在しない。こうして真の自由の実現の条件として平等が主張されるが、それはまず賃金の絶対的平等となって現われる。しかしそれだけにとどまらず、ルイ・ブランは自由を新たに定義し直そうとする。自由が平等と不可分であるとすれば、自由は形式的権利ではなくて実質的な内容をもたなければならないからである。

すでに産業革命の進展とそれにともなうプロレタリアの輩出は、自由の観念の内容を変化させつつあった。たとえばデュノワイエのような自由主義者も、個人が自由であるためには各人が自己の能力を行使する手段をもたなければならないとして、自由の物質的基礎に注目していた。さらにシュヴァリエはこの議論にもとづいて、「飢えている人間は自由でない、かれは自己の能力の処分権をもたず、それを発展させることも行使することもできない」〔M. Chevalier, p. 30〕と述べて、自由の問題を産業による生産力発展に結びつけたのであった。

ルイ・ブランの自由観は、この展開の延長上にある。ルイ・ブランはいう。「自由は承認された権利のなかにだけあるのではなくて、正義の支配と法の保護のもとで人間が自己の能力を行使し発展させる力のなかにある」〔L. Blanc, 1884a, p. 18〕。それゆえ、プロレタリアが自由であるためには、教育と労働用具の供給が必要であり、そのためには国家の介入がなければならない。プロレタリアに教育と労働用具を保証する強力な国家は、自由を侵害するどころか、その牽引車であり守護者なのである。「われわれが権威の原理の復活を要求するのは、自由の名においてであり、自由のためにである。われわれは強力な政府を要求する。なぜならわれわれがいまなお暮らしている不平等な体制においては、自分たちを保護する社会的な力を必要とする弱者が存在するからである」〔ibid. p. 19〕。

「社会的作業場」

こうしてルイ・ブランは競争体制を克服するために国家の主導権を要請する。すなわち「生産の最高の規制者」である政府の出資によって「社会的作業場」を創設することである。その内部組織および運営はつぎのようである。作業場内の階層序列は初年度は政府の任命によって、次年度以降は労働者の選挙によって選ばれる。こうして労働者の経営への参加が実現される。賃金の問題にかんしては、ルイ・ブランはかなり微妙な態度をとる。サン゠シモニアンのいう〈能力に応じた分配〉は新たな不平等を生みだし強化するからしりぞけられなければならない。ルイ・ブランはブオナロッティにならって、能力の相違ははたすべき義務の大きさに関係しているのであって、権利の大きさに関係しているのではないと主張する。したがって賃金の平等が追求されるべきである。しかし「現代の世代に与えられているまちがった反社会的な教育のために、報酬の増大以外のところに良い意味での競争心（l'émulation）と励ましの動因を見出すことができないから、賃金は職務の階層にもとづいて段階づけられる」[2]〔L. Blanc, 1845, p. 86〕。こうして賃金の平等を実現するために、教育の変革と過渡的方策として作業場の利益の一部分の平等分配とが主張される。作業場のあげた利益は三分され、一部は構成員に平等に分配され、第二の部分は老人、病人の扶助と恐慌のさいの救援にあてられ、最後の部分は新たに加入しようとする者への労働用具の供給にあてられる。[3]

このようにして成立した社会的作業場は、経営への参加が鼓舞する労働者の生産への意欲に支えられて高い生産性を達成するであろう。その結果、それは他の私的企業との競争にうちかち、また私的企業家の社会的作業場への自発的参加をよびおこし、その産業部門全体を手中に収め、さらにはすべての産業部門を包括するにいたる。最終的にはそれは、生産のみならず消費と共同生活の中心になるであろう。「競争という武器によって競争そのものを消滅させる」社会的作業場と私的企業との聖なる競争を通じて、「暴力も動乱もなしに、社会的作業場による個人的作業場の平和的で継続的な吸収が行なわれる」〔L. Blanc, 1845, pp. 89-90〕。こうして「われわれは競争を敗北させ、アソシアシオンを獲得するであろう」〔ibid. p. 90〕。

経済活動への国家の介入の問題は、七月王政のもとで鉄道建設にかんして論じられた問題であり、経済的自由主義者の反対をたえずよびおこしてきた。ルイ・ブランの議論も、当然この反対にさらされることになる。

ルイ・ブランは自分の主張を国家主義と見なす批判にたいして、サン゠シモニアンの理論と『労働組織論』とを対比することによって応える。すなわちサン゠シモニアンたちが、社会の根本的変革のためには国家が強くなければならないと考えたのは正当であった。しかしかれらは、国家の主導権がもたらす利点にあまりにも心を奪われたために限界を越えてしまった。「かれらは、国家に産業の運動の監督と調整の役割を委ねるのではなくて、国家に産業をその細部のすべてにわたって規制する義務を課した」〔ibid. p. 124〕。こうしてかれらの主張においては、国家は全産業の所有者、経営者になる。それにたいして『労働組織論』は、国家に社会的作業場の設立によって「産業的革命の主導権をとること」と全産業の調整者の役割を認めているだけである。両者のこのような相違の基礎には、国家と社会の関係についての考え方の相違がある。サン゠シモニアンは国家と社会の区別を消滅させようとしており、その結果、かれらにおいては「社会の活動は完全に権力の背後に消えうせる」〔ibid. p. 126〕。それにたいして『労働組織論』においては「権力の運動のなかに社会の運動を吸収することを避けながら、権力のなかに発議の巨大な力を生みだすこと」〔ibid. p. 122〕が問題なのである。こうして『労働組織論』では、「国家は、労働に法を与え、そのおかげで産業の運動はまったく自由に遂行されうる」〔ibid. p. 125〕のであり、『労働組織論』はけっして国家による専制の主張ではない、とルイ・ブランはいうのである。

「支配者としての国家」と「従僕としての国家」

国家と社会の関係の問題は、サン＝シモン以来フランスの社会理論の主要テーマの一つであった。サン＝シモンは、一八一七年には経済的自由主義者として安価な政府を要求していた。産業＝社会にとってもっとも好都合な政府とは何かを論じる国家と社会の二元論がその議論の枠組を構成していた。しかしサン＝シモンは、すでにそこに見られた産業の政府にたいする優越という見方をさらに徹底させ、産業の自律性とそれのみにもとづく社会の組織化の可能性を見出したとき、政府と社会の二元論をこえて、産業＝社会による政府の吸収という議論を展開した。さきに引用したように、産業によって「社会の繁栄のために働くというはっきりした目的のために組織された社会においては、社会が進むべき方向を定めるというもっとも重要な政治的行為は、社会体それ自体によって行なわれる」のである。しかしこの社会は、その自律性を保持するために、能力の階層制と社会の目的を明示する共通の道徳的観念とによって組織されなければならない。サン＝シモニアンたちは「全般的銀行制度」とサン＝シモン教とによって、この社会組織を一層具体的なものにしたが、それが高度に権威主義的な組織であったこともすでに見たところである。かれらの国家主義は、政府と社会の二律背反を止揚しようとする企ての一帰結であった。

ルイ・ブランには、政府と社会の二律背反の止揚という問題意識はない。国家を社会の疎外体と見る視点や階級国家観は存在しない。かれにあっては、「国家は専制からの保証の必要から生まれた」〔L. Blanc, 1884b, p. 149〕のであり、ただ国家のこれまでの悪い構造がこの原点から逸脱させたにすぎない。社会の自己統治というような主張があるが、代表も指導者ももたずにどうして社会のような巨大な集団が運営されえようか。こうしてすべての問題は、いかにして国家をその原点に立ち返らせて人民の守護者たらしめるかという問題に帰着する。そしてこの問題の解決は、普通選挙にもとづく共和政国家の実現によって与えられる。ルイ・ブランの考えでは、普通選挙による共和政国家は「人民の名において、人民の監視と人民への依存のもとで、人民の利益のために、人民によって選ばれた人びとによって行使される権力」〔ibid. p. 146〕である。それはかつての「支配者としての国家」ではなくて「従僕としての国家」であり、社会に対立するものではありえない。それどころかこの国家は社会そのものであり、人体にたいして頭脳が位置するのと同じ位置を社会にたいして占めるのである。この「従僕としての国家」が、自らの解放に必要な労働用具を欠いているプロレタリアにそれを供給すること、「貧乏人の銀行」として機能すること、これこそが解放の道筋だというのがルイ・ブランの主張であった。

以上見てきたように、ルイ・ブランの主張は、普通選挙にもとづく共和政によって社会改革を実現しようとするものであった。七月王政は財産による厳格な制限選挙の体制だったから、ルイ・ブランの言説は一定の現実性と影響力をもつことができたといえよう。

しかし『労働組織論』は、労働者の自律的な組織と運動を本質的な契機としてふくむものではなかった。それは何よりも「支配者としての国家」の「従僕としての国家」への変革の主張であり、社会的作業場は共和政すなわち「従僕としての国家」のとるべき政策であった。いいかえれば、『労働組織論』をつらぬく基調は共和政と共和政政府がとるべき政策にあり、労働者の日常的な経験とそれにもとづく自己解放への志向にはなかった。この意味で、同時代の生産協同組合論者フゲレが、協同組織の主張には、労働用具は労働者に属すべきであり、その実現によって資本の専制を終らせるという原則がふくまれているが、ルイ・ブランはこの原則にあまり注意をはらわず、ただもう一つの原則である競争の廃止に固執したと批判している〔Feugueray, p. 216〕のは、正鵠を射ているといえよう。産業の領域における国家の役割について、ルイ・ブランと『アトリエ』派の相違は文字面からすれば単なる程度の差に見えるけれども、その基調においては大きなへだたりがあったというべきであろう。

ルイ・ブランにとっては、労働者は何よりもまず被害者、保護されるべき弱者であり、かれらの立場にたつ政治家や知識人によって代表され、統括されるべき存在であった。しかし二月革命とそれにつづく権力の空白状態は、パリの労働者を一挙に舞台の中央におしあげ、さまざまな要求を噴出させる。そのなかでかれらは、自立への意志を表明することになるであろう。

*1──『労働組織論』は版を重ねるごとに加筆修正されており、一八四七年にでた第五版は、第四版にくらべると大部になり、内容も変っている。初版を見ることができなかったので、ここでは第四版によった。

*2──第五版では、この箇所はつぎのように書きかえられる。「現在の世代に与えられているまちがった反社会的な教育が報酬の増大以外のところに良い意味での競争心を見出すことを困難にしているけれども、まったく新しい教育が思想と習俗を変えるにちがいないから、賃金は平等になるだろう」〔R. Gossez, p. 230〕。ルイ・ブランを平等賃金の実現にかんして強気にしたのは、一八四五年のパリ建築工のストライキだといわれる。かれらはじっさい、一労働日（一〇時間）につき五フランの賃金がすべての労働者にたいして支払われることを要求した。平等賃金を要求する職人組合の長い伝統があり、この闘争もこの伝統をうけついでいた。そこでは平等賃金の要求は職人としての平等な資格を前提し、雇主に熟練工のみを雇用するように強制する手段であった。それと同時に現実の賃金支払いにおいては、最低賃金として、賃金決定の参照規準として機能した。ルイ・ブランはそれを賃金の完全な平等の要求と見なして、平等賃金実現の機は熟しつつあると考えたのである〔Gossez, pp. 230-231〕。しかし賃金の絶対的平等の主張はリュクサンブール委員会においても非難のまとになり、ルイ・ブ

ランは「われわれは現在の競争体制のもとで私企業において賃金の平等を適用しようとはしなかった」と述べざるをえなかった〔L. Blanc, 1884a, p. 95〕。ルイ・ブランは、〈能力に応じて働き、必要に応じて取る〉というのが自分の基本的な見解で、この点では自分の意見はまったく変らなかったと述べている。

＊3——第五版以後では、国家貸付の返済分、相互扶助資金、労働者への分配分、留保基金の四つに分割されている。国家の社会的作業場への出資分は貸付と考えられているのである。

五　リュクサンブール委員会

創設時の状況

一八四八年二月二四日、七月王政は崩壊した。二月二五日には労働者の「労働の権利」の要求に応えて「臨時政府は労働によって労働者の生活を保証することを約束する」という法令が提出され、その具体化として国立作業場の設置が決定される。二月二八日には、市庁舎前のグレーヴ広場に集まった約二〇〇〇名の労働者を代表する四〇名の機械工が、労働時間の短縮、賃金の増額、下請制の廃止、労働組織化促進省の設置の請願書を臨時政府の閣僚に提出する。しかし臨時政府内でブルジョア共和派を代表するラマルティーヌは「労働組織化促進省」の設置要求をけっして受けいれようとしない。「わたしは自分の理解できない法令にはけっして署名しないであろう」〔D. Stern, p. 168〕。こうしてこの省の設置はしりぞけられる。それにたいしてルイ・ブランは「人民の意志がまったく尊重されないのだから、わたしもアルベールももはや臨時政府の一員であることはできない」と応じる。閣僚たちは、この時点でのルイ・ブランの辞任が、臨時政府は人民の敵だという印象を人民に与えることを憂慮し、ガルニエ＝パジェスが労働組織化促進省のかわりに、「新しい産業組織の計画を準備するためにルイ・ブランが主宰する労働者委員会」の設置を提案する。ルイ・ブランは権力も予算も自分の考えを実現するいかなる手段ももたない委員会では何もできないと述べて、この提案を一度は拒否する。それにたいしてアラゴがルイ・ブランにたいする個人的影響力を駆使し、自分もこの委員会の副議長になってこの危険で評判のわるい状況を分かち合うことを約束してルイ・ブランを説得する。この説得が功を奏してルイ・ブランを議長とする「労働者のための政府委員会」（リュクサンブール委員会）の設置が決定される〔ibid. pp. 171-172〕。こうして二月二八日の臨時政府の宣言はいう。

「人民によってなされた革命は人民のためになされなければならないこと、労働者の長く不公正な苦悩を終らせるべきであること、労働の問題は最高の重要性をもつこと、……以上に鑑み、共和国臨時政府はつぎのことを決定する。

「労働者のための政府委員会」とよばれる常設委員会が、労働者の境遇にかんして研究するという明確で専門的な任務をもって任命される。

共和国臨時政府がこの重大問題の解決をいかに重視しているかを示すために、この委員会の議長に閣僚の一人であるルイ・ブラン氏を、副議長にもう一人の閣僚であり、労働者であるアルベール氏を任命する。

労働者は委員会に参加することを約束されるであろう。

委員会の所在地はリュクサンブール宮殿におかれる」〔L. Blanc, 1884b, pp. 1-2〕。

こうして三月一日に約二〇〇名の労働者の参加のもとにリュクサンブール委員会が成立し活動を開始する。しかし「予算も権限ももたない」リュクサンブール委員会にとって、問題の真の解決はきたるべき立憲議会の選挙にあると考えられ、三月一七日の選挙延期を要求するデモ以降、選挙対策が主要な問題になってくる。だが四月二三日の選挙の結果は、あらゆる種類の保守主義の復活であり、リュクサンブール委員会にとって惨たんたるものに終った。パリで委員会の推せんした三四名の候補のうちで当選したのは、コシディエール、アルベール、ルドリュ＝ロラン、フロコン、ルイ・ブラン、アグリコル・ペルディギエの六名にすぎなかった。五月九日に議会は五人からなる執行委員会を選出するが、ルイ・ブランとアルベールの名はそこにはない。同日、議会でこの両人のリュクサンブール委員会議長と副議長の地位の辞任が報告されるが、後任者は任命されない。こうして五月一五日をもってリュクサンブール委員会は解体する。それは結果的には、選挙によってブルジョア権力が再生するまでのあいだ、パリの労働者の臨時政府にたいする信頼をつなぎとめ、労働者の要求をこの委員会に集中させることによって臨時政府に活動の自由を与えるものとして役立ったにすぎなかった。

リュクサンブール委員会の活動

この三ヶ月足らずの存在中に、リュクサンブール委員会が行なった仕事はつぎの四つである。第一は緊急を要する問題である、労働下請制の廃止と労働時間の短縮である。この二つの要求は労働者の永年来の要求であり、三月一日に委員会に出席した労働者は、この二つの要求が実現しないかぎり仕事につかないと宣言したほどであった。それにおされてリュクサンブール委員会は翌二日に労働下請制の廃止と労働時間の一時間短縮(パリ——一時間、地方——一二時間)の法令を布告する。しかし当時の多種多様な雇用形態に応じて賃金形態も多種多様であったから、これらの法令、とくに労働時間の短縮は事態の解決を意味するものではなかった。しかも雇主は根強い抵抗を行なったから、委員会はくりかえし法令の遵守を命令し、四月四日には法令に違反した雇主に罰金を科する法令をださなければならなかった。労働者にとってはこの法令の布告は、多様な雇用形態にもとづいて、賃上げ、無償の労働紹介所の設立、作業場の衛生状態の監視などの直接的な要求を提起してゆく出発点になった。[*1] こうしてルイ・ブランは労働者にたいして、リュクサンブール委員会は「たゆまぬ熱意をもってその使命をはたそうと努めている。しかし委員会は、諸君のいらだちがいかに正当なものであろうと、諸君が諸君の要求を委員会の研究よりも速く進ませることのないようにお願いする。諸君の過度の焦燥、われわれの過度の性急さは、すべてを危うくさせるだけである」〔G. Cahen, p. 214〕といわざるをえなかった。

第二は、委員会の本来の使命である、労働の組織化の具体的プランの作成である。プランは、ペクール、ヴィダル、デュポン＝ウィット、ル・プレー、ウォロウスキなどの参加を得て作成され、ペクールとヴィダルによって四月二六日付の「一般報告」にまとめられる。この討論のなかで論じられた論点は、『労働組織論』をめぐってすでに展開された議論とほとんど変るところはない。ルイ・ブランは競争の弊害を告発し、平等と友愛にもとづく社会的作業場の設立とそのための国家の介入を主張する。ウォロウスキは、現在重要なことは分配の問題だけでなく、いかにして生産を増大するかであり、競争の排除と賃金の平等は生産への刺激を失わせて問題の解決を遠ざけると主張する。また社会的作業場による生産の組織化の結果は、生産者が商品価格を一方的に決定することになり、消費者の利益は損なわれるといった論点も提出される。このような議論ののちに「一般報告」が提出されるが、そこではこれらの論点はあまり反映されてはいない。それは、「アソシアシオン」と「国家の私心のない介入」を労働の組織化の原理として確認し、いくつかの具体的方策を提案する。すなわち、㈠経営困難に陥った企業家からの作業場の買上げを通じて社会的作業場を設立する。賃金は完全に平等ではないが、同一の労働にたいしては平等とされる。㈡鉄道、鉱山などの国家による買戻し、農業コロニーの設立によって失業者の雇用をはかる。㈢商業の改善のために国家管理の生産物集積所と市場(バザール)を設立する。㈣以上の事業の財政的基礎を確保し、信用の民主化をはかるために、国立銀行を設立する。貴金属貨幣を「信頼にもとづく社会の貨幣」である紙幣によっておきかえる〔L. Blanc, 1884b, pp. 76-139〕。しかし「一般報告」の提出は選挙の敗北後であり、ほとんどだれにも読まれず、議会でも討論さえされずに葬られた。

リュクサンブール委員会の行なった第三の活動は労資間の紛争の調停である。さきに見たような労働者の要求の多様化にともない、三〇〇以上の請願書が提出され、さまざまな要求をかかげたストライキが頻発し、その調停はリュクサンブール委員会の大きな仕事になる。しかし調停の事例は、ドゥローヌ＝カイユ機械工場をはじめとする一〇例にすぎず、大きな成果をあげたとはいえない〔L. Blanc, 1884b, pp. 78-80〕。

最後に、生産協同組織の形成がある。臨時政府のもとで用いられなくなったクリシー監獄に、リュクサンブール委員会の指導のもとで「仕立工友愛組合」が三月二八日に設立される。それは約一千名の仕立工によって構成され、ルイ・ブランの主張どおり、絶対平等賃金（一日二フラン）と資本蓄積分を除いた利益の平等分配を原則とするものであった。ルイ・ブランは、これこそ社会的作業場の実現だと自讃し、この組合のために国民衛兵の制服の注文をとるなどしたが、かれの希望に反して私的企業との競争にうちかつことができずに、まもなく消滅することになる。

以上見てきたように、リュクサンブール委員会は成立事情からいえば、ブルジョア共和派が労働者にたいして行なった巧妙な妥協の産物であり、その命運は最初からきわめて限られたものであった。またその現実的成果にかんしても、ほとんど見るべきものを生みだしはしなかった。

リュクサンブール委員会の意義

しかしそれにもかかわらず、リュクサンブール委員会はパリの労働者が自分たちの多様な要求を広く社会に訴え、自らを組織してゆく場を与えた。かれらは、自分の職場に応じて多様な要求を提起し、労資双方の代表から成る委員会を形成してその実現をはかった。さらにかれらは「すっかり自分たちの組織化に没頭していたので、労働者の注意をそらせるためにリュクサンブール委員会を考えだした政府と闘争に入ろうとはけっして考えなかった」〔R. Gossez, p.

21〕といわれるほど、かれらは自らの組織化に専念したのであった。リュクサンブール委員会は、臨時政府の意図とは独立に、さらにルイ・ブランの意志をもこえて、これまでの議会と民衆、あるいは「社会主義」的エリートと民衆という二極構造のなかに、労働者自身の要求と組織化という、それとは異質の空間を作りだした。それはいわば二極構造のなかに出現した、新しい秩序を創出するカオス空間であった。[*2]

もとよりリュクサンブール委員会は「予算も権限ももたない」討議機関にすぎず、したがって労働者の問題解決のための動きは必然的に立憲議会の選挙にむかってキャナライズされることになり、これまでの政治の枠組を決定的にこえることはできなかったけれども、支配者と被支配者という二極構造の変革という意味で、リュクサンブール委員会のもとで行なわれた労働者の自律的な組織のもつ意義は重要である。それゆえにこそ、ブルジョア共和派は、国立作業場をリュクサンブール委員会に結集する労働者から切りはなし、かれらに対抗させるべく国立作業場の組織の整備と強化に腐心したのであった。[*3] 他方でルイ・ブランの眼には、労働者のこのような自立化は統一を危うくするものと映ったから、たえず労働者のパトリオチズムに訴え、自重と秩序を要求し、さらに立憲議会の候補者選定にさいしては共和主義の立場からする介入を行なったのであった。

このような視点から見るとき、パリの労働者が職能別組織であるコルポラシオンの形式をとって自らを組織しようとしたことは重要な意味をもっている〔参照〔谷川稔、一九七七年、一八〇—一八二頁、喜安朗、一九七七年、六五頁〕〕。二月革命直前に職能別組織の形成を開始した機械工や印刷工などを別とすれば、この時期に活躍した大部分のコルポラシオンは二月革命とともに労働者の自然発生的な運動のなかで生まれたものであり、ルイ・ブランもリュクサンブール委員会の労働者代表の選挙母体をそこにおいたのであった。コルポラシオンは、労働者たちが自分たちの職能的利益を守るために築いてきた生きた組織的伝統の革命的状況のなかでの再生であり、そのようなものとしてリュクサンブール委員会の実質を担ったのであった。コルポラシオンの代表者たちは、三月一七日の議会選挙延期のデモ以後、自立化の度を強め、三月末には「セーヌ県労働者中央委員会」を結成するにいたる。それは来たるべき選挙のために各コルポラシオンの推せんにもとづいて候補者を選定し支援することを主目的とするものであったが、同時に労働者自身の組織の結成と強化、職能的技術の研究と諸産業間の連関の明確化をつうじて労働の組織化を準備すること、が目指されていた。そこでは、議会選挙への幻想はいまだ断ち切られてはいないとはいえ、かれらの外に存在する共和派の政治家や「社会主義」の知識人を候補者として推せんするのではなくて、候補者の推せんの基礎をコルポラシオンに求めている点に、かれらの自立の意識の深化が認められる〔喜安朗、一九七七年、七三—七七頁〕。

それと同時に、この中央委員会の組織規約においては、競争の弊害とか経済的無政府状態といった国民経済にかんする全般的指摘から出発して国民経済の合理的システムとして労働の組織化を構想し、それにもとづいてそれに適合的な労働者組織を考えるというルイ・ブランの『労働組織論』やより一般的には「社会主義」の議論とは反対に、労働者自身の組織から出発して職能的技術と産業的連関の検討をへて労働の組織化を構想するという道筋が考えられている。かれらにおいては、労働の組織化は労働者の組織化としてとらえなおされているということができよう(cf. 〔R. Gossez, pp. 250-251〕)。

「合同コルポラシオン協会」の結成

「セーヌ県労働者中央委員会」はリュクサンブール委員会の解体後も「リュクサンブール代表者中央委員会」として生き残り、五月末には「合同コルポラシオン協会」を結成するにいたる。このプロセスのなかで、とりわけ選挙での敗北に学びながら、かれらは「何にもましてわれわれに必要なのは、何ものにも破壊されることのない強力な組織である」と述べて、自らの組織の形成と強化の問題を一層つよく前面におしだした。かれらにとって重要なことは、労働の組織化について「もろもろの体系をねりあげたり、その理論について論じる」ことではなくて、「ただちに実行しうるものを実行に移す」(「コルポラシオン代表団によるセーヌ県労働者への宣言」〔河野健二、一九七九年、四一三頁〕)ことである。この協会について注目すべきことはつぎの点である。

まず第一に「将来の選挙における社会革命の勝利のために結合した労働者の同盟」という表現からもうかがえるように、そこでは政治組織への志向が強くあらわれており、組織形態についても中央委員会―区委員会―セクション委員会という政治結社風の集権的形態がとられていることである（「合同コルポラシオン協会規約」〔同前、四〇七頁〕）。

つぎに労働の組織化は、作業場での組織化と生産物の交換の組織化にわけられ、前者は個々のコルポラシオンにゆだねられ、後者だけが協会の任務とされている点である。「われわれの役割は、全産業間の関係を組織すること、交換の法則を規制し、労働生産物の販路を作りだすことである」（「セーヌ県労働者への宣言」〔同前、四一三頁〕）。この点はさらに六月二二日付の『ジュルナル・デ・トラヴァユール』に掲載された「合同コルポラシオン協同組織案」のなかではつぎのように述べられる。「協同組合は、相互性（ミユチユアリテ）によって生産し消費すること、人間による人間の搾取を終らせることを目的とする」（「合同コルポラシオン協同組織計画」〔同前、四一六頁〕）。ここに、二月革命以来、一貫して交換の組織化による経済的革命、相互性を原理とする経済組織の樹立を構想してきたプルードンの影響を認めることもできよう。じっさい一八四八年九月には、コルポラシオン代表者たちは、プルードンの提案を討議する委員会を設置し、一一月一六日には「生産管理委員会 Syndicat Général de la Production」と「消費管理委員会 Syndicat

Général de la Consommation」をふくむ「人民銀行」案が、フォーブール・サン＝ドニで開かれたコルポラシオン代表者全体会議で提案され、採択される〔P. -J. Proudhon, Banque du peuple, pp. 26-47, Gossez, pp. 334-340〕(プルードン自身は病気のため出席しなかった)。もっとも旧リュクサンブール委員会の労働代表の主張とプルードンのそれとのあいだにはかなり大きな差異があり、プルードンの有罪判決のために人民銀行を清算しようとしたときに、その相違は露呈されることになる。

合同コルポラシオン協会は、パリの労働者が二月以来の自律的な運動をつうじて到達した地点を示すものであった。そこでは労働の組織化にかんする理論を呈示することではなくて、現実の具体的条件のなかで実行可能なものを実行に移すことが課題とされている。このことは、労働の組織化あるいは社会的作業場という「社会主義」によって与えられた言葉を用いながらも、「社会主義」の知識人からのかれらの自立の開始を告げるものと見ることができよう。さらにまたそこでは、「社会主義」や『労働組織論』の〈上から〉の問題構成にかわって、労働の組織化は何よりもまず労働者の組織化の問題として提起され、狭義の労働の組織化は個々のコルポラシオンがその職能上の具体的条件にもとづいて自主的に実行すべきものと考えられている。労働の組織化の全般的なプランによって上から作業場を組織するという道にかわって、各コルポラシオンの自治による組織化が追求されているのである。私たちは、これらの点に

「社会主義」の問題構成がこうむった変革を見てとることができる。

しかし同時にこの協会は、集権的な政治組織と各コルポラシオンの自律的な労働の組織化に依拠する経済組織という二つの働きを同時に実現しようとするものであった。この両者は、二月以後の労働者の運動の必然的な産物である。かれらが既存の共和派の政治家や「社会主義」の知識人から自立するためには、要求と運動の多様化の母体であるコルポラシオンの自律性が必要であったし、政治闘争を闘うには統一の強化がはかられねばならなかった。労働者の自立化は、コルポラシオンの自律性の強化と中心部による集権化をともなって進行したのである。しかしこの両者は容易に調和しえない。なぜなら集権的な政治組織の強化は、協会と各コルポラシオンのあいだに指導―被指導の関係を生みだし、それが固定化すれば新たな二極構造が作り出されるであろう。その結果、各コルポラシオンの自律的な動きは制限されることになるであろうからである。しかし六月蜂起の敗北は合同コルポラシオン協会の解体をもたらした。協会はこの両機能を展開することができないうちに憤死させられたのであった。

＊1――この点にかんして、喜安朗「二月革命と労働大衆」〔喜安朗、一九七七年〕から多くの示唆を得た。なおリュクサンブール委員会の活動全般についてはつぎを参照〔G. Cahen〕。

＊2――二極構造、カオス空間の考え方は、山田慶児から多大の示唆を得た〔山田慶児〕。

＊3——国立作業場はもともとリュクサンブール委員会と対立する原理にもとづくものであったが、とくに三月一七日のデモ以後、公共事業相マリと国立作業場の責任者E・トマの手で、リュクサンブール委員会にたいする対抗がいっそう強化された。

Ⅲ　プルードンのアソシアシオン論

以上見てきたように、一八四〇年代の「労働者の固定観念」（ダニエル・ステルン）と評されるほどの浸透を示した協同組織の主張にたいして、プルードンはどのように考えたであろうか。[*1]プルードンの記述を一見すれば、かれのアソシアシオン観の大きな振幅に驚かされるだろう。たとえばこうである。プルードンは一八四〇年には「生産手段における平等と交換における等価性の維持に限定された自由なアソシアシオン」〔『所有とは何か』、三〇〇頁〕に未来を見出し、一八四三年八月には『手帖（カルネ）』に「アソシアシオンとは何か――機能と生産物に応じた産業諸力の組織化（システマティザシオン）である」〔Carnets, I, p. 38〕と述べた。一八四五年八月には「普遍的協同組織は真の合言葉である」〔ibid. p. 121〕と記しただけでなく、自らアソシアシオンの設立を企てた。その同じプルードンが、一八四七年には「アソシアシオンは友愛と同じく不正確な言葉だ」〔Carnets, II, p. 212〕、「アソシアシオンは自由を束縛する」〔ibid. p. 284〕などと述べて、アソシアシオンにたいして批判的な態度を見せはじめる。そして二月革命期には、ルイ・ブランとリュクサンブール委員会の「労働の組織化」にたいして厳しい批判を加え、さらに『一九世紀における革命の一般理念』（一八五一年、以下『一般理念』（Idée générale）と略）では、「アソシアシオンは断じて指導的原理ではない」〔Idée générale, 邦訳八七頁〕などと述べて、アソシアシオンの原理を斥けている。

プルードンのアソシアシオン観は、ここに見られるとおりに変化していったのであろうか。またそうだとすれば、その原因はどこにあるのだろうか。それとも、変化の外観にもかかわらず、その根底には一貫した態度が存在するのだろうか。本章では、プルードンの思想形成を中心に据えて、この時代のアソシアシオンの思想と運動の問題点を別の視角から検討しよう。

『所有とは何か』への軌跡

プルードンの思想形成を理解するのに役立つように、ウドコック『プルードン』〔G. Woodcock〕と河野健二「思想と生涯　抵抗の思想家プルードン」〔セレクション一五―四九頁〕によりながら『所有とは何か』公刊までのプルードンの軌跡をたどっておこう。

ピエール＝ジョゼフ・プルードン（一八〇九―一八六五年）は、スイスとの国境に近いジュラ山脈の麓の都市ブザンソンでブドウ栽培と樽屋を営む貧しい農民の長男として生まれた。父は家族の暮らしを支えるためにビールの製造を始めた。造ったビールは上質だったが、儲けるためには生産費以上の価格で売らねばならないことを認めなかった。市場価格で販売することを勧める友人にたいして「生産費と私の労賃、それが私の価格だ」と答えたという。だから利益が上がるはずはなく、ビール工場は二年で倒産した。一家はブザンソン近郊の祖父の農場がある小村に移り、ピエール＝ジョゼフは牛追いなど諸々の仕事を手伝った。日々の労働は厳しかったが、プルードンは後年、野道を素足で駆け回り、川で水浴びをした子どものころの想い出を懐かしく語っている。

母親は貧しさの中でもプルードンをブザンソンのコレージュに進ませたが、通学用の靴も教科書も買ってやれなかった。そのためにプルードンは木靴の音を気づかって素足になり、教科書を持ってこなかった罰をくりかえし受けることになった。しかしプルードンは勉強好きで、特にラテン語やヘブライ語などの言語の学習に励んだ。この学習は後に印刷職人として身を立てるのに役立ったし、一八三七年に書いた最初の論文「普遍文法試論」の土台になった。プルードンは神の観念を受け容れていたが、聖餐式や懺悔や十字架への接吻などの宗教儀礼には否定的だったことをつけ加えておこう。

父親は訴訟好きで、プルードンのコレージュ卒業式の日に最後の訴訟に負けて破産し、一家の暮らしはいっそう苦しくなった。「他の誰もが微笑んでいるように見える儀式に、私はまったく悲しい気分で出かけた。私の家族は判決を待って法廷にいたのだ。私はこのことをいつまでも覚えているだろう」。プルードンは大学入学資格（バカロレア）の受験をあきらめて、印刷職人になる道を選んだ。一八二七年に近くの印刷所の徒弟になり、しばらく後に級友アントワーヌ・ゴーチエの父が経営する印刷所に職を得る。はじめは植字工、ついで校正工になり、二一歳で印刷職人の資格を得た。「私の植字盆が私の自由のシンボルと道具になったあの素晴らしい日のことを今も喜びとともに想い出す」。

ゴーチエ印刷所での仕事は厳しかったが、校正の仕事はプルードンの知的好奇心を満たしたし、親しい友人を得ることもできた。一八二九年にフーリエの『産業的・協同的新世界』の校正を担当したことはプルードンの思想形成の転機になった。「まる六週間、私はこの奇妙な天才のとりこだった」。プルードンはフーリエの風変わりな未来社会論に魅力を感じはしたが、プルードンの関心をより強く捉えたのは未来社会論よりもかれが提唱する「社会法則」とその解明の方法である「系列の理論」であった。フーリエは社会的諸事物の関係とその作用―反作用のあり方＝社会法則の発見が科学の仕事だと考え、その法則を「系列の理論」と名づけた。『経済的矛盾の体系』（『貧困の哲学』）をはじめ、プルードンの多くの仕事はフーリエの「系列（セリー）」の概念に依拠している。フーリエの著書の校正が、社会問題への関心を強めたことも指摘しておかねばならない。

ゴーチエ印刷所での仕事のなかで、二歳年上の言語学者グスタヴ・ファロと知りあい親交を結んだことが、プルードンの人生を大きく変えることになった。ゴーチエ印刷所にラテン語の文書の印刷を依頼したファロは、校正を担当するプルードンの学識と知識欲に目をみはり、一方プルードンにとってはファロは初めて親しく交際する知識人であった。両人はすぐに親密になり、ファロの薄暗い部屋で幾夜も語り合った。ファロは宗派に囚われない広い学殖でプルードンの視野を広げ、プルードンはファロからモンテーニュ、ラブレー、啓蒙派の知識人などの作品や思想についての知識と哲学の方法を貪欲に摂取した。ファロは同じ主題に心を集中して取り組みつづけることが大切だとプルードンにくりかえし説いた。これは思想形成の難しい時期にさしかかっていたプルードンに適切な教えだった。

プルードンは一八三〇年九月に印刷職人の資格を得たが、七月革命が生み出した経済的混乱のせいで印刷職人の仕事はなくなってしまった。かれはやむなくブザンソン近郊の町の教師になろうとしたり、印刷工の職を求めてスイスのヌーシャテルに移ったりしたが、うまくいかずブザンソンに戻ってきた。一八三一年末、パリに上っていたファロからパリに来て文筆で身を立てるように熱心に勧める手紙が届いた。「君が意図しようとしまいと、君は著作家になるだろう。君は哲学者になり時代の光明になるだろう。君の名前は一九世紀の年鑑の中に席を占めるだろう。……それが君の運命なのだ！」。プルードンはためらったが、ベッドを用意し、当座の生活の面倒も見ようというファロの友情溢れる勧めを断ることはできなかった。

一八三二年三月にプルードンはパリへ赴いた。ファロは約束を守って、生活の世話を焼き、知りあいの哲学者や学者を紹介してくれたが、プルードンは彼らとうまく付き合うことができなかった。当時パリではコレラが流行していて、頼みのファロも感染して病に倒れ、プルードンは友人の看護にあたることになった。ファロは死にはしなかったが、プルードンのパリ滞在は不可能になり、パリ滞在は二ケ月ほどで失望のうちに終わった。

「私は五〇フランをポケットに入れ、リュックを背負い、哲学研究の準備ノートをもって南フランスを目指した」。プルードンは心ならずも職人巡歴の旅に出ることになったのである。ツーロンに着いたときには仕事は見つからず、財布も底をついてきたので、市長室を訪ねて仕事の斡旋を依頼した。パスポートを発行しているのだから、当局はパスポート所持者の仕事探しを援助すべきだというのがプルードンの言い分だった。市長は「君はパスポートの意味を誤解している。パスポートの意味は、君が襲撃や強盗に遭ったときに当局は君を護るということ、それだけのことだ」と答えた。このやりとりはプルードンに、権力は決して貧しい民衆を助けたりはしないということを強く印象づけた。プルードンはこのやりとりを、権力の本性を示す例として『革命と教会における正義』で詳しく紹介している。最愛の弟ジャン・エチエンヌが軍役に徴用されたとの報せを受け取ったこともプルードンの反権力の感情を刺激した。当時の制度では、金のある家なら身代わりを立てて徴用を逃れることができたからである。

プルードンは一八三二年夏ごろブザンソンに着き、仕事を探し始めたが、フーリエの弟子のムイロンという男がブザンソンで発行している『不偏不党』という新聞の編集者の職を提供してくれた。プルードンは申し出を受け容れたが、自分の書いた記事を掲載するには県知事の検閲を得なければならないと聞かされ、原稿を火の中に投げ込んで仕事場を立ち去った。これもプルードンの反権力の姿勢を強める出来事だった。

一八三三年初めにブザンソンに帰って間もなく、弟ジャン・エチエンヌが訓練中に死亡したという悲しい報せを受け取った。「この死は私を最終的に現存秩序の非和解的な敵にした」。プルードンの国家権力と所有者支配の体制にたいする反対は、かれの生活経験、かれがなめた辛酸に深く根ざしていた。その意味でプルードンの思想は〈芯の強い〉思想だった。

プルードンはゴーチエ印刷所で職長として働き、経済状態はかなり改善された。一八三六年に同僚だったランベールが友人のモーリスと興したランベール会社に加わったが、会社は経営不振に陥り、プルードンは顧客拡大と職探しのために一八三八年一月にパリに向かった。パリでは校正工として働く一方、アルザス出身の若い詩人のアッカーマンと、同じくアルザス出身の文献学者のベルクマンという二人の友人を得た。この二人の友人とは長く付き合うことになる。しかし数週間後にランベールが失踪したという報せが届き、急遽ブザンソンに帰ることになった。ランベール会社はランベールとプルードンの名義になっていたので、残された負債はすべてプルードンの肩にかかり、長期にわたってプルードンを苦しめることになる。

この年の五月にブザンソン・アカデミーの終身書記のペレネスから三年ごとに募集されるシュアール奨学金（年額一五〇〇フランで、以前ファロも給付を受けていた）への応募を勧められ、応募の決心を固めた。プルードンは学者ないし文筆家へと大きく舵を切ったのである。応募申請のために書いた文章はよく引用される文章だが、プルードンの決意がよく表されているので引いておこう。

「候補者は労働者階級の中で生まれ、育てられ、心と性質と習慣によって、なかでも利害と欲求の共通性によって今もこの階級に属しており、永久にこの階級に属しています。候補者が選考委員の方々の賛同を得られたならば、……候補者の最大の喜びは、哲学と科学を通して、また意志と心の力のすべてをあげて候補者の同胞と仲間の完全な解放のために、今後たゆみなく努力することができることであります」。

プルードンは幸運なことに採用され、この年の秋にパリに出ることになった。一五〇〇フランという金額は学生一人が暮らすのには十分だが、プルードンには扶養しなければならない家族があり、支払わなければならない負債があったから、生活の困窮は変わらなかった。経済的困難を多少とも緩和するために、プルードンはブザンソン・アカデミーが募集している懸賞論文に応募することにした。「日曜礼拝の効用」について論じるというのがその課題である。応募論文でプルードンは、六日間働いて一日休むという生活習慣が生理的活動と社会的活動に調和をもたらしていることを説き、この生活習慣が根を下ろしている農村生活の牧歌的な記述にかなりの紙数を割いている。モーセの十戒の「汝盗むなかれ」という戒めは、ヘブライ語の原義では「盗むな」ではなくて「何かを自分のために取り置くな」という意味だ、いいかえれば蓄財する所有者を斥け平等を説く言葉だとプルードンはいう。モーセは宗教的指導者であるだけでなく、社会改革の父でもあるというのが、プルードン独自のモーセ解釈だった。この論文の中でプルードンの社会論の鍵概念である「集合的労働」の概念が登場していることを指摘しておこう。安息日の意義から始めて蓄財する所有者にたいする攻撃で結ばれるこの論文は、『所有とは何か』の序論の位置を占めるといってよいだろう。

アソシアシオンへの熱中

自ら経営の一端を担っていたランベール印刷会社の破産のために七〇〇〇フランの負債を背負いこんだプルードンは、一八四三年五月、リヨンのゴーチエ水運会社の会計係の職を得てリヨンに赴いた。ウドコックによれば、プルードンはこの地で相互主義者のグループと接触し、かれらの労働者協同組織の運動から影響をうけた〔Woodcock, pp. 73-75〕。相互主義者との交流の証拠は多くないが、『手帖（カルネ）』に相互扶助組織の中心人物の一人であったグレッポの名前が何度か見え、[*2] また「アソシアシオンの試みはリヨンの絹織物工のあいだでおこった」といった記述がある〔Carnets, I, pp. 70, 101, 208〕。いずれにせよ、プルードンはこの時期から数年間、とりわけ一八四五、六年には、アソシアシオン――プルードンは自分の設立しようとするアソシアシオンを「漸進的組合（ソシエテ・プログレシヴ）」とよんだ――設立の計画に相当の熱意を注ぐことになる。

こうしてプルードンは、この時期の『手帖』にほとんど毎日、アソシアシオンという言葉を書きつけ、アソシアシオンの原理、定款などを骨子とする著作の計画にくりかえしふれた。[*3] またアソシアシオンの未来についてきわめて楽観的な見通しをくりかえし記している。たとえばこんなぐあいである。「漸進的組合――その最初の中核が一たび形成されれば、つぎつぎに産業のあらゆる方面に向かい、その販路の重要性がますにつれて、請負業者にさえ販路を提供するという改善を実現するであろう」〔ibid. p. 126〕。また、この組合は初年度に一〇万人、三年目には二〇〇万人の組合員を獲得し、さらにフランスのみならずドイツ、イギリス、ベルギーなどでも参加者を得て、ついには政府を駆逐するかそれとも服従させるに至るという誇大妄想に見える展望が語られる〔ibid. p. 76〕。「組合が全国民を包括し、組合員という身分が共通の必然的な身分になるときには、〔組合の定款を守るとか、組合の普及に努力するとかいった〕条項は必要でなくなるだろう。各人は自分によいと思われることをすることができ、かれの労働と交換の関係は、国家の法となった社会契約によって規制されるであろう」〔ibid. p. 81〕。

しかしプルードンの熱中にもかかわらず、かれが設立しようとする「漸進的組合」の姿は漠然としたとりとめのないものにとどまっている。ただ、アソシアシオンがエゴイズムの克服といった道徳の問題として考えられているのではなくて、その客観的な存在様式、効果にもとづいて検討されるべきだとされていること、また生産手段の共同所有としてではなくて流通と信用の組織化の問題として考えられていることを指摘しておこう。

前者の点について、プルードンは一八四四年一〇月二四日付のベルクマンあての手紙で「アソシアシオンは経済科学なしには理解できない。アソシアシオン、道徳、経済的諸関係のすべては、恣意的なものでないためには、事物のなかで客観的に研究されなければならない」(a Bergmann, 24 oct. 1844〔Corr. II, p. 166〕)という。これは、『所有とは何か』における「人びとは十分な同意の以前に、すでに事物において客観的に結合している」〔邦訳三〇〇頁〕という主張を受けつぐものである。また一八四七年三月九日の『手帖』には「すべての宗教的、政治的、神秘的な意見はアソシアシオンには無用である」〔Carnets, II, p. 28〕と述べて、宗教的ないし道徳的性格の濃厚であった当時のアソシアシオンの主張とはっきり一線を画している。さらに、一八四五年四月の『手帖』に「社会革命が政治革命を通じて到来するなら、社会革命は重大な危機にさらされるだろう」〔Carnets, I, p. 88〕と記している点も重要であろう。すでにこの時期のプルードンには、まだ漠然とではあるけれども、アソシアシオンを経済的世界においてすでに潜在している客観的な結合関係のみにもとづいて理解し、構築しようとする意図があったといえよう。そしてこの客観的結合の法則をわがものにしたと確信したとき、プルードンは友愛や献身を基礎とするアソシアシオンの不毛性を批判し、「友愛のユートピアの作者たちは、集合力、分業または交換のみに属する美徳と効果を、理由も証拠もなしにアソシアシオン契約に帰属させた」〔Idée générale, p. 162, 邦訳九〇頁〕と主張することになる。

アソシアシオンが流通と信用の組織化として構想されることとは、『所有とは何か』における共有制反対の主張から容易に想像できるところである。じっさい『手帖』には、「漸進的組合は銀行、貯蓄・保険・互助金庫になるだろう」〔Carnets, I, p. 75〕、「漸進的アソシアシオンの大原則は、現物での商品交換の原則である」〔ibid. p. 215〕、「所有を支配し吸収し変革すべき重大な経済的、社会的事実は交換である」〔ibid. p. 378〕、「流通は真の普遍的協同組織である」〔ibid. p. 386〕、「あらゆる社会問題は分配、流通、交換の問題であって、それ以外ではない」〔Carnets, II, p. 29〕などの章句を読むことができる。

この点に関連して、競争の問題にふれておくことが適切であろう。『手帖』にも、競争は無秩序(アナルシー)に向かう傾向をもち、現時点では無秩序にほかならないけれども、競争は無秩序ではなく動的な秩序であり、「競争の組織化」が必要だとする主張を見出すことができるが〔Carnets,

I, pp. 373, 376〕、この時期のプルードンの競争観をまとまった形で見ることができるのは、何といっても『経済的矛盾の体系』第五章においてである。ここでプルードンは、競争を、「社会的自発性の表現」ととらえ、「機械の導入、作業場(アトリエ)の形成および費用削減の理論の必然的結果」として、要するに第二エポックである「機械」の必然的結果として位置づける。競争は他の各エポックと同じく、正機能(価値の構成、民主主義と平等の標識、個人の自由の保障など)と負機能(生産の無政府性、貧困の増大、不必要な投資による費用の実質的増大)をもっており[*4]、社会主義が競争の負機能を批判するのは正しいけれども、競争の絶滅によってその克服をはかるのは誤まっている。競争の絶滅は社会的自発性を滅ぼすことにほかならないからである。さらに、近代社会は、全成員が血縁関係で結び合わされ、各成員の利害と集団の利害が直接に合致する家族の構成原理ではなくて、各成員の利害と集団の利害が区別され、その対立と調和を内包する作業場の構成原理にもとづいており、競争とはこのような集団における諸成員間の関係と、成員と集団の関係の一側面にほかならないのである。いいかえれば近代社会においては、「競争と協同(アソシアシオン)は相互に支えあっており、一方は他方なしには存在しない」のである。プルードンの考えでは、競争は自由な諸個人で構成される集団の本質的な関係の一つであり、したがって「競争を破壊することは問題になりえないのであって、自由を破壊することと同じく不可能なことである」〔Contr. écon. I, p. 238〕。

しかし「それ自体に委ねられ、上位の有効な原理の指導を失なった競争は、産業的力の空虚な運動、目的のない動揺にすぎない」〔ibid. p. 248〕。それは「無政府的競争」にすぎず、さきに見た負機能のみを展開するであろう。こうして「競争を社会化し規定する上位の原理」〔ibid. p. 239〕を見出し、その原理にもとづいて競争をコントロールすることが重要だとされるのである。この原理は、総括すれば正義＝平等ということであるが、そのもっとも本質的な内容は「相互性」(mutualité, réciprocité) にほかならなかった。

〈相互性〉

じっさい、プルードンがアソシアシオンの計画を検討してゆく過程は、〈相互性〉の観念をねりあげてゆく過程であった。一八四六年八月の『手帖』には「漸進的組合のプログラム、または相互性の理論」〔Carnets, I, p. 290〕と記され、そのしばらくのちには「……いかなる政府もいかなる権威も相互性の原理と両立しない。それだけではなくて、いかなる権威も改革に役立たない。なぜならあらゆる権威は平等と権利に反するからだ」〔ibid. p. 296〕と述べられる。この頃から、『手帖』のなかで〈相互性〉にかんする記述が増加し、それとともにアソシアシオンにかんする記述は徐々に批判的色彩の濃いものになってゆく。『手帖』でのアソシアシオンについての数多い記述のなかからいくつかを取りあげて、この点をたしかめておこう。

一八四七年三月九日――「組合員（アソシエ）の数が増すにつれて社会的紐帯は弛緩する。普遍的協同組織は協同組織の無効性の同義語である。……個人の数がふえるにつれて社会的紐帯はたえず弛緩してゆくということから、空想家（ユトピスト）たちは権威や社会的指導権をますます権力や摂政に集中させるように導かれた。それゆえアソシアシオンのあらゆる計画のなかには、何らかの程度でこの権威の観念が見出されるのであり、それはつねに、人間をもっと自由にするために人間を隷従させるという結論に行きつくのである」〔Carnets, II, p. 31〕。一八四七年七月二七日――「人間はアソシアシオンに反撥する。協同していないかのように協同すること――これが問題だ」〔ibid. p. 161〕。同じ頃――「漸進的組合の組織化に関する私の出発点は何か。それは神権でも力でも情念でも、……権威でも犠牲でも慈善でも献身でも平等でもない。……それは自由である。相互性は自由そのものである」〔ibid. p. 165〕。一八四七年一一月七日――「アソシアシオンは、相互性の原理によってより純化されより簡単になりより正当なものになれば、容易に支えうるものになり、新たな発展をもたらすであろう。しかし各人が……献身に最小のものしか残さないようにするためには、つねに、またかつてないほどアソシアシオンを分業と権限の分割にもとづいてうちたてることが必要であろう。……人類の組織は共産主義的でも社会主義的でも所有者支配でもない。それは相互主義的である」〔ibid. p. 275〕。同じ時期――「アソシアシオン反対！　それは自由を束縛する。……何らかのアソシアシオンへの加入はすべて自由の譲渡である」〔ibid. p. 284〕。

このように見てくれれば、アソシアシオン設立の計画に熱中していた時期でさえ、プルードンのアソシアシオン観は、さきに見たアソシアシオン論者のそれとは大きく異なっていたといわなければならない。「アソシアシオンの本質的な条件は、それを構成する全成員の献身である」〔A. Ott, p. 14〕というオットの見解に代表されるような当時のアソシアシオン論者の主張とは反対に、プルードンにとってはアソシアシオンは現実のなかで作用し息づいている原理にのみもとづいて組織されるべきものだった。この原理を〈相互性〉として定立したとき、プルードンはアソシアシオンの計画を放棄したのであった。

こうしてプルードンは、一八四七年後半にはアソシアシオンにたいする自己の態度、いいかえればプルードン自身の社会変革のヴィジョンをほぼ確立していた。つまり来たるべき革命は政治革命ではなくて経済革命でなければならないこと、その経済革命は相互性にもとづいて遂行されるべきこと、そして相互性が交換＝流通にかかわる原理である以上、経済革命は流通と、その基本的条件の一つである信用の組織化を課題とすべきものであること、などであった。二月革命にかんして「革命は理念なしに行なわれた」というプルードンの評価は、このようなヴィジョンにもとづいていた。そしてルイ・ブランとリュクサンブール委員会にたいする批判を通じて、プルードンはこのような革命観をますます鮮明かつ堅固な——過度なまでに——ものにしていったのであった。

リュクサンブール委員会批判

二月革命期におけるプルードンのルイ・ブランとリュクサンブール委員会にたいする批判はさきに述べたところから明らかだから、詳論する必要はないであろう。その要点のみを記せば、第一に経済的革命は国家と独占の同時的打倒によってのみ遂行されうるにもかかわらず、かれらは国家による経済的革命を主張していることにたいする批判、要するにかれらの「政府万能主義」的主張にたいする批判である。第二には経済的革命は自由を出発点としかつ目的とすべきものであり、労働の自由こそその根拠である。ルイ・ブランらの主張する「労働の組織化」は、産業の集権的な組織化にほかならず、また献身や連帯の強調、競争の排除などによって労働の自由を破壊しかねない。また労働の組織化を実現しようとすれば、職業選択の自由や移動の自由を制限することが必要であろう。「労働が個人的自由の同義語であること、交換の正義を別とすれば、労働の自由は絶対的であるべきこと、政府は自由な労働を規制したり制限したりするためではなくて、それを保護するために存在すること、これらのことを人びとは理解しようとしない。諸君が労働の組織化について語るとすれば、それはあたかも自由を根こそぎにすることを提案するようなものである」（「信用と流通の組織化と社会問題の解決」〔Solution, 邦訳三三七頁〕)。このような「労働の組織化」にたいして、プルードンは「信用と流通の組織化」を主張する。流通は「全産業と全財産を相互に結びつける」ものであり、したがってその組織化は労働の自由を確保しながら、人間の相互関係を交換的正義に満ちたものにすると考えられたからである。そしてこの流通の組織化の具体化こそ交換銀行にほかならなかった。交換銀行については次章で検討することにしよう。

プルードンは、このようにリュクサンブール委員会を過剰なまでに批判したけれども、さきに見たように、一八四八年九月から合同コルポラシオン協会の生き残った部分と協同して、「人民銀行」の設立を企てた。しかしここでも両者の相違は大きい。プルードンは、かれらの自己解放への志向を評価しながらも、その主張のなかに、仕事場の自律性にもとづく経済の組織化ではなくて、『労働組織論』以来の中央集権的な経済組織を見出した。人民銀行の清算をめぐっておこったかれらとの論争のなかで、生産と消費の組織化なくしては、流通の問題の解決はありえないというかれらの主張にたいして、プルードンはつぎのように言う。いかにもその通りだ。しかし「生産の組織化は、社会主義者の会議でおしゃべりをすることによって行なわれるのではない。それは仕事に参加することによって、働くことによって、生産することによって行なわれるのである。……私が関係というとき、ひとは組織と答える。ひとは法律を制定し、規則をつくり、労働者コルポラシオンの条文を作る」〔Mélanges, II, p. 105〕。生産の組織化は、何よりも生産現場の現実的なあり方に即して考えられ、実行されなければならないというのがプルードンの確信であった。

プルードンが労働の組織化に反対して流通の組織化に固執しつづけたのは、労働が社会にたいしてもつ意味を閑却したからではけっしてない。まったく反対にプルードンにとっては、労働は富の生産であるのみならず、もっとも基本的な人間の条件であり、自由の根拠をなすものであった。それゆえにこそ、労働には最大限の自由が保証され、仕事場の具体的条件に即して内部から組織されなければならないと考えられた。この基本的な条件を無視して、外からもちこまれた労働の組織化は必然的に社会の基礎単位である仕事場の自律性を破壊し、新しい支配・被支配の二極構造を生みだすというのが、プルードンの確信であった。こうして仕事場の多様性と自律性を保証し、それらが相互性にもとづいて結合するための諸条件をさぐることがプルードンの課題になる。

もちろん合同コルポラシオン協会に結集した部分だけが協同組織形成の運動を担ったのではないし、この協会の解体によって協同組織形成の試みが消滅したわけでもない。かえって六月蜂起後のきびしい弾圧のもとで、法的に保証された協同組合は労働者の合法的な集合の場を提供するものであったし、街頭での政治闘争の敗北が労働の場における非政治的な結合としての生産協同組合への志向を強化させた。さらにリュクサンブール委員会の解散後、それにかわるものとして設置された労働者委員会が検討してきた「労働者生産協同組織助成法」が、七月五日の国民議会で満場一致で可決されるという事情も加わった。この法律は「成功と持続について信頼できる保証を国家に提出する労働者間および労働者―雇主間の産業協同組織」にたいして総額三〇〇万フランの貸付けを行なうというものであった（「労働者生産協同組織助成法」〔河野健二、一九七九年、四〇一―四〇二頁〕）。これらの事情のもとで、パリで三〇〇、地方で八〇〇の生産協同組織が設立されるという、生産協同組織の百花繚乱状況が生みだされた。

けれどもこのように簇生した生産協同組合のほとんどは、きわめて短命であった。助成法による融資を受けた協同組合の多くはすでに経営不振に陥っていた企業であったこと、多くの協同組合は資金不足に悩まされたこと、指導者たちが必ずしも十分な経営能力をもっていなかったこと、そして政府は協同組合の助成に冷淡になっていったこと、などがその理由であった。『アトリエ』派の総帥であり、国民議会の労働者委員会の一員として、また助成法にもとづいて設置された生産協同組織助成審議会の副議長として生産協同組合の設立に専心してきたコルボンは、『パリ民衆の秘密』（一八六三年）で、苦渋をこめてつぎのように総括せざるをえなかった。「協同組織への熱狂はまもなく冷め、協同組織形成の努力はほとんどどこでも長続きしなかった。この立派な運動は鬼火にすぎなかった、と認めざるをえない」〔A. Corbon, p. 121〕。

二月革命期の協同組織運動にかんするこれらの経験は、プルードンに強い印象を与えたにちがいない。かれはこれらの経験を協同組織の不毛性の証明と受けとり、『一般理念』でこの点にかんして厳しい批判を加えたのであった。

プルードンは、端的に協同組織の原理は連帯にあるという。「たがいに連帯せよ、その自立性を捨てよ、契約の絶対の掟のもとに身を置くべし」〔Idée générale, p. 164, 邦訳九二頁〕、これがその原理だというのである。しかしこのような連帯は、利害とか必要とかの外的な条件によって成立するのであって、自己目的ではありえない。「自己目的としての協同組織は純然たる宗教行為、超自然的な絆であり、実際的価値のない神話である」〔ibid. p. 166, 邦訳九五頁〕。要するに協同組織が実際的な有効性をもつとすれば、それは協同組織の原理以外の外的な原因によるのであり、「人間が協同組織を作るのは、必ず不本意ながらであり、ほかにしようがないからなのである」〔ibid. p. 162, 邦訳九二頁〕。

このことは、二月革命以後の協同組織の実験を見ればはっきりわかる、とプルードンは言う。つまりこの時期に簇生した協同組織のうちで繁栄しているものは、その繁栄を技能の独占とか廉売による競争とかの外的な要因か、あるいは集合力や分業などの経済力に負うているのである。さらに「堅実な基礎の上に立っているすべての協同組織においては、契約の連帯性が最低限の必要性の範囲を決して越えていないという事実」〔ibid. p. 165, 邦訳九四頁〕がある。そこでは、連帯は自分たちの協同組織の問題にかんする事柄に限られており、また協同組織の内部においても連帯と友愛の象徴であった平等賃金にかえて出来高払い制が採用されている。いいかえれば、「どの協同組織にあっても、加入者は力と資本の結合によって、それなしには手に入れる見こみのない利益を求めながら、できるかぎり連帯を小さく、自立性を大きくしようと心がけているのである」〔ibid. p. 165, 邦訳九四頁〕。

こうしてプルードンは、つぎのように結論する。「協同組織は決して経済力ではない。それはもっぱら一つの精神的絆、良心に課せられたものであり、労働と富にたいしては何の効果もないし、むしろ有害な結果をもたらすものである」〔ibid. p. 174, 邦訳一〇五頁〕。

しかし協同組織の原理の否定は、直ちにその手段としての効用の全面的否定を意味するわけではない。というのも「わたしは協同組織が不可欠であるような状況を認める」〔ibid. p. 172, 邦訳一〇二頁〕からである。プルードンによれば、協同組織の手段としての有効性あるいは必要性は、作業場内の分業と協業の程度に比例し、個々の労働者の自立性の度合に反比例するものであった。というのも、大規模な分業が行なわれているばあいには、個々の生産者は自由で独立した存在ではなく、一個の集合体をなしており、この集合体のありようが生産者の運命を決定するからである。それゆえ、「多数の労働者の集合的雇用、機械と労働力の大規模な配置」〔ibid. pp. 275-276, 邦訳二二九頁〕を必要とする産業部門——鉄道、大製造工業、海運業など——においては、協同組織は必要でもあり有効でもある。けれどもこのばあいでも、「自由が最大で献身が最小で」なければならないことは当然である。このように、プルードンは、作業場における労働の客観的な編成様式に即して、協同組織の適用範囲を考えるのだが[*5]、この点は次章で検討しよう。

産業的帝政への対抗——労働者アソシアシオンの有効性

『一般理念』のアソシアシオン論は、このように、協同組織の原理の全面的否定、非常に限られた領域での手段としての有効性の承認ということであり、リュクサンブール派にたいするはげしい反撥に貫かれていた。しかし一八五六年に書かれた『株式取引所における投機家提要[*6]』の論調はかなりの変化を見せる。リュクサンブール派にたいする批判は変らないけれども、二月革命の経験を距離をおいて見ることができるようになったからであろう。また「協同組織が不可欠であるような状況」についての認識が深まったことも考えられる。『提要』のアソシアシオン論は、『一般理念』にくらべて、より高度の客観性と成熟を獲得している。

この作品でプルードンがまず注目するのは、最近三〇年間、とりわけ一八五〇年以降の経済的変化である。すなわち、鉄道、運河などの大公共事業、銀行、製鉄、鉱山などの巨大企業が飛躍的発展をとげ、それとは反対に「個人的イニシアチヴ」の領域はますます狭められてきている。要するに「産業的帝政」が着実に地歩を固めつつある。「変化は急速である。われわれは、もっとも有力な個人でさえも単に数字で呼ばれるような巨大な株式会社にむかって進んでいる」〔Manuel, p. 173〕。何らかの形態でのアソシアシオン、とりわけ株式会社という形態のアソシアシオンが支配的になりつつあるのである。

このような状況に直面し、「産業主義が生みだしたアソシアシオン」たる株式会社、「労働者の機械への隷従」〔ibid. p. 174〕にたいして、労働者のアソシアシオンが提唱され、実行に移されたことは、一つの必然であった。しかし労働者アソシアシオンの主張者たちは、共有制の原理を絶対視し、家族的結合をモデルとして労働者アソシアシオンを構想するという誤謬を犯した。「かれらは美しい情熱をもって共同の労働をうちたてることに熱中したが、かれらが作ろうとしたものは、一つの信仰、一つの宗教にほかならなかった」〔ibid. p. 175〕。それゆえにかれらの構想は不毛に終らざるをえないのであり、事実、二月革命後に設立された生産協同組織のほとんどは消滅してしまった。そして少数の成功例は、「一八四八年の空想的理念の放棄と社会経済の真の原理の認識」〔ibid. p. 409〕によるものであった。労働者アソシアシオンのこのような挫折と敗北の上に、資本のアソシアシオンが、「産業的帝政」が堅固な地盤をきずきつつある。「未来は、労働の形式としてのアソシアシオンのものであるということは、現在の条件のもとでは、依存、隷属を意味する」〔ibid. p. 183〕。

個人的イニシアチヴの力の減退、組織と集団の時代の到来にたいするこのような認識が『提要』のアソシアシオン論を変化させたと思われる。プルードンは、「結合することが少なければ少ないほど、それだけ多く自由である」という観点を保持し、献身や連帯のみに基礎をおく協同組織を排撃しながらも、「産業的帝政」をのりこえるためには労働者アソシアシオンが不可避かつ不可欠であることを認めたのである。プルードンはいう。「労働者アソシアシオンは生産の炉床であり、現在の株式会社にとってかわるべき新しい原理、新しいモデルである」〔ibid. p. 415〕。

いうまでもなく、プルードンは流通と信用の組織化こそ社会革命の中心だという主張を放棄したのではないし、協同組織の原理を無条件に肯定したのでもない。しかしさきに見たような状況のもとでは、もはや生産の場における労働者アソシアシオンをぬきにして社会革命を考えることはできない。したがって重要なことは、生産者の自由に適合する労働者アソシアシオンをうちたてること、「全員が結合し、全員が自由である」〔ibid. p. 176〕ような協同組織契約をつくることだ、とプルードンは考えたのである。それと同時に、協同組織の適用範囲の限定もここでは論じられなくなる。反対に、プルードンがここで成功している協同組織の実例としてあげているのは、小作業場での協同組織なのである。そしてプルードンは友人シャルル・ベレーの協力で、成功している労働者アソシアシオンの実態と定款を調査し、労働者アソシアシオンのよるべき原則をつぎの九項目にまとめた。一、新規加入者の無制限の加入許可、二、アソシアシオンの資本の形成、三、全組合員の企業管理および利益への参加、四、出来高制、比例賃金、五、補助的労働者の組合への加入、六、退職および扶助基金の設立、七、組合員の教育、八、労働の相互保証、九、帳簿の公開。

これらの項目は、かつて『アトリエ』紙が唱えたものとほとんど変らない。ただ、サーヴィスの相互性にもとづいて出来高制が明瞭に主張されている点、またここには記されていないが、労働者に多技能的教育を与えることによって分業の負機能を克服しようとしていること、脱退者の資本にたいする権利が承認されていることなどが注目されよう。「団結のあらゆる利点を失なわないようにしながら、組合員が自らの自立性を享受すること」〔Idée générale, p. 175, 邦訳一〇六頁〕は変らずめざされているのである。

他方でプルードンは、生産者の自由に適合的な労働者アソシアシオンの問題を、協同組織の規模の問題に関連させて考える。かれは言う。「可能なかぎり小さく相互に独立した諸グループへのアソシアシオンの分割——これが自由の原理だ。これが節約と安価の原理でもある。管理の集中と、非常に不均衡な産業を単一の指導のもとに結合することが、費用の低減をもたらすと一般に考えられている。これは間違いだ。というのは分割すれば官僚制は必要でなくなるからだ。集権的管理を採用すれば必ずゆきすぎになるであろう」〔Manuel, pp. 183-184〕。プルードンはのちに、統一性と独立性をもつ可能なかぎり小さな地域を基礎単位とする政治的連合によって中央権力を解体する政治革命論を展開する（本書V参照）が、それと同じ姿勢をここに見出すことができよう。

以上考察してきたように、プルードンは『提要』において労働者アソシアシオンの手段としての有効性と必要性を大幅に認めた。それは、『一般理念』以後、『鉄道事業において実施すべき諸改革について』（一八五五年）などを通じて、七月王政以後の経済・社会構造の変化について認識を深めてきたことの結果であろう。すなわち国家と独占による経済社会の征服と全面的包摂――「産業的帝政」――にたいする認識が、それにたいする対抗策、克服の手段としての労働者アソシアシオンの承認をもたらしたのである。しかし「協同組織は……分業、競争、信用、機械そのものと同じく、経済的手段にすぎない」〔Manuel, p. 175〕。それゆえ、協同組織を原理とし自己目的化するリュクサンブール派などは誤まっているのであり、反対に、協同組織を相互性の原理につらぬかれたものにすることが主要だと考えられたのである。

プルードンのこのような主張を、さきに引いたコルボンの協同組織に関する総括と対比することは興味深くかつ有益だろう。

コルボンは『パリ民衆の秘密』で協同組織運動についてつぎのように総括している。初期のアソシアシオン論は、当時の社会主義の一般的傾向、すなわち共産主義的傾向をきわめて強くもっていた。まずわれわれは、協同組織が一産業全体を包括して競争を廃絶することを望んだ。

そしてそこでは「生産手段の共有」が実現されるべきだと考えた。こうして「われわれの初期の理論は、ただ各人は仕事場の外では自由に所有物を処分しうるという点でのみ共産主義の理論から区別されるにすぎない」〔Corbon, p. 127〕。さらにわれわれは、労働者の個々的解放ではなくて人民全体の解放を重視し、そのための本質的条件を協同組織への献身、組合員(アソシエ)間の政治的・道徳的意見の完全な一致においた。協同組織は「市民社会の真只中に設立された宗教的・社会主義的秩序のようなもの」〔ibid. p. 132〕であった。不可分で譲渡できない社会資本という主張は、当時のわれわれのアソシアシオン論のこのような特徴を示している。

コルボンはこれらすべての主張は誤りだったと総括する。「今や私は共有で譲渡しえない資本という条項に反対する。それは単に有益でないという理由からだけではなくて、事物の力によってこの条項は一個の偽善になってしまったからである。……同様に私は組合が長期にわたって存続することにも反対する。それは型にはまったやり方を保護するだけであり、それに反して進歩はあらゆるものについて、とりわけ労働条件において可動性を要求するからである」〔ibid. p. 132〕。要するに『パリ民衆の秘密』のコルボンにおいては、不可分で譲渡できない社会資本をもつ協同組織は、労働者を集団とその慣行に縛りつけるものであると同時に、「協同組織の参加者が増大すればするほど、管理はますます難しいものになり、組合員は協同組織の業務に直接に参加することはますます少なくなり、もはや単なる賃金労働者の役割しかもたなくなる」〔ibid. p. 132〕から、一個の偽善にすぎないとされた。こうしてコルボンは言う。「たしかに協同した労働者の仕事場は賃金労働者の仕事場よりもすぐれているであろう。しかしそれは進取の精神があらゆる仕方で発揮されるという条件においてである。協同組織は、性格上の個性と能力上のエネルギーを弱めるような一切のものから細心の注意を払って身を守らなければならないし、それどころかその発現と発展をもたらさなければならない」〔ibid. pp. 132-133〕。

コルボンのこのような「転向」は、「労働者は協同組織を実行するにはあまりに自己本位的である」〔ibid. p. 133〕という労働者の心性にかんする二月革命以後の深刻な認識とそれにもとづく現実主義的な妥協に由来するといえようが、しかし『アトリエ』紙の主張の変化から見れば、そうとばかりはいえない。さきに述べたように、『アトリエ』紙は競争や賃金の問題に見られるように個人の利害とイニシアチヴをますます強く承認する方向でその主張を変えてきたからである。コルボンの総括は、こうした変化の、二月革命の経験によって強められた帰結であったともいえよう。

こうしてプルードンとコルボンは二月革命の経験をへて、きわめて近い地点に到達したということができる。一八四〇年代の熱心なアソシアシオン論者であったコルボンは、二月革命の経験から協同組織の理念と運動の否定的側面を認識し、協同組織とその参加者との関係の問題——献身、協同組織の指導部と参加者の関係、個人のイニシアチヴなど——を提起した。これらの問題に早くから固執しつづけてきたプルードンは、第二帝政下の「産業的帝政」の展開を前にして、労働者アソシアシオンの手段としての有効性を認め、「団結のあらゆる利点を失なわないようにしながら、組合員が自らの自立性を享受する」ような協同組織を構想したのである。

ところでプルードンのこのようなアソシアシオン論は、かれの個人と社会の関係にかんする考え、集団観にもとづいている。最後にこの点を検討しておこう。

個人・中間集団・国家

作田啓一によれば、プルードンの集団理論は社会名目論と社会実在論の二分法によって位置づけることはできない〔作田啓一、一九七四年、二三―二九頁〕。プルードンの用いた集合力や集合理性の観念からも知れるように、プルードンは個人を超えた集団固有の性質を認めているから、かれの集団理論を社会名目論ないし個人主義と規定することはできない。他方で集団全体の利益のためには個人の利益を犠牲にすべきだ、あるいは犠牲にしてもよいという主張にたいしてプルードンは明確に反対しているから社会実在論ないし集団主義に分類することもできない。こうして作田はこの二分法を斥け、プルードンの集団概念が二重の意味をもっていると考えることで、この困難の克服をはかる。つまり集団の成員が自発的に集団の活動に参加している場合の集団――「現実集団」と、成員が集団の活動から疎外された、超越的実体としての集団――「公認集団」の二つである。集団か個人かという対立図式で対立させられているのは、「公認集団」と集団活動から疎外された仮構上の個人にほかならないのであり、この対立図式そのものが集団の活動の疎外態あるいは抽象化である。具体的現実として存在するのは、諸個人の相互作用、相互関係であり、重要なことはその基本原理を析出し、その疎外にたいするフィードバックを準備することだ、というのがプルードンの集団理論であった。相互性、相互主義の概念はそのためのものであった。作田はこのように分析するのである。

私はこの分析に賛同するとともに、少し異なった角度から問題を考えたいと思う。一口に集団といってもさまざまだが、規模の点からいうと全体社会と中間集団に分けるのが適切であろう。さきに見たように、プルードンは集団と個人の二項図式の不毛性を鋭く衝いたが、そのときまず問題にしたのは全体社会と個人の対立図式の批判、したがって中間集団のもつ意味の検討であり、ついで中間集団の形成および存在の様式であったと考えることができる。じっさいプルードンは、職業的および地域的な中間集団の結合によって共同体的集団主義と個人主義を同時に克服しようとし、同時にそれに適合的な中間集団のタイプとその組織原理の定式化を試みたのであった。

個人主義は自足的個人を前提とし、また理想とするから、中間集団に特別な意味を与えない。

それは封建的諸団体からの個人の解放を主張するものであったから、そうなるのは当然であった。そこでは、集団は自足的個人が自己の利益を求めて一時的に提携する場であり、いわば便宜的な存在にすぎない。

サン＝シモン主義を典型とする「社会主義」においても、中間集団は原理的な意義をもつ存在ではない。それは、個人が全体社会に直接に統合されることを要求するから、中間集団は統合の攪乱要因として排除されるか、それとも全体社会の指令を個人に伝達するための、全体社会による個人の統合のための道具的存在として位置づけられる。「社会の共同の目的」による全員の統合と社会を一つの工場のように組織するというサン＝シモニアンの主張は、このことを見事に表現している。

それにたいしてプルードンは、中間集団が個人と全体社会にたいしてもつ意味を重視する。プルードンは、共産主義や女性解放思想の家族廃止の主張にたいして、家族は「正義の炉床」だとして反対しつづけ、家族を存続させるために相続財産を承認した。そして経済的革命においては作業場を、政治的革命においては地域的共同体をその土台にすえたのであった。

中間集団のこのような重視は、それが家族とか小作業場とかの伝統的な集団の重視であるだけに保守的なものに見えるけれども、絶対主義とフランス革命以後のフランスの歴史的、思想的状況の問題性にたいするプルードンの認識にもとづいていたことは間違いない。中間集団の全体社会にたいする影響の負の側面を重視したのはルソーであった。ルソーが直接に攻撃したのは、かれが「徒党」と呼ぶ特権的集団であって中間集団一般ではないけれども、ルソーにおいては中間集団の成立と特殊意志の強化とは非常に強く結びつけられており、ルソーはその全体社会にたいする負の機能に強い関心を寄せた。[*7] 特権的集団の一掃という主張はフランス革命のなかで一定の実現を見た。アンシァン・レジームは特権をもつさまざまな中間集団すなわち「社団（コール）」の鎖状の階層秩序を通じて支配した〔二宮宏之〕のであり、革命はこの支配様式を否定しようとするものだったから、そうなるのは当然であった。[*8] のちの社会運動に大きな影響を与えたル・シャプリエ法は、「同一の職業をもつ市民によるあらゆる種類の組合（コルポラシオン）の根絶は、フランス憲法の基礎の一つであるから、その再建はいかなる理由、いかなる形態のもとでも禁止される」として、職業にかかわる中間集団を一掃しようとしたのであった。

しかし中間団体が一掃されると、それによって保護されていた個人は甲羅を剥がれた蟹のように無力な存在になり、国家への依存を強めざるをえなくなる。他方、国家は、それまで中間集団が保持していた力をわが手に集中して強大な存在になる。[*9] 強大な国家と無力な個人という、プルードンが批判しつづけた悪しき依存の構造ができあがるのである。プルードンがルソーの社会契約はまがいものの契約であり、ジャコバン主義は政府万能主義だと攻撃したのは、それらが経済的活動を閑却しているという理由のほかに、それらが中間集団を排除して全体社会と個人を直接に結びつけることによってさきに述べたような構造をもたらし、自由を死滅させると考えたからである。ルソーの全面譲渡にもとづく社会契約の理論はこうした悪しき構造の典型だとプルードンは考えた。

このようにプルードンは、職能や地域にもとづく中間集団に国家権力の巨大化にたいする抑制の役割を認め、その助長の必要を強調したのであった。しかしプルードンにとって、中間集団は中央権力にたいする防壁であるだけではない。それは同時に、個人を自律的存在たらしめる場である。この点で、プルードンが社会の構成単位を作業場においたことは重要な意味をもっている。プルードンは近代社会の本質を分業においた。近代社会は分割された職業の結合によってさまざまな必要を満たすことができるのであり、諸個人は分業のなかで一定の職能を果たすことによって独立＝自由と社会へのつながりを獲得する。プルードンは、孤立に等しい「単純な自由」と文明社会における自由＝「複合的な自由」を区別してつぎのように言う。「自分たちの生産物を交換する二人の労働する人間は、その他の協同関係がなくても、かれらが互いに交換し合わなかった場合よりも自由である。もしこの二人が物々交換のかわりに、他の多数の生産者たちと合意の上で、貨幣のような共通の流通の徴表を採用するなら、さらに一層自由になるだろう。私はかれらが結合する(アソシエ)と言っているのではなくて、かれらがサーヴィスの交換を行なうと言っているのだが、それに応じてそれだけかれらの自由は増大する」〔Confessions,

p. 249〕。プルードンの考えでは、生産物だけでなく労働の交換こそは自由と社会的連帯を同時に実現するものであり、作業場はその実現の基本的な場にほかならなかった。プルードンにとって、自由で独立した個人とは何らかの職能を身につけた職業人のことであり、社会的連帯とはかれらの職能的活動にもとづき労働の交換を通じて実現される結合関係のことであった。多少とも専門的な仕事に従事する労働者が自己の活動の社会的位置を自覚するとき、それはかれの誇りとなり、他にたいする独立の根拠となる。これが労働者の尊厳(ディニテ)の原点である。しかしいうまでもなく、この独立は他者との関係のなかで成立しているのだから、相互連帯的である。職能にもとづく自由と連帯、これがプルードンの自由な人間と社会の理念像であった。かれが「多元的技術習得制」〔Justice, III, p. 93〕や百科全書的な「産業的実習教育」〔ibid. p. 86〕の重要性を主張したのはこの故である。

こうしてプルードンにとって、作業場は単に物質的生産の場であるだけでなく、諸個人の自由にもとづく連帯が生みだされ強化されるべき場であった。しかし作業場がこのような役割を果たすためには、作業場の構成員が自由で独立しており、作業場の運営・管理に直接に参加すること、双務的契約と労働の等価交換を通じて自発的な結合関係を作りだすこと、要するに相互主義の原理によってつらぬかれることが必要である。そしてそのためには、作業場の規模があまり大きくないことが必要だと考えられた。プルードンが理念としてえがく作業場は、諸個人がそれぞれ独立を保持するとともに、自己の労働とその交換を通じて自発的に相互の結合を深め、個人の発展と作業場全体の発展を同時に実現してゆくような集団であった。

このような理念に照らして見るとき、当時の協同組織の主張は、強大な中央集権国家と無力な個人の悪しき依存的構造を労働の場で実現しようとする企てだと考えられた。協同組織への献身、譲渡しえない社会資本、絶対的平等賃金などの主張はそのシンボルであった。また、競争の廃止の主張は、作業場、より一般的には中間集団の自律性を否定するものであった。それゆえにこそプルードンは協同組織の主張に強く反対したのであった。

産業的帝政のもとで、小作業場の経営をますます窮地に追いこんだ。こうした現実にたいして、プルードンは小作業場が個人と全体社会にたいしてもつ意味を考えつづけた。かれにとって、相互主義的に組織された小作業場は、職能を身につけた独立で平等の個人が共同の目的をもって協力しあい、そのことを通じて自律性を高めてゆく場であった。こうしてかれは、小作業場の廃止を意味する「労働の組織化」に反対し、小作業場の相互主義化と、小作業場に存続と繁栄の物質的条件を提供する「交換銀行」を提案し、「人民銀行」を実行に移そうとした。プルードンが小作業場の意味を強調したことは、プチ・ブル的という批判を受けることになった。しかし職能を身につけた自由で独立した個人が相互性にもとづいて他者と協同と交換の関係を取り結ぶという集団のあり方は、プチ・ブル的なものとはいえない。それはむしろ職能にもとづく労働組織の原形といってよいであろう。プルードンのアソシアシオン論は、自由で独立した個人の職能にもとづく自発的な連帯の場としての中間集団を設立することによって、強大な国家と無力な個人という依存的構造を克服しようとする模索であったといえよう。

＊1――プルードンの二月革命期以後のアソシアシオン論を分析した論文に谷川稔「プルードン主義とサンディカリスム」(『思想』一九七八年五月）があり、多くの示唆をえた。プルードンのアソシアシオン概念は非常に多義的で、〈協同組織〉という訳語にうまく合わない場合も少なくない。そのために、あえて訳語を統一せず、アソシアシオンとしたところもある。

＊2――グレッポは二月革命後の立憲議会で議員になり、一八四八年七月五日にプルードンが行なった所得税法案のただ一人の賛成者であった。

＊3――『アトリエ』紙にたいするプルードンの評価はきわめて冷淡な、また敵意をふくんだものであった。『アトリエ』の論文は混乱し、無気力で言葉だけのものだ……。私は、『アトリエ』が労働者によって編集されているかどうか疑わしく思ってきたし、今もそう思っている。というのは、労働者が自発的に普通選挙にかんして無駄口をたたくようなことはしないであろうからだ。……『アトリエ』は労働者新聞の貴族である」〔Carnets, I, p. 159〕。『アトリエ』紙は『ナショナル』紙の別動隊だという当時の世評をプルードンは受けいれているようである。またフーリエ派にたいしては、かれらが社会の外にユートピアとしてのファランステー

ルを創設しようとしているとして、その非現実性、ユートピア性を批判している〔ibid. p. 161〕。

＊4——この点にかんしては、経済的矛盾の系列(セリー)を各エポックとする各エポックの正負機能の関連づけとして解釈し、そこにプルードンの社会理論の機能主義的性格を見出した作田啓一の論文〔作田啓一、一九七四年、三〇—四一頁〕から教示を受けた。また『経済的矛盾の体系』の論理については、佐藤茂行の詳細な分析を参照〔佐藤茂行、一三一—一六四頁〕。

＊5——さきに述べたように、ビュシェも同じく、生産協同組織の適用範囲を限定しているが、ビュシェはそれを「自由な労働者」に限定しているのにたいして、プルードンはこの時点では大工場部門にそれを限定している。ただしのちに見るように、『投機家提要』では、この点についての見解は異なっている。

＊6——初版は一八五三年に匿名で出版された。第三版（一八五六年）はプルードンの名で出版され、「序論」と「最終考察」が新たにつけ加えられた。

＊7——たとえばつぎの文章を参照。「あらゆる政治社会は、さまざまな種類のもっと小さな他の諸社会から成っており、それらはそれぞれ自己の利害と格率をもっている。……これらすべての、暗黙のあるいは正式の結合体こそが、それらの意志の影響を通じて公共意志の現われをさまざまな仕方で修正する。これらの特殊社会の意志は、つねに二つの関係をもっている。すなわちそれは、結合体の成員にとっては一般意志であり、大社会にとっては特殊意志であって、非常にしばしば起ることだが、それは前者にとっては正しいが後者にとっては有害で

ある」〔『政治経済論』、全集第五巻、六八頁〕。「部分的結社である徒党が、大結社〔＝政治体〕を犠牲にしてつくられると、これらの部分的結社のおのおのの意志は、その構成員に対しては一般的であるが、国家に対しては特殊的となる」〔『社会契約論』、同、一三五頁〕。「社会の結び目がゆるみ始め、国家が衰え始めるとき、また特殊な利益が意識に上り始め、いくつかの小社会〔＝徒党〕が大社会に影響を及ぼし始めるとき、共同の利益は実質を失い、それに敵対する者が出てくる」〔同、二一三頁〕。

＊8――シエースは、フランス革命を主導した著書『第三身分とは何か』で、社会には三種類の利益が存在するという。⑴市民として共有する利益、⑵一人の市民が他の何人かとのみ結びつく利益、⑶個人的利益の三種類である。⑴は社会的結合の基盤であり、目標である。⑶はたがいに対立して打ち消し合うから、社会的結合の障害にはならない。問題は⑵の利益である。「この利益ゆえに、共同体にとって危険な陰謀がめぐらされる。この利益ゆえに、最も恐るべき公共の敵が生まれる」〔シィエス、一四四―一四五頁〕。シエースはこのように述べて、身分、都市、同業組合などの特権的集団の廃絶を訴え、あるべき社会においては「たんなる市民に団体を結成せぬよう厳しいが上にも厳しく要求し」〔同前、一四五頁〕なければならない、と力説する。ル・シャプリエ法はシエースが提唱したこの基本線にそって提案され制定された。

＊9――中間集団のもつ意味については、〔作田啓一、一九七二年、二二一―二四五頁〕を参照。

Ⅳ　プルードンの社会革命論

一　「所有者支配の体制」とその変革

「所有は盗みである」

『所有とは何か』における「所有の不可能性」の一〇命題は、要約すれば、つぎの二つの命題に帰着する。一つは第九命題でいわれる「所有は他の所有にたいして無力である」ということである。プルードンはローマ法を受けついで、所有を事物にたいする使用および濫用の権利と定義する。事物にたいする排他的な権利としての所有は、他の同等の資格をもつ所有と相互に対立しあい、侵蝕しあう。所有はそれぞれ絶対的であろうとして相互に食いあうのである。この闘争の場においては、権利ではなくて力こそが問題になる。そして「最強の力がより弱い力を吸収・同化するのは一つの自然法則である」〔Justice, II, p. 266〕から、より大きい所有がより小さい所有を征服し、併合することになる。こうして所有は、究極的には、その否定態である無所有を生みだすことなしには存続しえない。いいかえれば、所有は所有を否定し所有の母体である社会を崩壊させることなしには存続しえない自己矛盾的な存在だということである。自己矛盾的である所有は、所有とはべつの何ものかに支えられることによってのみ維持されうる。この何かべつのもの——それは力であり、その聖化としての権威にほかならない。この意味で所有は、権利として社会的に維持されるのではなくて、権威によってのみ維持される。のちに述べるようにプルードンは、法＝権利を社会の基礎と考え、[*1] 経済的権利の確立を新しい社会の基礎としたのであった。このようにして、所有は権威的な支配＝隷属関係の原因であるよりもむしろ、所有自体が支配＝隷属関係と一体になっているのである。「所有は、……一言でいえば、専制的支配である」〔Contr. écon. II, p. 212〕。

このような「独占的な力」としての所有は経済社会においてどのような機能をはたしているか——これが第二点である。それは、「所有は無にたいして何かを要求する」という第一命題にあらわされており、プルードンを一躍有名にした「所有とは盗みである」で意味されている内容である。近代社会に特徴的な事態は、多数の労働者の集合的労働によって生産が営まれていることにある。集合的労働は個々の労働の算術的総和よりも大きな力を生む。集合力がそれである。ところが資本家は、個別的労働にたいしてしか賃金を支払わない。そして賃金は、生産された生産物に応じてではなく、労働者の生活の維持と養育にかかる費用で計算される〔Iᵉ Mémoire, p. 215〕。こうして集合力の成果と個々の労働者にたいして支払われた賃金額との差額は、所有権の働きによって資本の所有者である資本家の手中に帰する。これはマルクスの言う剰余価値の収奪と実質的に等しいといってよいだろう。この意味で所有とは不労収得権であり、所有が存在するかぎり、集合力が増大すればするほど、資本家の財産が巨大化する。「所有者支配の体制」[*2]のもとでは、集合力の増大はその母体たる労働者を豊かにするのではなくて、資本家を富ませるのである。[*3]所有が経済社会においてはたす機能をこのように理解すれば、資本による収奪一般を理論的に包括することが可能になる。

所有による収奪が目に見えるかたちであらわれるのは、地代収入のみを目的とする不在地主的な大土地所有と利子収入のみを目的とする高利貸資本である。したがってこの二つの場合を、生産の場で機能する資本による集合力の収奪のメカニズムに結びつけて把握することがなければ、所有批判はこの二つの所有にたいする批判に集中するであろう。「所有とは盗みである」というプルードンの命題を肯定的に評価した同時代人の多くは、この命題を不在地主的土地所有と高利貸資本にたいする批判として理解した（たとえばサント＝ブーヴ）のだった。この種の批判は古くから広くおこなわれており、この時代を生きる人びとにも受けいれやすいものだったであろう。プルードンは「集合力」の概念を提起することによって、この種の批判を越えて資本一般による収奪を批判する道を開いたのである。

所有が経済社会においてはたす機能の認識は、二月革命期には貨幣批判としてあらわれる。『社会問題綱要』(一八四八年)は、所有についてつぎのように述べる。「近代社会は、あらゆる産業、あらゆる財産を相互に結びあわせる流通という一般的で支配的な事実にもとづいている」〔Résumé, p. 26〕。分業の未発達な社会にあっては、諸個人は他人との有機的連関をわずかしかもたず、したがってより孤立的に生きねばならなかった。所有はそのための基盤であった。それにたいして高度に分業の発展した現代社会は、諸個人を分業と交通の網に組みこみ、社会的に生きることを強制する。こうした状況は所有の意義を減少させる。「われわれは、所有よりもっと重大な事実、所有に優越する原理によって生きる。すなわち流通によって生きるのである。……所有はこの流通のなかに浸され、変形され、姿を消す」〔ibid. p. 27, セレクション一八〇頁〕。こうして所有は「古臭くなった伝統」であり、「影」にすぎないといわれるのである〔ibid. p. 2〕。

このことはいいかえれば、現代の経済社会においては、たんに「事物にたいする使用および濫用の権利」として規定された法的所有権とは区別されるべき所有の経済的内容が存在しており、それが規定的な役割を演じていること、社会＝経済問題の解明のためには、この内容をこそ分析しなければならないことを示したものと読むことができる。こうした考えにもとづいてプルードンは、私有財産とその直接的否定としての共産主義との理論的には不毛な対立をこえて、経済科学の地平での所有問題の解明の可能性を開きえたのであった。

ところで現代社会の特質をなす流通の基本的原理は、生産物は生産物によって買われるということである。この原理からすれば、貨幣はたんに流通の便宜的な媒介手段にすぎない。しかし貨幣は量的に制限された金銀の独占的所有にもとづいている。このことから貨幣は流通における「価値の章標」であるだけでなく、所有のあらゆる濫用、所有が生産、流通、消費に課す「隷属の章標」〔ibid. p. 34〕になる。要するに、貨幣は経済社会における権威の化身であり、経済社会の専制君主である。それと同時に貨幣の不足——それは金銀の独占の必然的結果である——が、生産物の流通を妨げ、滞貨の山を築かせるのである。「貨幣は流通の障害物であり、商業と産業の自由の桎梏である」〔Mélanges, I, p. 48〕。こうしてプルードンは、「影」としての所有の変革ではなくて、流通からの貨幣の追放にもとづく流通の組織化と信用制度の変革によって社会革命を実現しようと考えるのである。

「所有は自由である」

しかしプルードンは他方で「所有は自由である」と主張する。この命題は〈所有は盗みである〉という命題とは別の次元に属しており、両者は相互に破壊しあうことなく共存するとプルードンは言う〔Confessions, p. 179, セレクション二四九頁〕。所有は人間と労働対象との緊密な関係を保証し、生産のための改良の有効な動因になる。さらに所有は人間の尊厳を守り育てる「正義の器官」としての家族の存在基盤である。[*4]「所有の深い意味が見出されるのは、とりわけ家族においてである。家族と所有とは相互に支えあいながら、両者を結合する関係によってのみ意味をもちながら、前進する」〔Contr. écon. II, p. 196, セレクション二七一頁〕。この所有は相続権によってのみ意味をもつことができる。それゆえプルードンは、「父権、相続原理、贈与と遺言の権能を抑圧し、制限することを目的とするあらゆる法に反対する」〔Mélanges, I, p. 45〕。国家権力との関連から考察すれば、所有は「国家の強大な権力に均衡をもたらす、もっとも自然な力」〔Propriété, p. 138〕であり、国家権力にたいして個人の自由を守る防壁だとされる。

こうしてプルードンの所有論は所有の否定と肯定とに分裂し、困難に遭遇する。かれはこの困難についてつぎのようにいう。「問題のむずかしさはつぎの点にある。すなわち所有は、まず、個人の生存にとっても社会生活にとってもひとしく必要な事実としてあらわれ、ついでこの事実が、普遍的意識が盗みの名のもとで非難するものとおなじ本性をもつことが厳密な分析によって証明されることにある」[*5]〔Justice, II, p. 92〕。

プルードンは、この困難を、所有の機能をそれが関係する事態、集団の次元に応じて把握するという、所有の機能主義的な理解によって克服しようとする。すでに述べたように、所有は家族という集団のレベルと個人対国家の関係においては積極的に肯定された。そして経済社会の次元においては、所有はさしあたり集合力の成果を簒奪する「不労収得権」として否定される。しかしかれはさらに経済社会における所有の機能をさらに細かく測定する。まず経済社会全体のレベルでは、所有は流通にとってかわられて影にすぎなくなっているとされた。そして専制的支配としての所有にたいする批判は、貨幣批判に収斂したのであった。つぎに生産的諸集団との関係のもとで、所有は、生産が集合的労働に依存する程度に応じてその意味を問い直される。そのさいの一般的原則はこうである。「労働者のあいだの連帯は、かれらを結びつけている経済的関係の緊密さに比例すべきである。したがってこのような関係が認められないばあい、あるいは無視しうるほどのものであるばあいには、協同組織を考える必要はない。これに反して、このような関係が優勢で、自由意志を抑制しているばあいには、協同組織を考えるべきである」〔Idée générale, p. 277, セレクション二五五頁〕。このような規準にもとづいて、プルードンは、個人的労働あるいはせいぜい家族的労働によって生産が行なわれる農業や職人的小工業においては、私的所有を変更する必要はない、という。それどころか、これらの分野においては私的所有は生産の増進に積極的な役割をはたしており、それゆえ農民にたいしては「土地銀行」によって不在地主的土地所有を農民的土地所有に変えること、職人的小工業にたいしては「交換銀行」による低利の融資によって小企業主に容易に資本を調達しうる条件をつくりだすことが重要だと考えられた。いいかえれば、集合的労働に依存することの少ないこれらの産業分野においては、私的所有の否定ではなくて、「所有の一般化」〔Propriété, p. 208〕が必要なのである。

それにたいして大工業、とりわけ鉄道、鉱山、海運などにおいては事情は異なる。ここでは、「多数の労働者の集合的雇用、機械と労働力の大規模な配置、人力の高度の蓄積を必要としている。……ここでは生産者は、もはや、農村のばあいのように、主権をもった自由な家長ではなく、一つの集合体である」〔Idée générale, pp. 275-276, セレクション二五四頁〕。したがって大工業においては、私的所有は生産のあり方に適合的でも、有効でもない。ここでは所有関係の変革が不可避かつ不可欠である。こうして大工業においては労働者の集団的所有——「労働者会社」、「労働者アソシアシオン」——が提起されるのである。

『革命と教会における正義』は、所有問題の解決は所有の破壊にではなくて、「所有の均衡(バランス)」にあると述べる〔Justice, II, p. 92〕。「所有の均衡」とは要するに、社会と個人にとって有効な役割をはたすようにさまざまな所有形態を組合わせ、それを可能にする社会諸システムを構築することと解釈することができる。こうしてプルードンの所有批判は、不在地主的土地所有、高利貸資本、大工業における私的所有と国家所有、貨幣にたいする批判になった。これらにたいする批判がどのような積極的改革の構想をもたらすかは、のちに検討しよう。

＊1――ギュルヴィッチは、プルードンの法＝権利の重視にかんして、法＝権利という用語を〈社会的規制〉という用語でおきかえれば、プルードンの主張をより適切に理解し、またかれのメリットを際立たせることができる、と述べている（cf.〔G. Gurvitch, 1965, p. 38〕）。さらに、G・ピルーの、マルクスが権利のなかに力を見出すのとは反対に、プルードンは力のなかに権利を見出すという指摘は、プルードンの思想の特徴づけとして興味深い〔G. Pirou, 1910, p. 342〕。

＊2――「所有者支配の体制」は資本主義体制とほぼ同義で用いられているが、それをプルードンはつぎの諸段階に区分している。⑴産業的アナルシー――所有権の絶対性と無制限の競争に基礎をおく、競争的資本主義、⑵産業的封建制――資本の集中による産業的、金融的寡頭制、⑶産業的帝政――産業的封建制の一層の巨大化、集中の進行、経済諸力の国家への集中。そしてこれらの「所有者支配の体制」の諸形態の矛盾を解決するものが「産業的民主制」である〔Manuel, pp. 451-473〕。

＊3――「所有者支配の体制」のいま一つの必然的結果である恐慌についていえば、かれは恐慌の原因を、資本家の不労収得のために生産者が自己の生産物を買い戻すことができない、という点に求めた。

＊4――プルードンの家族観については、〔作田啓一、一九七一年〕を参照。

＊5――この叙述には所有のはたしてきた機能の歴史にかんする指摘と、所有が現にはたしている二

つの機能──「よい面」と「悪い面」──にかんする指摘とが混在している。この両者は相互に関連しあっているとはいえ、本来的には区別されるべきものであるが、プルードンはこの区別にあまり注意を払っていない。そのことが、たとえば『経済的矛盾の体系』の構成原理を読みとりにくいものにしている。

二　国家の批判

社会力と国家

二月革命を経済的革命だと規定したとき、プルードンは国家の問題を具体的に提起することになった。この規定は、現在解決すべき問題が国家の政治的組織の問題ではなくて経済的組織の変革であること、そして経済的組織の変革は国家の手によってではなくて、経済の次元においてのみ遂行されうることを意味していた。いいかえればこの規定は、共和派の普通選挙万能主義と同時代の革命派の国家主義的傾向──「政府万能主義」──とを同時に批判するものであった。この批判をつうじてプルードンは、国家を社会との関連において批判的に分析することになる。

かれは、国家を超越者や支配者の意志に由来するものではなくて、「集団生活の現象」

〔Mélanges, III, p. 258〕と規定する。[*1] したがって国家にかんして提起されるべき問題は、「国家という擬制は人類社会のなかでいかにして生まれたか？　いかにして発展するか？　その発展と構造の法則はいかなるものか？」〔ibid. p. 260〕という問題である。[*2]

国家の生成についてはこうである。生産の場における諸個人の共同が集合力を生みだすのと同様に、社会を構成する諸個人、諸集団は相互作用をつうじて「社会力（puissance sociale）」[*3]を生みだす。社会力は社会を構成する個別的存在の力の算術的総和をこえる力であり、社会が自己のうちに統一性をもつ自律的な存在であることの徴表である。この意味で「力」は社会に内在的である」〔Justice, II, p. 261〕ということができる。社会が自発的かつ内在的に生みだす社会力という概念は、プルードンの国家批判とアナーキズムの原点である。

国家とは、社会の自発的で内在的な社会力が外在化され、社会にたいして超越的な力になったものである。「国家とは社会力の外的構成体である」〔Mélanges, III, p. 11, セレクション一九九頁〕。それゆえ国家の生成の秘密は、社会力の外化――国家による社会力の獲得――のメカニズムに求められなければならない。プルードンは、家父長制家族における家長の権威の形成のアナロジーで国家の生成を説明している。家族に本質的な階層的構造にもとづいて、家長は家族の財産と家族集団の生みだす集合力の監督、指揮を行なう。この集合力は、家長にとっては自分の監督、指揮の産物として、家長の力としてあらわれる。この集合力が家族の拡大、労働の改善によって増大すれば、それだけ家長の力も増大する。これが集合力の収奪の、権力の形成の原初的モデルである。家族の拡大によって部族が形成され、国家が形成されるばあいもおなじである。最強の家族集団、最大の富を保有する家族集団の家長は、国家の階層的構造の頂点に立ち、社会力をわがものにする。[*4] それは、最強の力がより弱い力を吸収・同化するという自然法則の結果である。

社会力の外化・疎外によって成立した国家は、社会力の獲得・吸収によってのみ存在しつづけることができる。国家による社会力の獲得・吸収は、国家が社会にとって外的な存在であるために不可避的に強制的収奪になる。最初は自然発生的に形成された国家は、自己の存続のために社会力の獲得の条件である社会の階層的構造を維持・強化し、社会力の収奪のための強制力を強化しなければならない。こうして国家と社会とは必然的に敵対関係にたち、敵対関係が深刻になればなるほど国家はますます権威主義的、専制的にならざるをえない。国家は社会の生命である運動を制限し、抑圧する役割をはたすのである。とりわけ社会の階層的構造を破壊して、社会力の奪還を要求する労働者、人民の運動を抑圧しなければならない。このようにして国家の目的は、「市民の国家への服従、貧者の富者への、平民の貴族への、働く者の寄生者への、俗人の僧侶への、市民の軍人への従属を聖化すること、それによって、社会における秩序を維持すること」〔Idée générale, p. 299, セレクション二二六頁〕にあるといわれるのである。

国家による社会力の収奪の道筋がひとたび確立されれば、今度は観念においてこの道筋が転倒されて、国家が社会に統一性と力を与えるとされる。社会力が国家の土台であるにもかかわらず、国家に固有の力が社会の存立を可能にするのだと考えられるのである。観念におけるこのような転倒をもっとも強力に推進し、擁護するのは、教会である。宗教は、国家を神の意志にもとづけ、人間の不平等とそれにもとづく階層構造を宿命とし、国家権力を正当化する。「政府のもっとも古い要素、権威の城砦が宗教であることには異論の余地はない」〔ibid. p. 304〕。こうして国家と教会は必然的な同盟関係を形成し、この同盟による社会の支配が「政治的・宗教的体制」〔ibid. p. 298, セレクション二二三頁〕なのである。

ところで社会力の増大は、国家による社会力の収奪のルートが存在するかぎり、国家の巨大化をもたらす。社会力の増大は、社会の自律の能力を示す一方で、国家の基礎の強化を生みだす。これは、国家が超越的絶対者として存在するかぎり、国家の形態や性格にかかわりなく妥当する。それゆえ国家問題の解決は、政治形態の改革によってではなくて、国家による社会力の収奪のルートを変革し、社会が社会力を取り戻すための社会システムを構築することによってのみ可能になる。このようにして、共和派の普通選挙万能主義[*5]にたいする批判と同時に強力な国家の介入による社会主義という当時の革命派の主張にたいして批判が加えられる。国家による社会主義ということでプルードンが批判するのは、ルイ・ブランとピエール・ルルーである。ルイ・ブランは、これまで専制的であった「支配者としての国家」をデモクラシーによって「従僕としての国家」に変革し、この国家によって被抑圧者たるプロレタリアートを援助し、プロレタリアートの解放を勝ちとる、と主張する。この新しい国家の創出こそは「旧世界から新世界への勝利に満ちた移行」だとルイ・ブランはいう。この主張にたいしてプルードンは、「国家はつねにこの力〔社会力――引用者〕の疎外体であり、市民の内在的で譲渡しえぬ権威にとってかわった外在的で恣意的な権威である」〔Mélanges, III, p. 21〕から「従僕としての国家」などという概念は形容矛盾であり、存立不可能だという。この主張は、国家と社会との非両立性、敵対性についての無知にもとづく「まったくの幻想」にすぎない。しかしこの「まったくの幻想」は、「単純な観念を愛好し」、政府万能主義の偏見に取り憑かれた現代の人民に受けいれられやすい観念であるだけに、いっそう危険な主張である。プルードンが二月革命期にこの種の主張にたいして過剰とも思われるほどの批判を加えたのは、このゆえであった。

社会の自発的産物としての国家

国家はこのようにして形成され、社会の階層的構造を維持することによって資本家、貴族、僧侶などの特権的諸階級に奉仕するとはいえ、国家はこれら特権的諸階級の恣意的な構築物ではなくて、社会の自発的産物である。ここで自発的とは、二つの意味をもっている。一つは、さきに述べたように、国家の基礎としての社会力が社会の自発的産物だということである。いま一つは、国家は、特定の階級による人為の産物いいかえれば階級的抑圧の機関として生まれるのではなくて、社会全体の自発性にもとづいているということである。そして社会的自発性の産物であるかぎりで、国家は特定の発展段階の社会の現実の要求を満たすものであった。ここから国家の意義の歴史的相対化がはかられる。社会が自律能力を不十分にしか獲得していない未成熟な段階にあっては、国家は社会の統一性の表現として必然的であり、また有効でもあった。しかし国家は社会の成長とともに桎梏と化する。「イエラルシー（階層的構造）が原始的社会の存在条件であるように、アナルシーは成熟した社会の存在条件である」〔Mélanges, III, p. 9, セレクション八九頁〕。

それと同時に、この見方は国家の成立における人民の同意の存在を明らかにする。端的にいえば、国家の成立根拠としての幻想にもとづく同意である。「社会は政府を指導原理と考え、自分の理性を補うものにほかならないと考えた。……人間は、私的利益と普遍的利益との対立を、本能と理性との対立とおなじく和解しがたいものと考え、新たな調停者を求めた。国王がそれであった。こうして人間は、自分の道徳性と判断の主体性を脱ぎすて、自分の自主性を放棄した」〔Idée générale, p. 321〕。このようなとりちがえを必然たらしめるものをプルードンは「政府万能主義的偏見（プレジュジエ・グーヴェルヌマンタル）」〔Confessions, p. 88, セレクション六五頁〕とよんだ。この偏見は、社会力が感覚的にとらえることのできないものであること、そして知性はこのような対象をまえにしたとき、まずそれをシンボルとして実体化し、直接的に経験可能なものにしてとらえようとすることにもとづいている。こうして古代の人民は社会力を神から権力を与えられた王に化肉させ、現代では普通選挙でえらばれた人民の代表に化肉させる。政府万能主義的偏見は、支配階級だけをとらえるのではない。かえって、「もし政府が一方の手から他方の手に移るならば、……人民のために労働と福祉と自由を確保することが可能になると信じる」〔ibid. p. 339〕労働者、人民もまたこの偏見に深く侵されている。じっさいボナパルトは人民のこの偏見に支えられて大統領に選ばれたのであった。政府万能主義的偏見が普遍的であればこそ、国家の成立は可能になるのである。このようにしてプルードンは、国家の階級的抑圧の機能と同時に国家の成立根拠としての普遍的な幻想を明らかにしたのであった。

ところでプルードンは、国家の形成における自発性、いいかえれば国家による社会の現実的要求の充足を強調して、『革命と教会における正義』においてはつぎのようにいう。「国家の目的は正義を組織し、もたらし、遵守させることである。正義は国家の本質的な属性であり、中心的な機能である」〔Justice, II, p. 220〕。さらに、国家が社会力に基礎をおく客観的な存在であることから、まったく主観的な原理である権威と区別し、「国家を肯定することは権威を否定することだ」〔ibid. p. 311〕と述べる。こうして所有論においておなじく、国家論においても問題―解答の変更がおこる。「平等によって、また平等のために組織された共和主義政府の本来の形態はいかなるものか？」〔ibid. p. 254〕という設問、すなわち自律的存在になった社会に適合的な国家、いいかえれば社会の下位にある国家はいかなる国家か、という設問である。この設問にたいする解答は、『正義』においては経済諸力の均衡と行政的分権化を骨子とする厳密な意味での「共和主義的な政府[*6]」〔ibid. pp. 308-312〕として与えられ、さらに『連合の原理』で検討されることになる。

「絶対主義の三位一体」

プルードンは、資本、国家、教会を現代社会の抑圧体系を構成する「絶対主義の三位一体」〔Confessions, p. 282〕とよんだ。われわれは最後に、この三者の相互連関がどのように把握されているかを簡単に考察しよう。

まずプルードンは、「経済的革命とともに国家は完全に消滅すること、そして国家のこの消滅は信用の組織化と租税の改革の必然的結果であること」〔Melanges, III, p. 8, セレクション八八頁〕を承認する。ここでは国家の存在は経済的組織のあり方に帰着させられ、政治にたいする経済の規定性、優越性が明瞭にうちだされている。さらに『一般理念』では、国家は、社会的不平等にもとづく諸利害の不一致・対立にもとづけられ、経済的平等の達成によって諸利害の一致が生みだされれば、国家は必要でなくなるとされる〔Idée générale, pp. 321-322〕。経済的構造の規定力は、宗教にたいする関係においてもおなじである。

しかし同時に、国家、宗教は特権的諸階級が階級的抑圧のために人為的に作りあげた構築物ではない。それらは未成熟な社会が社会的対立に由来する困難、危険を克服するために自発的に形成した構築物である。それらは経済的階級対立の結果ではなくて、経済的階級対立に照応する、社会的自発性の産物である〔P. Ansart, 1969, p. 242〕。それらは要するに、特権的諸階級の作為に由来するものではなくて、未成熟な社会の自発性に由来するものである。国家の存続にたいして重要な役割をはたすのは、抜きがたく存在する普遍的な「政府万能主義的偏見」である。国家はこの偏見に支えられて、現存の秩序の維持に、つまり「所有者支配の体制」の維持にたいして有効な役割をはたすのである。そうだとすれば、経済的平等の達成は、国家を必要でなくするけれども、国家の消滅のためには十分ではない。そのためには「政府万能主義的偏見」を、とりわけ人民のそれを根絶することが必要である。いいかえれば、社会が自律的存在であることを労働者人民が認識し、一切の外的権威——教会、政府、諸党派など——なしに自己を統治する能力を獲得することが不可欠なのである。こうしてプルードンは、「労働者階級の政治的能力」の獲得を解放の必須条件としたのであった。

以上のことを逆からいえば、国家は経済的構造に還元できない、ということである。国家は、

「政府万能主義的偏見」という、経済的構造とは別の根拠をもっている。さらに、さきに述べた社会との敵対関係の深化に照応して必然的に巨大化、集権化して、膨大な国家機構――警察、行政機関、軍隊、教育機関など――をもつにいたっている。国家は巨大な官僚群に支えられ、動かされて、相対的に自律した運動を行なうのである。

このように考えてくれば、国家は経済的構造のたんなる反映にすぎぬものではなくて、固有の意志＝国家意志・国家理性をもち、固有の運動＝中央集権化を行ないながら、現存の経済的秩序――不平等にもとづく階層的構造とそれによる資本の搾取の維持にたいして積極的に作用する客観的存在である。所有は国家に経済的基礎を与えるが、国家は現存の階層的構造を破壊しようとする労働者人民の闘争から所有者支配の体制を法的にも物理的にも防衛するのである。

おなじことが宗教にも妥当する。宗教は、「生まれたばかりの社会が世界の秩序についての見解を表明する本能的で象徴的な表現」〔Ordre, p. 37, セレクション二三三頁〕であり、社会が自己の統一性についてもつ自己意識である。どのような社会も自己を統一ある存在として表現し、また社会を構成する諸個人が社会の全体構造のなかに自己を位置づけ、自分が全体の不可欠の一員であると認知することがなければ、要するに自己を主体として構成することがなければ、統一性のある存在として存続しえない。「社会の基礎をうち固め、諸民族にその統一性と個性を与える」〔ibid. p. 73〕宗教は、この機能をはたすことによって、生成期の社会の存続にとって不可欠の要因であり、それなしには「人類は誕生と同時に死滅する」〔ibid. p. 126〕であろう。だから宗教は「われわれの本性のもっとも本源的で、もっとも破壊しがたい本能」〔Jésus, p. 522〕なのだ。無神論が誤まっているのは、宗教のこのような本源的性格、機能について無知であり、ただ神話や奇蹟の非科学性をあげつらっているにすぎないからである。

そうだとすれば、宗教も経済的構造のたんなる反映ではなくて、それに固有の根拠をもつ客観的な存在である。それだけでなく宗教は超越的で永遠的な原理としての神にすべてを帰着させることによって、国家と所有の最古かつ最強の防壁[*7]を形成し、よってもって「絶対主義の三位一体」を完成するのである。

こうして資本、国家、教会は、相対的自律性を保持しながら、相互に支持・依存しあって一つの全体的抑圧体系を構成する。支持・依存の様態を要約すればこうである。国家は、不平等と階層的構造にたいする労働者人民の反抗を抑圧することによって資本による集合力の収奪を擁護、発展させ、教会にたいしてはさまざまな特権の賦与によって教会の存続に貢献する。教会は、国家を神の意志にもとづけることによって聖化し、階級秩序の正当化と宿命論とによって財産の不平等を是認し、所有者支配の体制を擁護する。そして資本は、国家と教会とに経済的基礎を与える。もとよりこれらが自律的であるからには、こうした支持・依存関係がつねに調和的に成立するというのではない。これらのあいだに利害の対立が顕在化して、敵対的な関係が成立することもあるだろう。しかし長期的かつ全体的に考察すれば、この三者は以上のような相互支持・相互依存の関係に立つのである。

資本、国家、教会がこのような循環的な支持・依存関係を構成することができるのは、それらが共通の原理にもとづいているからである。すなわちそれらが社会の自発性と集合性の疎外体——資本は集合力の、国家は社会力の、教会は集合理性の——であり、そのようなものとして社会にたいして外的で敵対的な関係にある存在だという、原理上の同質性のゆえに、このような機能連関を構成する。いいかえればこの三者は、本質的に同質的な相似体である。「資本——政治の次元におけるその相似体が政府である——は、宗教の次元ではカトリシスムを同義語としている。資本という経済的観念、政府あるいは権威という政治的観念、教会という神学上の観念は、三つの同義的で相互に交換しうる観念である。……資本が労働にたいして、政府が自由にたいして行なうことを、教会が知性にたいして行なうのである」〔Confessions, p. 282, セレクション二二九頁〕。

われわれは、この原理をプルードンにならって権威の原理とよぼう。権威の原理は、外在性—絶対性—宿命論の三位一体から成っている。たとえば所有＝資本は、集合的労働の外在化であり、そのようなものとして労働の絶対的条件として、労働者の生命を左右する絶対者として労働を支配する。その結果、労働者は資本による搾取を余儀なくされて、宿命的な貧困状態におかれ、それと同時に労働は自由の表現ではなくて、宿命と化するのである。国家、宗教においても同様の事態が認められる。資本、国家、教会が原理的な同質性を保持し、そのことによって循環的な相互支持関係を構成しているがゆえに、三者のうちのどれをとりだしても、他の二者が不可分に結びついて現われる。どれか一つだけを孤立的にとりだして論じ、その意味を確定することは不可能でもあり、また誤まった結論に導くことになる。逆にいえば、このような条件のもとにあるからこそ、そのうちの「どれか一つを攻撃することは他のものを攻撃すること」〔Confessions, p. 282, セレクション二二九頁〕に等しくなるのである。

＊1——プルードンがここで用いようとしているのは、カントが神にかんして用いた方法である。神とは何かという設問にかえて神の観念がいかにしてわれわれの悟性のなかで生まれるかという設問を提起することによって、神を悟性の問題としてとらえたカントにならって、プルードンは国家の観念がいかにして生まれるかを問い、その由来を社会という場に求めるのである〔Mélanges, III, p. 36〕。

＊2——プルードンは、国家の形成を国家という観念の集合理性による形成として論じる。国家の形成と国家の観念の形成とが等置されているのである。このような見方は、プルードンの思想の観念論的性格と批判されてきたが、同時にこの見方から国家の形成を自律的存在としては未成熟な集合的存在の幻想にもとづける見解が導きだされる。

＊3――「社会力」の実例としてあげられているのは、貨幣、為替手形、銀行などである〔Justice, II, pp. 259-261〕。

＊4――cf.〔Justice, II, pp. 266-267, P. Ansart, 1969, pp. 237-238〕.

＊5――プルードンの普通選挙にたいする批判の核心は、つぎの二点にある。一つは、普通選挙の主張が「一種のアトミズム理論」〔Mélanges, I, p. 19〕にもとづいており、集合的存在としての社会を個人に還元してしまう点である。いま一つは、人民が自律的意識を獲得することが重要なのであって、それが欠けているばあいには、普通選挙は虚偽の統一性、「人民主権の戯画」〔Carnets, II, p. 230〕を生みだすにすぎない、という点である。普通選挙が有効で、道徳的で、民主的であるためにはつぎの条件が必要だと、プルードンはいう。「サーヴィスの均衡を組織し、自由な討論によって投票の独立を保証したのちに、市民を、社会と国家の基礎をなす集合力の原理にしたがって、その職務のカテゴリーによって投票させる」〔Justice, II, p. 287〕ことである。

＊6――「共和主義的な政府」の成立条件はつぎのようである。⑴経済的権利の決定、⑵経済諸力の均衡、農・工グループの形成、相互性および無償の原理にしたがった公的サーヴィスの組織、⑶政治的保障、⑷行政的分権化、⑸戦争状態の停止、城塞の破壊と常備軍の廃止〔Justice, II, pp. 308-309〕。

＊7――「政府のもっとも古い要素、権威の城塞が宗教であることは疑いをいれない」〔Idée générale, p. 304〕。

三　社会の原理

「公認の社会」と「現実の社会」

プルードンが生涯をかけて追求したのは、権威の原理から社会を解放することであった。[*1] 必要なのは、原理の変革であって部分的改良ではない（cf.〔Solution, p. 3〕）。しかし「絶対主義の三位一体」に囲繞された社会にとって代るべき新しい社会も、それを統括する原理なしには、存続しえない。かれが積極的アナルシーということばであらわそうとしたのは、新しい社会がもつ固有の原理のことであった。この新しい原理はどこに見出されるのであろうか。もしそれが何か超越的な存在や啓示によってもたらされるとすれば、それは権威の原理と根本的に異質な原理とはいえないであろう。なぜならそれは社会にたいして外的で超越的であるというまさにその理由によって、権威の原理の地平に属しているからである。ユートピアは空想的で非現実的であるだけではない。それは社会にたいして超越的だという意味で本質的に権威の原理に帰着するという理由でも批判の対象とされるのである。こうしてうちたてられるべき新しい原理は、社会のなかに求められねばならないのである。

そうだとすれば、プルードンの主張は一つの悪循環ないし矛盾のなかに落ちこむように見える。すなわち、権威の原理と異なる新たな原理は社会のなかに求められなければならないが、その社会にはほかならぬ権威の原理が滲透しており、したがって権威の原理以外のものは見出しえないからである。この悪循環をプルードンは、社会を「公認の社会 société officielle」と「現実の社会 société réelle」の二層に区別することによって断ち切ろうとする。[*2]「公認の社会」は「われわれに見えるとおりの世界」、資本、国家、宗教という集合的活動の疎外体の制度的構築物によって囲繞された「一時的で化膿したかさぶた」〔Carnets, II, p. 272, セレクション一二九頁〕である。そこでは、集合的活動の疎外体と集合的活動から疎外されてアトム化した個人とが対立している。したがって「公認の社会」においては、集合体と諸個人との関係は支配＝隷属関係にならざるをえず、諸個人間の関係は内面的な共同関係の欠落した利用＝被利用の関係にならざるをえない。前者の関係のイデオロギー的表現が、すべてを集団に帰着させて個人を無に帰せしめる「共産主義の仮説」であり、後者の関係のイデオロギー的表現が、アトム化した個人にすべてを帰着させる「純粋な自由の仮説」である。両者はたがいに対立しあっているとはいえ、ともに、「公認の社会」でおこっている事態を一面的に表現したものにすぎない。それゆえいずれの仮説も社会と個人にかんする正確な認識をもたらしえず、権威の原理にとって代るどころか、必然的に権威の原理にゆきつかざるをえないのである。

それにたいして「現実の社会」は、所有、国家、宗教は社会の自発的産物であるとかれがいうときの社会、「生きた社会」のことである。それは、「公認の社会」の根底にあり、その土台をなしている。「現実の社会」は「絶対的な不変の諸法則にしたがって自己発展する社会」〔ibid. p. 272, セレクション一二九頁〕である。その諸法則の基礎をなすのは、労働の法則、すなわち分業と活動における共同性のことである〔Ordre, p. 301〕。分業の観点からいえば、「現実の社会」は画一的な構成単位から形成されるのではなくて、それぞれの差異を消滅させることなくそれぞれの仕事を遂行している異質な構成単位によって構成されている。したがって「現実の社会」は共産主義の仮説が想定する、画一化された構成単位で構成される一枚岩の組織ではなくて、異質な要素で構成される多元的組織である。そこでは構成単位の差異性が構成単位内の平等な関係の条件になるのである。活動における共同性についていえば、「集合的な力になった分業という行為をつうじて、労働者は自然的な協同関係に入り、相互に連帯しあう」〔ibid. p. 301, セレクション一六〇頁〕。そこでは諸個人は、アトム化されて利用＝被利用の関係にあるのではなくて、相互に協同と連帯の関係にたつのである。「現実の社会」とは労働の法則にもとづいて、集合体に固有の力と理性をまさに自発的に生みだしつつある社会にほかならない。この「現実の社会」をつらぬく原理――われわれはそれを社会の原理とよぼう[*3]――を析出すれば、それは抑圧の三形態にたいする原理的な批判の基礎を提供すると同時に、新たな社会のもとづくべき原理の解明を可能にするであろう。

社会の原理を明確にするために、プルードンの考える原初的な社会モデルを検討しよう。

プルードンは、二人の人物の出会いをモデルとして、正義の形成過程を説明している〔Justice, III, p. 513〕。利害の対立する二人の人間が出会い、議論を行ない、相互に折れ合い、契約を結ぶ――「これが権利の最初の勝利であり、正義の最初の建設である」〔ibid. p. 513〕。プルードンが強調するのは、議論をつうじて相互に折れあうという過程である。つまり、まず第一にこの二人の人物は相互の差異を承認し、尊重しあう。この対峙において二人の人物は相互に人格的主体として認めあう、相互主体性の世界を構成する。第二に、対立から折れ合いにいたるプロセスは、二人の人物の自発性にのみゆだねられており、対立を調停する超越的な第三者は存在しない。二人の人物が議論をつうじて自己を相対化しあうこと、生きた相互関係のなかに入ること、によってのみ融和に到達することができるのである。そして第三に正義とはこの達成された融和にほかならないが、それは超越者に由来するのでも、二人の人物のどちらか一方に由来するのでもなく、まさに二人の人物のあいだから生まれるのである。[*4]

プルードンが集団形成の根本的な原理と考えたのは、この〈あいだ〉の原理であり、それをかれは相互性（mutualité）とよんだ。それは個人の自由が集団の共同性と結びあう場であり、財貨やサーヴィスの交換にかんしては「双務的契約」として、観念上の事柄にかんしては議論としてあらわれる。自己完結的な個人が出会って契約を結ぶのではない。かえって他の個人と生きた相互関係を結び、共同して〈あいだ〉の世界を形成することによって、個人は自由な主体になる。そして集団は、諸個人のこのような人格的関係行為によって構成され、〈あいだ〉の世界に立脚するかぎりで、集団としての内実をもちうるのである。

ところでプルードンの見るところ、社会の本質は運動にある。「社会、それは永続的な運動である。社会は、だれかがぜんまいを捲くことも拍子をとることも必要としない。社会は自己のうちに、つねに張り切ったぜんまいと均衡器とをもっている」〔Mélanges, III, p. 56〕。運動は複数の要因の相互作用、相互関係である。運動のなかでは、すべての存在は作用を与えると同時に作用を受ける存在、つまり相対化された存在である。「あらゆる絆、束縛、……制限または法則から解放され」、「他の何ものにも依存しない」絶対的存在〔Justice, III, p. 169〕は、運動のなかには存在しない。運動体としての社会のなかで、すべての存在は社会に内在的で相対的な存在になる。さらに「現実の社会」においては、その構成要因は提供したものと等価の対価物を受けとることができ、したがって平等な関係のもとにある。絶対的存在を中心とする支配＝隷属関係ではなくて、平等な諸要因間の均衡がその本質的な関係である。さらにこれらの諸要因は、運動のなかでみずから作りだしている関係＝法則によってしか規制されないという意味で自由な存在である。このように社会の原理は、権威の原理とは反対に、内在性―相対性（関係、均衡）―自由を本質とするのである。

社会の原理

社会の原理は、たんに権威の原理に対立するだけの存在ではない。それは「公認の社会」の基底をなす「現実の社会」の原理であるという意味で権威の原理よりも根底的である。それと同時に権威の原理によって統括される諸制度をも運動のなかに投げ入れ、その権威＝絶対性を剝奪して、相対化することによってもまた、権威の原理に優越するのである。たとえば、絶対的な権利として自己を定立する所有は、他のおなじく絶対性を主張する所有に遭遇し、相互に絶対的であろうとするまさにそのことによって、相対的存在にならざるをえない。あるいはまた所有の絶対性は国家の絶対性と対立しあい、相互に侵蝕しあって、その絶対性を打ち消しあうこともある。こうして所有も国家もともに相対的な存在にひきおろされることになる〔Propriété, pp. 131-139〕。歴史的に見れば、絶対性としての所有は分業の発展とともに相互関係としての流通にその地位を奪われる。「われわれは所有に優越する原理によって生きる。所有は流通のなかに浸され、変形されて、姿を消すのである」〔Résumé, p. 26〕。この文章は、権威の原理にたいする社会の原理の優越性を端的に表現するものと読むことができる。

「現実の社会」と「公認の社会」とは歴史的継起の関係にあるのではなくて、同時的に共存していることに注意しよう。「現実の社会」は「公認の社会」によって抑圧され、収奪されながらも、なおかつ「公認の社会」の深部に存在し、それに固有の力と理性を産出しつづけている。そうであることからこそ「公認の社会」は存続しうるのである。プルードンは、その実在を、たとえばリヨンの相互扶助組織に見出した。それゆえ、「公認の社会」を廃絶するか、「公認の社会」の悪を制度的に限定し、抑制すれば、「現実の社会」が姿を現わすことが期待できる。プルードンにとって社会革命とは、「公認の社会」を廃絶して、「現実の社会」を活性化させることにほかならなかった。

絶対性ではなくて相対性に、個別的実体にではなくて関係に、社会の基本的なあり方を見出し、それを「科学的社会主義」の立脚点にしようとするプルードンの立場は、『独仏年誌』のフランス駐在通信員になることを要請したマルクスの手紙に応えた手紙のなかで見事に示されている。「あらゆるア・プリオリなドグマチズムを一掃したのちに、こんどはわれわれが人民をわれわれの意志に従わせたりするようなことはけっしてしないようにしましょう。カトリック神学を転覆してからすぐに、破門と呪詛の大騒ぎの真只中でプロテスタント神学をうちたてることにとりかかったお国のマルチン・ルッターの矛盾には陥らないようにしましょう。学識と先見の明のあるものの寛容さの模範を世界に与えましょう。……われわれは運動の先頭にいるのですから、われわれを新しい不寛容の指導者にしたり、たとえ論理の宗教、理性の宗教であるとしても、新しい宗教の使徒を自任したりしないようにしましょう」(à Marx, 17 mai 1846

〔Corr. II, p. 198, セレクション九一―九二頁〕）。この手紙を最後に両人の交流は途絶えた。社会の原理によって総括される社会が、具体的にどのように構想されているかを次節で検討しよう。

＊1――プルードンの反権威主義は、中央権力が司法、警察、軍事、土木事業などのあらゆる領域に浸透し、支配する強力な中央集権化傾向につらぬかれたフランスの政治制度に規定されている。フランスにおける権力の特殊なあり方を指摘したトクヴィルとの対比は興味深い主題である（cf.〔A. Ritter, pp. 195-197, 田中治男、一九七〇年〕）。

＊2――この点について、作田啓一はプルードンの社会理論を、（一）原点としての社会、（二）その第一次的疎外形態としての「現実の社会」、（三）第二次的疎外形態としての「公認の社会」で構成されていると解釈し、三者のあり方を図示している〔作田啓一、一九七四年、四八―五〇頁〕。この作田の説得力のある行き届いた解釈と説明図から大きな示唆を得たので、長くなるけれども紹介しておこう。

（一）原点としての社会とは、諸個人が自立しながら自発的に協同し交換し合うシステムであり、その成果として物質面では集合力、社会的結合の面では社会力、観念面では集合理性を産出する。（二）原点としての社会の所産の「第一次的疎外形態」として生まれた所有、政治、宗教の諸制度が「現実の社会」を構成する。「第一次的疎外」というのは、たとえば

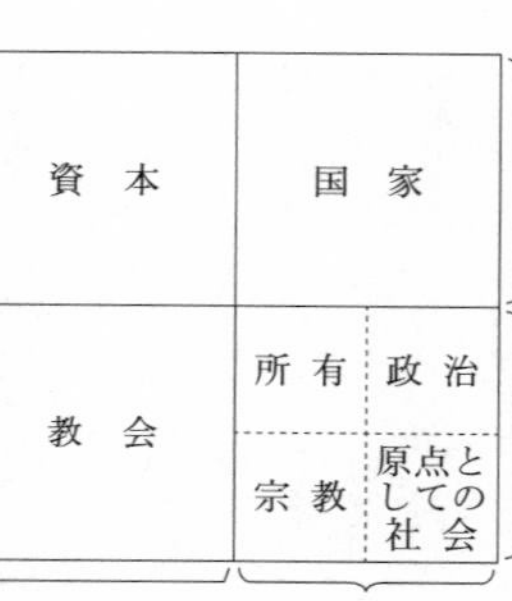

〔作田啓一，1974年，49頁〕

所有が個人の自立と自由の保証として求められるというように、これらの制度が諸個人の必要と欲求にもとづいて形成され、他方では諸個人がその成果を享受し取り戻すことができるからである。㈢さらに疎外が質的に深まると、「現実の社会」を形づくっていた諸制度は資本、国家、教会という「第二次的疎外形態」を取る。これらの第二次的疎外形態で構成された社会が「公認の社会」である。

「第一次的疎外形態」では、所有などの諸制度は社会のなかに埋め込まれていたのにたいして、「第二次的疎外形態」の支配する「公認の社会」は、社会にたいして外的な力になり、自らを生み出した「現実の社会」を抑圧し規制する。「現実の社会」は「公認の社会」に囲繞され抑圧されてはいるけれども、その根底で活動し、集合力などを産出し続けている。「公認の社会」の存続自体がそのことを証明しているといえよう。作田は、たとえば所有の正機能は第一次的疎外形態にかんして、負機能は第二次的疎外形態にかんして主張されていると解釈すれば、プルードンの一見矛盾しているかに見える命題を矛盾としてでなく理解できるという。社会の根底で生き続ける「現実の社会」への信頼こそ、プルードンの「不屈のオプティミズムの源泉」〔作田啓一、一九七四年、四八頁〕であった。

＊3――社会の原理という用語は、M・ブーバーの「社会的原理」から借用した〔M・ブーバー、一九七〇年、一四六―一六九頁、一九七二年、四二―六五頁〕。
＊4――集合理性の形成についても同様の過程が想定されている〔Justice, III, pp. 261-262〕。

四　構築された社会

『日曜礼拝論』（一八三九年）においてプルードンは、人類が現在直面している課題についてつぎのように述べた。すなわち「共同体でも細分化でも無政府でもなく、秩序における自由であり、統一における独立であるような社会的平等の状態を見出すこと」〔Dimanche, p. 61〕である。この「社会的平等の状態」が、われわれのいう社会の原理によって総括される社会にほかならない。かれはこの社会を、二月革命期には「積極的アナルシー」、一八五〇年代には「産業的民主制」[*1]、最晩年には「政治的・経済的連合」として定式化した。この社会の政治的側面、すなわち『連合の原理』で展開された政治的連合」の問題は次章で検討するとして、本節では「政治的連合の補完、裏づけとして役立つ産業的連合」〔Principe fédératif, p. 359〕の構造を考察しよう。

「産業的連合」は、社会の原理の基礎をなす「労働の法則」にもとづいて、相互に独立を保持する多様な生産単位がとり結ぶ共同関係から成りたっている。われわれはこの構造を、⑴諸生産単位間の関係、⑵生産単位内部の構造、⑶経済社会のレベル全体にかかわる問題、の順序で検討しよう。

諸生産単位間の関係

産業的連合の基礎は、生産単位の多様性と多数性にある。

「労働の法則」はさきに述べたように、分業と活動における共同性とから成っていた。分業の観点からいえば、この社会はさまざまな生産単位の多様性と多数性を維持・発展させなければならない。諸集団の多様性を滅ぼし、多様な諸集団にかえて単一の集団を構成すること、たとえば全産業あるいはある産業部門を単一の国営企業に組織することは、社会のダイナミズムの破壊を意味している。それだけではない。集団の多様性は諸集団を相互に対峙させて相対化し、その「絶対主義的傾向」を中和させることによって、個人のエゴイズムよりはるかに強力な集団のエゴイズムを矯正することに貢献するのである。それゆえ「産業的連合」は、あらゆる種類の画一主義——そのもっとも極端な変種が「共産主義」である——の主張とは反対に、生産単位の多様性と多数性を発展させることによってのみ存続しうるのである。

これらの多様で多数の生産単位が、自己の独立性を維持しながら、他の生産単位と結合しあって、一つの複合的で有機的な統一体を形成する。この結合から、社会を社会たらしめる集合力、集合理性が生まれる。しかしこの結合は、外的な権威や強制によって保証されるものであってはならない。それは集団の自発性と集団間に自生的に生ずる関係によってのみ形成・維持されなければならない。契約と競争がそれである。

契約は社会の原理をもっとも適切に表現する、とプルードンは考える。「契約は契約当事者たちに、かれらの個人的約束から結果する以外のいかなる義務も課さない。契約はどのような外的権威の支配も受けない。それはただそれだけで当事者たちの共通の規範を形成する。それは契約当事者たちの自発性からのみその実施を期待する」〔Idée générale, p. 188, セレクション一五五頁〕(傍点引用者)。プルードンの主張する契約は、契約締結後も当事者がその独立性を保持することのできるものでなければならない。したがって契約によって何を、どれほどの期間譲渡するかが明瞭に限定されていること、双務的であることが必要である。プルードンがルソーの社会契約論にはげしく反対したのは、この点においてであった。

このように契約が可能かつ安定的であるためには、契約当事者たちが平等な力をもつようにすることが必要である。この課題をプルードンは、農民と勤労者(職人的小工業の企業家をふくむ)の地位向上に見出した。具体的には、「土地銀行」による低利な融資をつうじて農民を土地所有者たらしめること、「人民銀行」によって小工業の経済的基礎を強化すること、大工業においては職業教育をつうじて労働者の地位を強化することであった。

競争についていえば、その正機能を発揮させ、負機能を抑制することが必要であり、したがって問題は競争の廃止ではなく、「競争を社会化し、規定する、より上位の原理」〔Contr. écon. I, p. 247〕、つまり競争を社会の原理にしたがわせることである。このように規制された競争は、「産業的連合」のもとでは、諸生産単位の活動を内在的に規制する役割をはたすであろう。[*2]

生産単位内部の構造

諸生産単位間の関係が契約と競争によって内在的に規制されているとしても、諸生産単位自体が社会の原理によって貫かれていなければ、「産業的連合」は成立しない。いいかえれば、諸生産単位内部において、集合力の収奪、疎外を阻止して直接生産者に還元するような構造が形成されなければならないのである。このような構造の根幹をなすのは、所有とその管理である。プルードンは、『株式取引所における投機家提要』(第三版、一八五七年)[*3]において、この点をつぎの二つの設問に定式化した。第一は、「労働は資本とおなじく、それ自身によって、企業をおこすことができるか?」という設問であり、第二は「企業の財産とその管理は、個人的なものにとどまるのではなくて、徐々に集団的なものになりうるか?」という設問である。そしてプロレタリアの未来は、この設問にたいする解答が肯定であるか否定であるかに依存していると述べた〔Manuel, p. 474〕。

さきに述べたように、産業的連合は、諸経済単位を画一的な仕方で組織することの対蹠点にある。したがって生産単位の構造についてもある形態を画一的にあてはめることは斥けなければならない。つまり生産単位のあり方の差異に対応して、財産と管理のあり方も多様でなければならないのである。生産単位のあり方のな差異を構成するのは、本章の第一節でふれたように、集合的労働への依存度である。

この規準にもとづいてプルードンは、諸生産単位を農業、職人的小工業、大工業に区別して考察する。農業にかんしていえばこうである。『一九世紀における革命の一般理念』でプルードンは、土地所有を、現実に土地を耕作する農民の土地所有と地代収入のみを目的とする「不労収得権」としての土地所有とに区別し、前者を批判の対象から除外した。そして後者の土地所有を土地銀行による低利の融資をつうじて農民の所有に帰属させることを提案したのである〔Idée générale, pp. 258-265〕。農民的土地所有のこのような肯定は、農民にたいする「自分の信念をまげた」〔ibid. p. 271〕妥協だったと述べているが、しかし同時にかれの考えでは、農業は集合的労働にあまり依存せず、「一般的に家族によって耕作され、（従事するものに）独立の最高の保証を与える」〔Justice, III, p. 91〕ものだから、私的土地所有は、現実の耕作と結合しているかぎり、有効な機能をはたすものであった。したがって農業においては耕作する農民が土地所有者になることを可能にするような方策がもっとも重要であり、協同組織化や集中化は二義的なものでしかない[*4]。

職人的小工業についても同様の事態が指摘できる。「私は、あらゆる職種に見られる無数の小さな仕事場が、厳密な意味の分業や協業のうちにはいるとは思わない。それらは、労働力を有機的に結合することによってもたらされたものであるよりも、むしろこの仕事場を構成している諸個人の便宜の産物と思われるからである」〔Idée générale, p. 278〕。こうしてここでも所有関係の変革ではなくて、信用拡大による経営の安定が第一義の課題なのである。

しかし大工業においては事情は異なる。資本家による私的所有は、大工業の根幹をなす大規模な集合的労働に適合的でない。そこでは所有関係の変革が不可避かつ不可欠だとされる。さきの第二の設問――「企業の財産とその管理は……徐々に集団的になりうるか?」が中心的な問題になるのはここにおいてである。プルードンはこの集団化を『一般理念』においては「労働者会社」として、『投機家提要』では「労働者アソシアシオン」として構想した。労働者会社は、企業の財産をその事業に「参加するすべてのひとの共通で不可分の財産」〔ibid. p. 279〕に変える。そしてそこで働くすべての個人はその地位や年齢にかかわりなく、この共同の財産にたいして共同の権利を獲得し、労働者会社の利潤の分配とすべての決定に直接的に参画するのである。

ここでプルードンが問題を所有関係の変革にのみ限定するのではなくて、企業の管理の問題を労働者の解放の成否を決する問題としてとりあげていることに注目すべきである。労働者による管理がなければ、集団的所有は少数の管理者にあらゆる権限を集中させることになり、必然的に権威主義的支配を生みだす。それゆえ集団的所有が内包する権威主義的傾向を労働者の管理によって均衡させること、その傾向を矯正することが不可欠である、こうプルードンは考えた。かれが労働者の自主管理の先駆的な主張者と評価されるゆえんはこの点にある。[*5]

プルードンは現代の大工業に働く労働者の状況をつぎのようにとらえた。「労働が分割され、機械が改良されればされるほど、労働者の価値はますます低くなる。したがってかれはより僅かしか支払われなくなる。……それは一つの宿命的な論理であって、いかなる立法もいかなる独裁もその結果をまぬがれることはできない」〔Justice, III, p. 82〕。しかも同時に大工業では「手労働の熟練は整備された設備にとってかわられ、人間と素材の役割は逆転している。精神はもはや労働者のなかにはなく、機械のなかに移っている」〔ibid. p. 91〕。このような状況のもとでは賃上げによって労働者の状態を改善することはできない。戦略を変更して、現代の労働者が欠いている「大事業所を経営する能力」〔Idée générale, p. 283〕を獲得することを目標にしなければならないのである。この目標をプルードンは、教育と労働との結合によって、かれ自身の表現にしたがえば、「百科全書的教育」〔Justice, III, p. 83〕と「多元的技術修得制（apprentissage polytechnique)」〔ibid. p. 93〕との結合によってはたそうとする。

いうまでもなくここで主張されている教育は教養主義的な意味での労働者教育ではない。「産業は哲学と諸科学の母である」〔ibid. p. 81〕と考えるプルードンにとって、教養主義的な教育は、正当でも有効でもない。かれの主張する労働者教育は、第一に「産業的実習の全系列を遍歴させる」〔ibid. p. 86〕ことであり、第二は「この実習から、そこにふくまれる観念を抽出する」〔ibid. p. 86〕ことである。要するにそれは、包括的な職業教育を基礎として労働者に産業全体にたいする見通しと経験とを供給するはずのものであった。

このような労働者教育は現在の骨化した企業組織の変革と結びついてはじめて可能になる。教育が労働に即したものになると同時に、労働が教育的なものに、労働者の全人格的発展に寄与するものにならなければならないのである。プルードンはこのような企業組織を「フリー・メーソンの秘法伝授（イニシアシオン）」をモデルにして構想する。それはすべての労働者が技術的習熟の程度に応じて、産業的知識の獲得の程度に応じて、徒弟、職人、親方の三段階を順次上昇してゆくことを骨子としている。この組織のもとでは、すべての労働者は分業によって細分化された部分的な仕事に固定されることなく、あらゆる仕事を順次遂行してゆく。その意味でこの段階組織は、支配の体系ではなくて労働者の知的・技術的成熟のための体系である。プルードンは、このような企業組織によって、管理する者と管理される者との、監督者と直接作業者との、より一般的にいえば精神的労働と肉体的労働との乖離と対立を克服しようとしたのであった。

経済社会全体にかかわる問題

「産業的連合」は以上のようにして形成される多様で多数の相互に独立した諸生産単位が契約と競争によって結びあう社会である。このような社会は、諸単位の独立性にもとづいているだけに、それだけいっそう社会の統一性の保持に注意をはらわなければならない。「諸個人間の全関係が存在しなくなり、各人が生活の糧を完全な孤立のなかで獲得するような社会を想像してみよう。……その細胞がそれらを凝集させている関係を失なった物体とまったく同様に、その社会はほんの一撃でくずれ去るであろう」〔Justice, II, p.259〕。

こうしてプルードンは、この社会の統一性のためのシステムを構想しなければならない。しかしこのシステムが過度に大きくなり、また過度の規制力をもつならば、諸構成単位の独立性を奪いとり、システムによる経済組織の再吸収をもたらすであろう。したがってそれは、これ以上縮小すれば構成単位間の関係が消滅してしまうような最小限のものに、いいかえれば諸構成単位の利害関係の最小限の調整のためのものにとどめられなければならない。

かれはこのような調整システムとして、経済統計、経済計算、相互信用と保険、生産物の直接交換のための諸機関を構想する。[*6] 経済統計と経済計算のための機関は、諸生産単位にどんな生産物がどれほどの価格でどれほどの量を要求されているかを知らせる情報機関である。それは、生産物の価値を正確に計算して、需給関係と競争によって変動する生産物価値の規準を確定して「投機」[*7]を防止する。さらにそれは、資本による不労収得の一つの基礎をなす、集合力と個別的労働の総和との等置という「計算の誤り」〔Ordre, p. 302〕を消滅させて、集合力の成果の労働者への帰属を可能にする機能も果たす。

相互信用と保険は、さきに述べたように、生産者にたいする低利の融資によってその経済的条件を強化し、それを通じて生産者の平等を確保して、経済社会の運動を保証するものである。それは金融寡頭制の絶対的権力を消滅させることを目的とするものであった。

そして最後に、生産物の直接的交換のための機関がある。さきに述べた貨幣批判にもとづいて、貨幣を廃止して生産物の直接的交換を行なうシステムが構想される。それは、二月革命期には『交換銀行』として、一八五五年のパリ万国博にさいしては『永続的博覧会の計画について』[*8]において具体化された。それらはいずれも、生産物を担保とし、「現実的価値の表現」〔Solution, p. 27〕であり、生産者間の「相互信用の表現」〔ibid. p. 31〕である紙券によって生産物の交換を媒介しようとするものであった。後者は、パリ万国博の跡地に一大常設市場を開設して、生産者と消費者の直接的な取引きを保証し、さらに商品と手形の低利での割引き、全産業にかんする情報伝達の機能をもかねそなえるものとされた[*9]〔Projet, pp. 311, 327-329〕。

かれにこのような構想をいだかせたのは、理論的関心よりもむしろ実際的な問題状況であった。それは、一方では、もっぱら国内外の利権獲得に狂奔する「高等金融」が支配し、その結果、労働者、農民に有利な信用機関は存在しないという状況であり、他方では、所有者支配の体制から必然的に結果する金銀獲得の自己目的化、その具体的現われとしての「投機」が横行し、商品の公正な取引きが阻害されているという状況である。プルードンがまず第一に改革しようとしたのは、このような状況であった。プルードンはこうした状況を過度に絶対化し[*10]、それに対応してこの状況に照応する対策の現実性と有効性を過大に評価したのかもしれない。

＊1――この用語は、G・D・H・コールなどのギルド社会主義を想起させるであろう。A・リッターによれば、政治思想史においてプルードンともっともよく似た提案を行なったのは、コールであるが、両者の差異は契約によって成りたつ社会が直面する危機についてプルードンが配慮をめぐらしているのにたいして、コールが楽観的である点にあるという〔A. Ritter, pp. 198-200〕。

＊2――ここではふれられなかったが、プルードンは消費者の集団として、「消費協同組合（Les associations pour la consommation）」〔Manuel, pp. 483-484〕を構想している。

＊3――本書の初版は一八五三年に匿名で出版された。一八五六年に出版された第三版ではじめてプルードンは著者として名乗りでると同時に、大幅な変更を行なった。産業的民主制にかんす

る叙述は、第三版で加えられたものである。なお、ギュルヴィッチは本書をプルードンの未来社会にかんする、とりわけ労働者の自主管理にかんする積極的叙述として重視している〔G. Gurvitch, pp. 57-58〕。

＊4――農業において唯一の可能な結合、集中化は、「純生産物の補償、相互保険、そして特に地代の廃止を出発点として考えることのできる形態だけである」〔Idée générale, p. 275, セレクション二五二頁〕。

＊5――cf.〔J. Bancal, 1970, G. Gurvitch, D. Guerin, 1967, pp. 67-87〕.

＊6――『労働者階級の政治的能力』は、このような相互主義的性格をもつ調整システムを列挙している（cf.〔Capacité, pp. 166, 226〕）。さらにつぎをも参照〔P. Ansart, 1970b, p. 58〕。

＊7――投機は、プルードンにとって大きな主題であった。かれが問題として取りあげたのは理論的には「所有者支配の体制」のもとでの投機の位置と必然性の解明であり、実践的には投機による収奪からいかにして人民を守るか、ということであった。

＊8――パリ万国博中央委員会議長は、ナポレオン三世のいとこのジェローム公であった。かれは民主主義的で反教権的な意見の持主で、プルードンとも個人的交流があった。かれは、万国博の跡地を有効に利用するためのプランを何人かに諮問した。プルードンの提案はそれに応えたものであった〔E. Dolléans, 1948, pp. 187-202〕。ジェローム公とプルードンとの交流についでは、〔D. Halévy, 1948, pp. 411-432〕。

＊9――銀行創設による社会改革という主張は、それにたいするマルクス主義の徹底的批判を既知の

ものとすれば、検討に値しないだろう。しかし、社会改革にさいして銀行の果たす役割への期待は当時の社会主義者に一般的であり、当時のマルクスもそれから自由ではなかった。エンゲルスは、一八五一年八月にマルクスあての手紙のなかでつぎのように書いている。「ここで僕が思いあたるのは、君の案による利子率引下げについて近ごろわれわれがやった討論だ。つまり、紙幣の独占と金銀の流通排除とによって排他的に特権を与えられた国立銀行を創設するという君の案だ」（『資本論書簡』第一分冊、一一〇頁――傍点引用者）。「排他的に特権を与えられた」とか「国立銀行」とかの相違はあるにせよ、マルクスのこの案は、エンゲルスの叙述で見るかぎり、プルードンのそれとほぼ同一のレベルにある。

＊10――ギュルヴィッチは、プルードンのストライキ、団結の否定にかんして、プルードンにおける状況の過度の絶対化を指摘している〔Gurvitch, p. 61〕。

五　社会革命

プルードンは、一九世紀の革命がもたなければならない根本的な新しさをくりかえし強調した。一九世紀の革命は、これまでの革命が社会の部分的領域にかかわるものであったのにたいして、社会全体の根本的な変革でなければならない。このような含意をこめて、プルードンは一九世紀に必要とされる革命を社会革命とよんだ。社会革命は、それが目指す直接的対象から定義すれば、経済的革命である。というのは、これまでの諸革命によって提起され、不完全にせよ実現されてきた、神の前での平等、理性の前での平等、法の前での平等[*1]を包括し、その成果に実質を与えるのは経済的平等の実現であり、それをもたらす経済的革命によって平等の原理による社会の組織化は完成すると考えられたからである。経済的革命によって、人類は宿命の世界から自由の世界へ向けて飛躍するのである。

　こうして社会革命は、それが遂行される次元、実現すべき課題においても、そこで用いられる革命的行動においても、これまでの革命から根本的に区別される。遂行される次元は、「労働、仕事場、帳場、販路、家政」であり、実現すべき課題は、「信用と流通を組織すること、生産を増大し、産業社会の新しい形態を決定すること」(à Gaudon, 10 avril 1848〔Corr. VI, p. 371〕)である。革命的行動についてプルードンはマルクスあての手紙でこう書いている。「革命的行動を社会改革の手段と見なしてはならないのです。なぜなら、この手段なるものはたんなる力や専制への呼びかけ……にすぎないからです。だから私は問題をつぎのように立てましょう。すなわち「ある経済組織によって取り上げられた富を別の経済組織によって社会に変換すること」です」(à Marx, 17 mai 1846〔Corr. II, p. 198, セレクション九三頁〕)。

二月革命

しかし必要とされる社会革命と人びとがなしつつある革命――二月革命――とのあいだには明らかなずれ、矛盾が存在している。「人びとは自由の樹を植え、記念碑の銘を書きかえ、愛国行進を行なっています。かれらは〔一七〕八九年と〔一七〕九三年の讃歌を歌っています。しかし一八四八年のためにはまだ何一つ存在しないのです。……われわれは想い出で生きています」（aux électeurs du Doubs, 3 avril 1848〔Corr. II, p. 302〕）。求められている革命と現実の革命とのずれは、六月叛乱において白日のもとにさらされた。そして六月叛乱が社会革命の要求を表現するかぎりにおいて、プルードンは叛乱者の側に立つ。叛乱の直後にかれはいう。「イギリスのプロレタリアは救貧税で上品に生活している。ドイツの職人（コンパニオン）は仕事場から仕事場へと物乞いすることを恥じない。……フランスの労働者は仕事を求め、もし諸君が仕事のかわりに施しを与えるなら、かれらは暴動をおこし、諸君を銃撃するだろう。わたしはフランスの労働者の方が好きだ。そして私はこの不名誉をよせつけない高潔な種族に属していることを光栄に思う」〔Mélanges, I, p. 92, セレクション九五頁〕。両者のあいだのずれは、結局のところ絶望的な六月叛乱の敗北を通じて、社会革命を流産させ、ボナパルトのクーデタをよびおこしたのであった。

社会革命を実現するには、労働者人民が成熟して社会革命を担うに足りる力を備えることが必要である。この点にかんして『労働者階級の政治的能力』は、労働者が「政治的能力」すなわち階級としての自律性を獲得するうえで必要な条件をつぎのように要約した。⑴自己の位置と役割についての自覚の獲得、⑵この意識の結果としての理念（イデー）を認識すること、⑶その理論に一致する実践――革命的実践に到達すること。この三条件に照らせば、二月革命は、大革命の追憶や空虚な政治的雄弁に押し流されながらも、労働者の固有の要求を「労働の権利」というスローガンで集約的に示した。ここではじめて、労働者は自己を他の階級から積極的に区別する階級として、すなわち自己の位置と役割について自覚をもつ階級として登場したのである。二月革命は、労働者の階級的成熟の一段階を画するものとして、つまり⑴の段階への到達として位置づけられる。ついでプルードンは、一八六四年の『六〇人宣言』のなかに、労働者階級自身の理念の表現を認めた。こうして革命的実践の問題が残る。根本的に新しい革命である社会革命に適合的な、同様に新しい革命的実践は何か、という問題は、プルードンの最大の理論的・実践的問題であった。

プルードンが新しい革命的実践をどのように規定したかを見るまえに、かれの革命概念を簡単に検討しておくことが適切であろう。さきに述べた「公認の社会」と「現実の社会」の区別にもとづけて革命を考察すれば、革命は、「一時的で化膿したかさぶた」である「公認の社会」と「絶対的で不変の諸法則にしたがって自己展開」する「現実の社会」との矛盾・対立関係として把握される。つまり「現実の社会」の運動を抑圧し、制限するにいたるほど肥大し、骨化した「公認の社会」を「現実の社会」の蓄積されたエネルギーが爆破する過程——それが革命である。[*2] 革命の必然性は、「現実の社会」の運動にもとづいている。そして「現実の社会」の運動はいわば定数である——「絶対的で不変の諸法則にしたがう」——から、革命過程がどのような形態をとるかは、「公認の社会」の出方にかかっている。革命は「現実の社会」の「公認の社会」にたいする優越のあらわれにほかならない。「革命は、他のどんな力……もそれにうちかつことのできない力であり」、したがって「もっとも賢明な政策は、人類永遠の進化が、大股にではなく、目にも見えず音もなく実現されてゆくように、一歩一歩革命に道をゆずることである」〔Idée générale, p. 101〕。いいかえれば「反動が革命を規定する」〔ibid. p. 99〕のである。

このように理解すれば、プルードンの革命観におけるあいまいさ——すなわち革命を切断と考えるのか、あるいは連続性としてとらえるのかという点についてのあいまいさにかんして一つの解答を得ることができる。すなわち、革命を「公認の社会」のレベルで位置づければ、それは「公認の社会」を破壊し、「現実の社会」に適合的なシステムでおきかえるという意味で切断にほかならない。しかし「現実の社会」のレベルで考察すれば、革命はその運動の一様相、潜勢的なものの顕在化であり、連続性として把握される。[*3] かれが革命の理由を「社会の傾向」に求め、社会の傾向と構造を区別して「悪いのは社会の傾向なのだから、革命の問題はその傾向を変えることに、それを立て直すことにある」〔Idée générale, p. 156〕と述べたのもこの意味で理解することができる。

プルードンの社会論と革命論が疎外論的問題設定によっていることには問題が残る。しかし「現実の社会」の観念がプルードンの不屈のオプティミズム（作田啓一）を支え、アソシアシオンによる経済構造の変革、コミューンの連合による国家の変革の具体的構想を提起する母体になったことは認めなければならない。

革命を「現実の社会」の運動にもとづけ、根本的な連続性としてとらえるこのような見方から、革命的実践にたいするプルードンのいくつかの基本的態度をひきだすことができる。その一つは、千年王国論的な革命論や革命的ロマンチシズムにたいする明瞭な拒否である。英雄的行動や政治的雄弁は、いかに詩的で華やかであっても、革命的実践ではない。たとえば大革命におけるバスチーユ攻撃や革命法廷の開設は革命的実践ではない。それらは革命の表層を彩る偶発事にすぎない。革命的実践とは、人目にふれず進行している「現実の社会」の運動の表現、「内的な意志に由来し、革命を司る高次の思想の表現」〔Mélanges, II, p. 16〕である。大革命の例をとれば、第三身分の倍増、個人別投票、封建的特権の廃止などである〔ibid.〕。

革命運動が内包する問題

プルードンが社会革命にかんしてこだわりつづけたのは、革命運動そのものがもつ疎外の傾向であった。革命運動のなかでくりかえしあらわれる全体と個の問題、組織の共同性と個人の自由の対立ないし矛盾の問題であり、この問題を共同性の優越あるいは共同性のもとへの個人の全面的包摂によって解消してしまおうとする傾向である。前章でみたように、当時のアソシアシオンの理念と運動にたいするプルードンの執拗な反対は、まさにそれらがもつこのような傾向、その端的な表現であるアソシアシオン理念の宗教性にたいするものであった。「われわれは運動の先頭にいるのですから、われわれを新しい不寛容の指導者にしたり、たとえ論理の宗教、理性の宗教であるとしても、新しい宗教の使徒を自任したりしないようにしましょう」というマルクス宛ての手紙や、「かれら［アソシアシオン運動の指導者］は美しい情熱をもって共同の労働をうちたてることに熱中したが、かれらが作ろうとしたのは、一つの信仰、一つの宗教にほかならなかった」という『投機家提要』の文章は、革命運動にかんしてプルードンがこだわりつづけたものを示している。そしてプルードンは、こうした疎外の傾向を抑制するものとして〈相互性〉にもとづく個人の自発性、自由に固執したのであった。

革命運動の疎外傾向にたいする告発、自由への固執は、当時の社会主義の理論家、運動家にたいする必ずしも正当とはいえない批判の原因となり、またプルードンの主張に保守的な、あるいは反革命的な相貌を与えた。じっさい二月革命期のプルードンのアソシアシオン反対の主張は、ブルジョアによって、ティエールのような保守的政治家によって、かれらのアソシアシオン反対の論拠として利用された。

しかしそれにもかかわらず、プルードンが固執しつづけた問題はきわめて重要だ、と私は思う。当時の社会主義は、理想社会における、またそれを準備する組織における共同性と個体の調和を手放しで楽観して、この問題に重きをおかなかったし、全体への献身の道徳的要請によってこの問題そのものを消滅させようとした。社会主義は共同性と個体の対立・矛盾の現実を批判し克服しようとする企てであるけれども、その克服を全体への献身、共同性への個人の埋没によってはかることは、その真の解決にはならない。それはただ集団や運動のもつ疎外への傾向を見えなくさせ、この問題を抑圧するにすぎない。プルードンが問題にしつづけたのはこの点であった。たしかにプルードンが与えた解答、すなわち相互性を原理とする組織化という解答は、あまりに単純すぎて現実的とはいえないし、また社会革命の勝利にとって必要な力の結集という条件を満たしえないかもしれない。けれども階級や党派性の名のもとで行なわれた運動の宗教化によるこの問題の見せかけの解決がどれほどの悲惨を生んできたかをわれわれは知っているだけに、プルードンの固執のもつ意味はいっそう重いのである。

この点は、革命における目的と手段との関連の問題に結びつく。まず、かれがこの点にかんして革命諸党派にたいして行なう批判を見よう。「従僕としての国家」を槓杆(こうかん)として社会革命をなしとげようとするルイ・ブランはつぎのように批判される。「ルイ・ブランは、自分が活動するために、かれが統治者になること、少なくとも進歩省の大臣になることをあてにしている。かれは、かれ自身が書いているように、善事をなすために独裁的権威を要求している」〔Confessions, p. 252〕。フーリエ主義者であるV・コンシデランのグループにたいしてはこうである。「あなたがたは人間をもっと自由に、もっと賢明にしたいと考えている。そしてあなたがたが約束する幸福の前提条件として、かれらが自分の肉体、精神、知性、伝統、財産をあなたがたの手にゆだねることを要求している」〔ibid. pp. 252-253〕。そして暴力的手段の行使の主張にたいしては、マルクスにあてた手紙のなかですでに「われわれは革命的行動〔武装蜂起のこと——引用者〕を社会改革の手段として提起するようなことをしてはなりません。なぜならこの手段なるものは、力に、恣意に訴えることであり、簡単にいえば矛盾だからです」(à Marx, 17 mai 1846〔Corr. II, p. 198, セレクション九三頁〕) と書き、ブランキにたいしては、かれのとる手段は「力の讃歌」であり、「逆方向に向けられた専制」であり、問題の解決には役立たない、と批判したのであった。要するにかれらは、社会革命における目的と手段を分離させ、手段を「原則の観点」からではなくて、「つねに不確実で、しばしば不道徳な成功という観点」〔Mélanges, II, p. 59〕から提起している。かれらにおいては、目的と手段とのあいだには原理上の関係は存在しない。それゆえかれらにあっては、目的と手段とのあいだに越えがたい深淵が生じ、用いられた手段は自己運動を開始し、肥大して、現在の圧制のかわりに新しい圧制をもたらさざるをえない。さらに目的と手段とのこのような分離は、目的と手段とを転倒させ、手段の自己目的化、たとえば権力獲得の自己目的化をもたらすであろう。抑圧的な、権力的な手段を用いて自由という目的が達成されうるなどとは、プルードンはけっして考えなかった。[*4]

「現実の社会」に根ざす革命

このような革命諸党派にたいして、プルードンは、革命において用いられる手段を「原則の観点」から、つまり「現実の社会」の運動の観点から提起しようとする。この観点から見るとき、用いられるべき手段はあらゆる権威的抑圧——物理的であれ精神的であれ——をまぬがれていなければならない。かれの考えでは、革命的実践は、現実の社会に根ざしているという意味で正当（レジティーム）であり、すでに獲得された法・制度に基礎をおくという意味で合法的（レガル）であり、既存の諸事実に寛容であることが必要である。「正当性、合法性、寛容という三つの性格が革命の正義を構成する」〔Mélanges, II, p. 14〕。積極的にいえば、社会の原理につらぬかれた——いいかえれば達成すべき未来社会を宿した——組織体を現在の社会の真只中に作りだし、それが現存の諸制度、諸組織にたいして平和的に勝利してゆくこと、それと同時に諸個人にたいしては権威の原理に深く侵された意識を根本から変革して、社会の原理の認識の深化と拡大をはかること、これが革命的実践だというのである。

このような組織体の中核をなすのが、交換銀行や労働者会社である。交換銀行についていえば、それは「全市民の自由な参加からその力を汲みだし」、「全市民の自由意志によってのみ存在する」〔Mélanges, I, p. 48〕のだから、あらゆる種類の抑圧と無関係である。それは、平等な諸個人の自発的な契約にのみもとづいているという意味で、相互主義的な社会の萌芽形態である。交換銀行が既存の諸組織にうちかって全社会にゆきわたる条件は、つぎのように考えられる。「われわれは、資本家がかれらの産業を営むことを妨げはしない。利子つき貸借を禁止するものではない。……われわれは自由を侵害するものでもない。われわれはただ、貨幣によって表現される君主政的で個人主義的な原理と交換銀行によって表現される共和主義的で相互主義的な原則とのあいだに競争が開かれることを要求するだけだ。われわれはただ、生産物の流通のために資本家に年貢を支払うことを欲しない人びとがそれを支払うことを強制されないことを要求するだけだ」〔ibid. p. 49〕（傍点引用者）。交換銀行は、その参加者——定款を承認し、貨幣のかわりに交換銀行券を受けとることを承認するもの——にたいして低利の割引きと貸付けを行なうことによって、たとえばフランス銀行よりも有利な地歩をしめる。それだから、交換銀行と既存の金融機関とのあいだに公正な競争が開かれさえすれば、交換銀行は既存の諸機関を凌駕して、砂に水が滲みこむように全社会にゆきわたるであろう。

プルードンのこのような革命観の原型は『ラモーの甥』でえがかれた啓蒙主義の革命観に見

出すことができるだろう。「この三位一体と自然の支配は、まったく静かに打ちたてられてゆくんです。外国の神がこの国の偶像とならんでつつましく鎮座しています。だんだんにその地盤を固めてゆきます。ある日、この神がその相棒を肱でおしのけます。するとガラガラッと、偶像は倒れてしまうんです。……騒ぎも起さず、血も流さず、殉教者も出さず、ひとふさの毛もむしりとられずに自分の目的にむかって進む、この政治的な方法がいちばん上等なものだとわしにゃ思われますよ」〔ディドロ、一一八—一一九頁〕。

プルードンのこのような戦略は空想的あるいは改良主義的と批判されるかもしれない。かれ自身はその現実性を確信し、社会革命を部分的改良の積み重ねに解消する改良主義をきびしく斥けたけれども。[*5] プルードンの意図に即していえば、自分の革命戦略は「現実の社会」の原理にもとづいているがゆえに現実的であり、「現実の社会」の原理が「公認の社会」のそれと対立するものである以上、前者に根ざしている自分の革命戦略は改良主義では決してないと言ったであろう。いいかえれば、未来を現在の限定された可能性のなかに解消しようとする改良主義とは反対に、現在のなかに「現実の社会」に根ざした未来を創出すること、競争をつうじてそれが勝利を獲得してゆくこと、これがかれの戦略であった。

革命を「現実の社会」の運動にもとづける見方から結果する第四点は、革命を社会の自発性の産物とする考え方である。革命は小グループの陰謀や少数のエリートの指導によってなされることではなくて、集合体としての社会が自発的になしとげることである。自発性は、プルードンの社会観、歴史観の鍵概念であり、それは個人においてとおなじく集団においても認められるべきものであった。自発性は自由の原基形態であり、[*6]社会と歴史の動因である。自発性の抹殺は、社会の死を意味するであろう。しかし自発性がその疎外体を生みだし、自由の敵対物に転化して、抑圧のメカニズムを強化してきたこともこれまでの歴史の示すところである。資本、国家、教会の成立の歴史がそのことを示している。そうだとすれば、自発性は自発性―自由という連環と同時に、自発性―その疎外体＝抑圧という連環をふくむことになる。したがって革命の根本問題は、この後者の連環を抑制し、自発性―自由の連環を開花させることにある。このために必要なもの――それは反省であり、「原理の支配」（à M. Le Docteur Clavel〔Corr. XI, p. 255〕）である。こうして社会＝人民の自発的行為としての革命と理念あるいは科学との不可分の結合関係が説かれるのである。

　プルードンにとって、科学はたんに現実の分析だけにつきるものではなくて、現実の基底をなす「現実の社会」の認識をもたらすものであった。そして「現実の社会」の原理が未来社会の根幹をなすのだから、科学と革命とは直接的に結合する。かれが「科学的社会主義」というとき、科学と社会主義とは、科学が資本主義的生産の矛盾の必然的深化と歴史の進行による社会主義革命の必然性を証明するというエンゲルス風の結合とは異なって、科学が直接的に「社会主義」の構造の認識をもたらすという仕方で結合していたのである。プルードンの「科学」のこのような性格は、かれの「経済科学」においても明瞭に現われている。かれのいう「構成された価値」は現代の体制のもとでの商品価値の規定、したがって「所有者支配の体制」の認識の基礎であるよりもむしろ、未来社会における商品価値のあり方を規定するものであった。[*7]かれが「経済科学の対象は正義である」〔Contr. écon. II, p. 397〕と述べ、経済科学と正義との一致を強調した[*8]〔Justice, II, pp. 56-73〕のは、この故にほかならなかった。プルードンの「科学」は、未来の新しい社会の原理の認識をもたらすべきものであった。

以上を要約すれば、プルードンは社会革命を労働者人民の現実の日常生活にもとづけたということができる。労働者人民は、抑圧諸形態によって抑圧され、「政府万能主義的偏見」に侵されてはいるけれども、自発的に相互扶助組織をつくりあげ、十分に自覚的ではないとしても日常生活のなかで社会の原理をわがものとしつつある。二月革命と『六〇人宣言』は、かれらが社会の原理を自己の理論としてわがものとしてゆく確実な里程標であった。そうであればこそ、労働者人民は、「革命の理念」を獲得することができるし、自己の解放のために獲得せねばならないものであった。「手のくぼみに思想をもつものは、頭に思想をもつものよりも、しばしば知的な人間であり、あらゆる場合により完全な人間である」〔Majorats, p. 27〕。革命は日常性のなかに位置づけられるのであり、革命は通常の状態の運動とは異なった「単純化と飛躍」

〔Mélanges, I, p. 147〕という運動様式をとるとはいえ、根源的には日常性のなかにある。かれにとって社会革命とは、「もっとも散文的な事柄であり、革命的エネルギーや偉大な言葉にはもっともふさわしくない事柄」（à Maurice, 26 fev. 1848〔Corr. II, p. 278〕）であった。より適切にいえば、革命の原動力を非日常的な英雄的行動や革命的エネルギーに求めるのではなくて、日常生活の革命化に、すなわち日常生活の基底をなす社会の原理の深化と拡大に求めたのであった。

最後に、社会革命における国家の位置と役割を簡単に考察しておこう。さきに国家批判を検討したさいに、国家の拒否としてのアナーキズムから中央集権化の拒否として連合主義への移行が見られたが、同様の事態がこの問題に関しても存在する。人民銀行の失敗が中央権力のなんらの助力なしに社会革命を遂行することの非現実性を痛感させたからであろうか、プルードンは、『永続的博覧会の計画について』において無償信用のシステムを現実化するうえで国家のイニシアチヴの必要なことを承認し〔Projet, p. 310〕、国家に「警告を与え、刺激を与え、ついで行動をやめる」〔ibid. p. 341〕という機能を委ねたのであった。そして『連合の原理』では包括的につぎのようにいわれる。「私はこれら公益のためにつくられたあらゆる大規模なものへの、必要に応じての国家の参加を、理解し、承認し、要求する。しかし私は、それがひとたび公衆にひきわたされれば、それらを国家の手中にとどめておく必要をけっして認めない。私の考えでは、そのような中央集権化はあまりにも過度の権力を形成する」〔Principe fédératif, p.

327〕。社会革命における国家の位置と役割はこのように規定されるのである。

しかしいうまでもなく、この国家は、集中された強大な権力によって強圧的に上からの変革を実現するような国家ではない。それは、諸組織が「創設され、任命ないし式典が行なわれれば、身を引く」〔ibid. p. 327〕ような国家である。その意味で、たとえばルイ・ブランの「従僕としての国家」とは根本的に異なる。そしてまた、『共産党宣言』のいっさいの生産用具を手中に収め、「所有権とブルジョア的生産諸関係とにたいする専制的な侵害」を行なう国家とも異なっている。それは「刺激を与え、ついで行動をやめる」ような国家、いわば「死滅しつつある国家」である。マルクスは、『共産党宣言』においては、権力を獲得したプロレタリアートは国家をどのように利用するかについて具体的に述べたが、国家の死滅は過程ではなくて遠い未来の究極目標にとどまり、階級的差別の廃止の彼方に国家の死滅が遠望された。プロレタリアートに必要な国家は特殊な国家、すなわち、死滅しつつある国家であり、その具体的条件はなにかが定式化されるためには、パリ・コミューンの経験が必要であった。この意味で、『共産党宣言』の一八七二年版の「訂正」は「本質的な訂正」（レーニン）であった。プルードンはマルクスと反対の方向から死滅しつつある国家の定義に迫る。すなわち国家の全面的否定から社会革命に適合的な国家の明確化に向かうのである。この点は次章で検討しよう。

＊1——革命の歴史にかんする叙述については、つぎを参照〔Mélanges, I, pp. 142-151〕。

＊2——それゆえ革命は、機械的（メカニック）ではなくて、有機体的（オルガニック）だとプルードンはいう。有機体的というのは、「あらゆる政治制度、あらゆる国家組織に優越し、社会の内的で古くからある組織を構成するもの」〔Confessions, p. 111〕だからである。

＊3——もとより革命時と通常時では、運動の様式は異なる。革命時においては、「運動は、異常なしかたで加速され」〔Mélanges, II, p. 13〕、「単純化と飛躍」〔Mélanges, I, p. 147〕によって進む。

＊4——A・リッターは、プルードンの革命戦略の弱点は、まさにこの点に、つまり「完全主義」にあるという〔A. Ritter, pp. 164-181〕。

＊5——cf.〔Solution, p. 3〕. 本書でプルードンは、経済的革命を妨げている偏見をつぎのように列挙している。⑴全体の変革ではなくて部分的改良の積み重ねという考え方、⑵貧困の原因を労働の悪い組織に求める考え方、⑶個人のイニシアチヴを抑圧して、権威によってすべてを獲得しようとする考え方、⑷調和と友愛の名のもとにあらゆる相違、対立、競争を否定する考え方〔ibid. pp. 3-4〕。

＊6——自発性と自由とはつぎのように区別される。「無機的存在においてはもっとも低い段階にあり、動植物においてはより高められた段階にある自発性は、人間において自由の名のもとで完全なものになる。そして人間だけが主観的・客観的なあらゆる宿命論から自己を解放しようとし、また実際に解放するのである」〔Justice, III, p. 403〕。

＊7――〔坂本慶一、一九七〇年、一四六―一四七頁〕を参照。
＊8――この点にかんして、「科学」の立場からもっとも厳しい批判を行なったのは、L・ワルラスである（cf.〔L. Walras, 1860〕）。

結語

プルードンは現代社会を資本、国家、教会の「絶対主義の三位一体」によって囲繞され、包摂された社会としてとらえた。この三者は、外在性―絶対性―宿命論から成る権威の原理を共有しており、原理的な同質性において把握された。かれは「絶対主義の三位一体」を社会の原理によって越えようとした。その基礎をなすのは、自発性、運動、関係という概念であり、その立場は相対主義であった。

かれの構想する〈社会主義〉は、サン＝シモニアン風の単一の中心にむかってすべての要素が秩序づけられ、編成される階層秩序ではなくて、すべての要素を平等な要素として位置づけ、それらが自発的で相互的な関係をとりむすぶような社会であった。この社会においては、それを形づくる諸制度は関係を構成する一項目であって、それ以上でも以下でもないとされた。

歴史にかんしては、その立場はあらゆる時代と歴史的諸構築物の歴史的相対化として現われる。歴史は超越的な絶対者の命ずる必然性によって導かれるものとしてではなくて、社会と個人に賦与された自発性を起点とし、存在する問題の解決が新しい問題の発生と必然的かつ分ちがたくあざなわれたダイナミックな過程として把握される。歴史はある発展段階の矛盾が必然的につぎの段階を結果するという単系的な必然的発展であるよりもむしろ、「よい面」と「悪い面」との、問題解決と問題発生との、ポジティヴな側面とネガティヴな側面との対立・補完、およびからみ合いである。プルードンはこのような含意をこめて社会のプロメテウス的性格を強調したのであった。そうだとすれば、歴史は矛盾と頽廃の方向にのみ方向づけられるのでも、進歩と調和の方向にのみ向けられているのでもない。歴史においては進歩とおなじく頽廃もある。さきに述べたように、歴史は自発性―自由という連鎖と自発性―自発性の疎外体＝抑圧という連鎖の対立・葛藤のドラマであり、この両者の関係が個々の歴史局面の特殊性を構成するのである。このようにしてプルードンは宿命論とその裏返しとしての目的論的必然論を越えようとしたのであった。

この立場は、同時代の革命運動が権威の原理に、その政治的現われとしての政府万能主義的偏見に囚われているかぎりにおいて、革命諸党派をも批判の対象にすえる。とりわけプルードンがきびしく批判したのは、さきに引用したマルクス宛ての手紙が示すように、革命党派のもつ自己絶対化、党派性であった。もとよりプルードンは、ブルジョアとプロレタリアのあいだに非和解的な対立があり、プロレタリアの運動が階級性を獲得することの必要性をけっして否定しなかった。しかし現代の諸党派が体現する党派性は、自己絶対化と偏狭な閉鎖性という点で新たな宗教にすぎず、「カトリック神学を転覆してからすぐに、破門と呪詛の大騒ぎの真只中でプロテスタント神学をうちたてる」〔á Marx〔Corr. II, p. 198, セレクション九二頁〕〕ものでしかない。それは一つの絶対主義をうちたおしても、別の絶対主義をうちたてることにならざるをえない。党派の理論と組織は、樹立すべき新しい社会とまったく適合的でない。プルードンが革命運動において何よりも重要だと考えたのは寛容であり、ヴォルテール的精神であった。プルードンは書いている。「われわれの世代に欠けているのは、ミラボーのような人物でもロベスピエールのような人物でもボナパルトのような人物でもない。欠けているのはヴォルテールのような人物である」〔Confessions, p. 291〕。

ところでプルードンの思想の特徴をなす相対主義の立場は、一つの困難をはらんでいる。一般的にいって、相対主義は自己を積極的に定立しようとすれば、その主張に反して何らかの規準、尺度をその絶対的な前提条件とせざるをえない。したがって相対主義は積極的な主張を行なうことが困難であり、またそうしようとすれば、自己の原理から逸脱してその規準、尺度の絶対化に向かわざるをえない。プルードンのばあいもそうであった。プルードンが相対主義を堅持しようとするかぎり、かれの主張は、断定的結論を求めるものの目には、首尾一貫性を欠き、不徹底であると映らざるをえないであろう。またかれの主張は論争の相手の主張にたいする反措定として提出されることが多く、相手が変わるに応じて力点が変化するから、プルードンは、変身の神プロテウスにたとえられたのであった〔C. Bouglé, 1932, p. 140〕。

しかしながら疑いもなくプルードンは、新たな時代に向かいあい、それが提起する問題を明確に認識したのであった。所有にかんしても、国家にかんしても、とりわけ革命的実践にたいしても、解き明かさねばならない問題を提示した。プルードンの主張の新しさは、社会革命の時代という新たな問題状況を把握し、それに適合する問題―解答をうちだそうとするかれの理論的努力にあった。かれの主張の矛盾や動揺や混乱は、この状況の根本的な新しさ、それを把握しようとする理論的努力とそれに適合的な問題構成の未成熟を映しだしている。かれの眼前にあった状況が根本的な新しさをもつものでなければ、さらにたとえ状況が新しくともそれに気づかず、あるいは無視して、政治的民主主義や少数の指導者によって遂行される革命などの既存のシェーマを守っていたならば、おそらくかれはもっと首尾一貫した、矛盾のない主張をなしえたであろう。ゲランの言うように、「かれは新大陸に、だれも導き手として役立たないほど新しく、未開拓の領域に到達した。矛盾は、かれの思想のなかよりも、それが映しだす対象そのもののなかにあった」〔D. Guerin, 1967, p. 86〕のである。

V　プルードンと〈国家の死滅〉

プルードンが政治的支配に固有の問題に注目し、発言しはじめるのは、一八五〇年代の後半に入ってからである。すでに『経済的矛盾の体系』において権力と独占の同時的打倒が現代の課題である〔Contr. écon. I, p. 345〕と述べ、また『一九世紀における革命の一般理念』においては現代国家のもつ中央集権化の傾向の認識と批判、経済的革命の遂行による政府の解消という原則的立場は明示されたけれども、かえってこの立場のゆえに、現実の政治問題に固有の重みは注目されなかった。しかし第二帝政のもとで強力におし進められた中央集権化、巨大な国家装置の整備、ヨーロッパ各地でのナショナリズムの運動、それを利用したナポレオン三世の対外政策などが、プルードンに政治の問題の解決を迫った。

私たちは以下の論述で、二月革命の総括とのかかわりにおいてプルードンの状況認識を考察し（第一節）、ついで普通選挙の問題を中心に第二帝政期の国内政治構造の検討をし（第二節）、対外政策とナショナリズムの問題を取りあげ（第三節）、最後にプルードンの国家解体の思想を検討しよう。

一　状況認識

ルイ＝ナポレオンの登場

プルードンは、第二帝政の成立を単なる陰謀や軍事的手段によるものとは考えなかった。それは何よりも二月革命の挫折の直接的結果だと考えられた。したがって第二帝政の本質と傾向を明らかにするためには、二月革命の挫折の根拠を問わなければならない。

プルードンの考えでは、二月革命は一つの歴史的必然であった。それはもっとも一般的にいえば、「現実の社会」と「公認の社会」の対立・矛盾が深化したことによって生じたのであり、具体的にいえば、大革命があとに残した経済的無政府状態とそれに由来する貧困の累進的な増大の必然的帰結である。それゆえ二月革命は「社会革命の出発の日付」〔Mélanges, II, p. 7〕にほかならなかった。ところが二月革命によって成立した臨時政府は、社会革命をそれとは原理的に両立しえない政府の手によって遂行しようとする。これが二月革命の内包する矛盾であり、二月革命が「理念をもたない革命」〔Carnets, III, p. 10〕である所以である。そしてこの矛盾の悲劇的爆発が六月蜂起であった。六月蜂起は、国家の手によって労働権を保障するというもともと不可能な企てである国立作業場が破産し、「四ケ月の失業が戦闘の原因に、共和国にたいする蜂起に変る」〔Mélanges, I, p. 91, セレクション九四頁〕ことによって発生したものだからである。蜂起したパリの労働者民衆は三日間で打ち破られるが、状況は改善されない。ブルジョアジーにとっても事態は最悪になりつつある。「パリのブルジョアの窮境は手の施しようのないものになっています。かれらは労働者のように、仕事、信用、パンを大声で要求しています。事業の回復は通常の方法では不可能です。別の一撃が避けられなくなっています」（à Maguet, 28 juin 1848〔Corr. II, p. 333〕)。

最初の「別の一撃」は、一八四八年一二月のルイ＝ナポレオンの大統領選出であった。プルードンによれば、ルイ＝ナポレオンの選出は二つの要因によるものであった。一つは「ボナパルト家の紋章の下で勝ち誇った反動のすべての前進を意味するもの、つまり立憲君主政という最終的表現に要約される」〔Mélanges, I, p. 236〕ものである。もう一つは、かれの著作『貧窮の絶滅』（一八四四年）で表明された社会問題の解決、労働の権利の保障の約束、共和国憲法の尊重の約束である。多数の労働者民衆は、六月叛乱の武力鎮圧者カヴェニャック将軍にたいする復讐とルイ＝ナポレオンのこの約束を信じて、ルイ＝ナポレオンに投票したのであった。しかしこの二つの要因は両立不可能である。ルイ＝ナポレオンの登場は、「大衆にとってはもっと迅速な革命の希望であり、大衆を抑圧する王党と教会にとっては反革命の希望である」という矛盾に満ちたものであった。

翌四九年六月一三日のルドリュ＝ロランを中心とする急進派のデモの敗北によって新しい段階が到来する。生命力をもつあらゆる集団、党派が消滅したからである。すなわちジャコバン派、ルイ・ブラン、カベなどに代表される宗教的・超越的な共産主義、伝統的な保守主義の没落は決定的になり、それとともに真の意味での政府ももはや存在しなくなる。「政府は表現すべき世論も党派ももはやもたないから、それは何も表明しないし、何物でもない」〔Confessions, p. 336〕。ルイ＝ナポレオンが表わすのは、このような諸党派の混乱と政治の真空状態にほかならなかった。

この真空状態を終らせるべく第二の決定的な「別の一撃」が加えられる。一八五一年一二月二日のクーデタがそれである。「一二月二日には、大衆は疲れはて、討論することも創意を発揮することも不可能な状態にあった。ブルジョアジーは不安に陥り、自分の利害を保護してくれる好意的な首領を頼りにしたがっていた。……両方の側にとって、個人的権力、唯一者の権威が、解決の論理的機関、必要不可欠の手段と思われた」〔Révolution sociale, p. 161, セレクション一一〇頁〕。こうしてクーデタが遂行され、一二月二〇日の人民投票によって、七四〇万票対六〇万票の圧倒的多数で承認されたのである。二月革命の内的矛盾とその一層の深化、それに由来する政治的真空状態が、クーデタの成功、社会を一身で表わす独裁者の登場を可能にしたというのが、プルードンの認識であった。いいかえれば、第二帝政は国家と経済的革命の矛盾、「公認の社会」と「現実の社会」の矛盾の極限的形態であり、この矛盾を抑圧するために国家権力の一層の強化を目指さざるをえない体制であった。「権威の否定と、したがって全政府機関の消滅は、一八四九年にはまだ漠然とした観念であるように思われた。しかし一二月二日以後には、この点にかんして一点のくもりも残っていない。一二月二日は、現代フランスにおける政府万能主義と経済との、国家と社会との矛盾を浮きぼりにした。間違うことのない表現者たる諸事実が、四年前には論理の法則によってやっと見抜きえたことを、今日では明白なものにした」〔ibid. p. 286〕。

産業的帝政

このようにして成立した第二帝政を支えるのは、国家と結合した産業・金融的独占である「産業的帝政」である。所有者支配の体制の第一段階は「産業的無政府」である。それは「イギリスの経済学によって理想化された」〔Manuel, p. 5〕所有の絶対性と無制限の競争が支配する社会である。この体制のもとで、より大きい所有がより小さい所有を滅ぼし、併合する。所有の集中、独占化が進行する。こうして「産業的封建制」に移行するのである。それは金融資本と産業の独占的結合体が政府から特権と保護をひきだすことによって肥大してゆく体制、「なかば特権によって、なかば特許状によって、そしてつねに政府の援助と同意によって構成される」〔ibid. p. 391〕体制、「無政府的競争と合法的併合の体制、政府の認可と国家の独占の体制」〔ibid. p. 6, セレクション一二〇頁〕である。産業的封建制のもとで、集合力の搾取は飛躍的に強化され、労働者の貧困化と所有者＝資本家の富裕化が急速に進行する。さらに政府と金融・産業の癒着につきもののあらゆる種類の腐敗。ここでプルードンが思い浮べているのは七月王政下の状況であろう。こうして産業的封建制のもとで、所有の反社会性は明白になり、経済的革命の必然性があらわになる。

しかしながら「新しい封建制と決定的清算とのあいだに経済的集中が、……産業的帝政がある」〔Manuel, p. 399〕。むしろ社会的、経済的革命の敗北が一時的で過渡的な段階として産業的帝政を成立させたのである。しかしそれは矛盾の解決ではないから、所有者支配の体制を維持するために、「さらに強力な集中の手段」〔ibid. p. 6〕、国家の経済秩序への介入の強化、要するに「産業的封建制」の拡大・強化をはかる以外にない。第二帝政のもとで復古王政と七月王政の時代から成長してきた金融的・産業的封建制は、その組織を完成し、足場を固めた。金融的・産業的封建制が帝政を支え、帝政はそれに保護を返した。産業的帝政とは要するに国家と一体になった経済的集中・独占にほかならないのである。

じっさい、製鉄業におけるタラボ、シュネーデル、ヴァンデル、化学工業におけるギュルマン、ギメなどが政府の保護と便宜供与のもとで地歩を固め、強大な存在になってゆくのは第二帝政のもとにおいてである。さらに鉄道建設や工業化に必要な資金の調達のために「資本の人民投票」である貯金の動員がはかられる。[*1] ペレール兄弟が一八五二年に設立したクレディ・モビリエはそのシンボルともいうべき存在であった。「プルードンの協力者ジョルジュ・デュシェーヌは、ペレール兄弟が一八六二年に一九の会社、資本金三五億フランを「支配している」ことを確認した。さらにデュシェーヌによると、諸会社の重役の職は一八三人のあいだで分けられ、そのうちの三〇人（モルニ、ロートシルト、タラボ家、ペレール兄弟など）は驚くほど多くの職を兼任していた。この一八三人は株券、社債の二〇〇億フラン以上を管理し、まさしく工業「帝国」を形成していた」〔G・デュプー、一二〇頁〕。

産業的帝政の成立は、中間階級の没落過程にほかならなかった。プルードンは『革命と教会における正義』（一八五八年）で、「帝政政府は中間階級を放逐している。……クーデタ以来、中間階級は押しつぶされ、二〇年後にはフランスにはもはやプロレタリアと貴族しかいなくなる」〔Justice, II, pp. 305-306〕と述べて、この事実を確認している。さらに最後の著作になった『労働者階級の政治的能力』（一八六五年）においては、第二帝政下の経済政策と独占と集中によって、中間階級の没落がもはや決定的になったと述べる。「中間階級は正面からは賃金の高騰と株式会社の発達によって、側面からは租税と外国との競争すなわち自由貿易によって打撃をうけて、日に日に没落し、ついに官僚組織、上層ブルジョアジーおよび賃労働者階級にとって代られることになった」〔Capacité politique, p. 230〕。しかもこの階級は単に経済的にだけでなく政治的、思想的にも無力な存在になってしまっている。そして中間階級の没落と、社会のブルジョアジーとプロレタリアへの両極分解が中央集権化を促進し、独裁政治を強化しているというのがプルードンの認識であった。[*2]

こうして資本と国家がたがいに支えあって政治的中央集権化が進行する。中央集権的権力は、本来的に「資本の労働にたいする優位を確保し」〔Idée générale, p. 147, 邦訳七一頁〕、資本に有利な秩序を維持することによって「産業的封建制の外壁」の役割をはたすが、帝政はその最高の形態だというのがプルードンの認識であった。それは特権的資本家に経済的独占のための便宜と保護を与えるとともに、反対派の根拠地――地方自治体、新聞、労働者組織などを弾圧し、普通選挙を大衆操作のための技術に変質させることによって、ブルジョアジーの専一的支配を確保するのである。地方自治体と普通選挙の問題は次節で検討するとして、ここでは新聞と労働者組織にたいする弾圧を簡単に見ておこう。

二月革命期に、諸党派やさまざまなグループの政治新聞は百花繚乱の観を呈した。[*3] プルードンも『人民の代表』、『人民』、『人民の声』紙を発行し、諸党派にたいする、またルイ＝ナポレオンにたいする尖鋭な批判によって際立った存在であった。政治新聞は、共和派、社会主義派の活動の根拠地であった。それにたいして政府は、カヴェニャックの独裁のもとで四八年七月に新聞取締法を復活させ、翌年七月には違反項目を拡大し、さらに五〇年七月には政治新聞にたいする印紙税を復活して弾圧を強化する。

クーデタ後の一八五二年二月の政令では、反政府派の新聞にたいする弾圧は一層強化される。この政令は新聞の創刊および発行人や編集者の変更には政府の許可が必要であり、議会の討論は公式議事録の写し以外は報道禁止、新聞にかんする裁判は報道禁止、政府は新聞に警告を発することができ、二ケ月以内に二度警告を受けたときは新聞発行そのものが禁止されるという厳しさで、反政府派の新聞の存続を事実上不可能にするものであった〔G. Weill, pp. 313-322〕。こうして一八五二年六月には、共和派の新聞は一一五紙から一五紙に、社会＝民主派の新聞はゼロになるのである〔A. Dansette, 1972, p. 84〕。

労働者組織にたいしてはあめとむちの政策がとられた。クーデタ後、アルジェリア送り九五三〇人を中心に追放処分や警察の監視下におかれたものは二万人を越えた〔河野健二、一九七七年、二一頁〕し、一八三四年の結社禁止法が復活する。職人組合や労働者アソシアシオンは厳しく取締られ、相互扶助組織だけが承認される。その相互扶助組織にしても、一八五二年三月の政令で、知事任命の会長を受入れることを強制され、権力の監視下におかれた。さらに労働者の移動の自由を制限するものとして悪名の高かった労働者手帖制度が、一八五四年六月の政令で家内労働者や鉱山業にまで拡張され、労働者にたいする管理が強化される。このような組織弾圧、監視の強化とひきかえに、いくつかの温情主義的な労働者保護策が実施された。オルレアン家の没収資産を基金とする相互扶助組織への援助、労働者住宅の改善、公益質屋の再建などが実施され、また労資間の利害の調整のために労働者代表をも加えた「労資調停審議会」が設立された。これらの温情主義的施策は、五〇年代の経済的繁栄に支えられて、労働者の境遇改善に一定の成果をおさめた(参照〔谷川稔、一九七七年〕)。

*1——第二帝政の二〇年間に、貯金通帳の保有者は人口一〇〇〇人につき二〇人から六〇人に、貯金総額は一億五〇〇〇万フランから六億フランに増加した〔G・デュプー、一五三頁〕。

*2——プルードンによれば、フランスは(一)おびただしい数の小土地所有、小工業、小商業の存在、(二)地方自治体、農業共進会、商工会議所などによる国家の活動の分散、(三)国家と地方自治体の給料生活者(六〇万人)の存在、(四)小財産をつくることの容易さ、などのゆえに、中間階級が力をもち、また強い中間階級的性格——自由と中庸への志向——をもつ国であった。そしてこの自由と中庸状態への愛好がフランスの革命的伝統の源泉だと考えられた。つまり、政治的・経済的な中庸状態がおびやかされ、破壊されるとき、フランス国民は中庸状態を守るために極端に走るというのである〔Confessions, p. 353〕。さらにプルー

ドンにとって、中間階級は自立への確信、自由の精神などによって社会革命にたいして重大な貢献をなしうる存在でもあった。中間階級のこのような重視のために、プルードンの思想はプチ・ブル的だとされてきた。西川長夫はこのような評価にたいして、つぎの二つの点に注意することが必要だと言う〔西川長夫、一九七四年、一二四―一二六頁〕。一つは、プルードンが中間階級とよんでいるのは、自分の労働によって生活費を得る点ではプロタリアと同じだが、その職業からあがる利益と損失の全責任を自分で負う点でプロレタリアと異なっているような階級、簡単にいえば独立小生産者のことであり、ふつうにいわれるプチ・ブルのイメージとは必ずしも一致しない、ということである〔Révolution sociale, pp. 125-126〕。今一つの点は、プルードンの主張はあくまでも人民＝プロレタリアの解放にあり、そのよびかけの対象も中間階級であるよりも、人民であったということである（中間階級によびかけるばあいも、中間階級の利益という立場からではなくて、人民の解放という立場から、人民との連帯の立場からなされている）。この意味で、プルードンはプロレタリアートの解放を中間階級とフランスの中間階級的伝統をもとにして構想したけれども、プロレタリアの利益から切りはなして中間階級の利益を擁護するとか、現実の歴史のなかでプロレタリアの中間階級化が進行していると主張しているのではない。『投機家提要』と『労働者階級の政治的能力』は中間階級の政治的・経済的・思想的没落の傾向をはっきり確認している〔Capacité politique, p. 230〕。

＊3――一八四八年二月から六月にかけて三〇〇種の新聞が発行された。この時期のジャーナリズム

の展開については、〔竹内成明、一九七四年、一九七七年〕の二論文を参照。

二 普通選挙の批判

第二帝政下の普通選挙

ルイ＝ナポレオンは七月王政にたいする蜂起をくりかえしていたころから、未来の憲法は皇帝にたいする人民投票と下院にたいする普通選挙を骨子とすべきことを主張していた〔Louis-Napoléon, 1854a, p. 384〕。「政府が大衆に権力を与えれば与えるほど、政府の権力はますます強固になる」〔Louis-Napoléon, 1854b, p. 160〕というのが、その論拠であった。じっさいルイ＝ナポレオンが政治の舞台に登場するのは、一八四八年六月の補欠選挙によってであったし、クーデタにさいしても「普通選挙は回復され、五月三一日の法律〔選挙権を在住三年以上の成年男子に制限する一八五〇年五月三一日の法律。この制限によって約二八〇万人（有権者の二九％）が選挙権を奪われた〕は廃止される」と宣言したのであった。[*1]

このような普通選挙の重視は、単に権力闘争の武器として普通選挙を利用するということだけでなく、普通選挙こそボナパルティズムの基礎であるという認識にもとづくものであった。ルイ＝ナポレオンがあてにできたのは、政治過程から排除された物言わぬ人民大衆であり、かれらに発言させ、投票させることこそ勝利の基盤だったからである。[*2]

こうして第二帝政下で普通選挙が回復されるという逆説的な事態がおこる。第二帝政の普通選挙は、皇帝＝執行権力にかかわる人民投票と立法院や地方議会議員を選出する選挙から成っており、執行権力の優位の原則からいって人民投票の方が重視されるのは当然である。しかし西川長夫がいうように、人民投票はその本性上、体制の当初か、体制の根本的転換のさいにしか行なわれない（じっさい第二帝政の一八年間に二回行なわれたにすぎない）から、かえって発議権を奪われて無力化した立法院の選挙が、体制にたいする人民の支持をはかるものとして重要性をもつのである〔西川長夫、一九七七年、四〇頁〕。こうして立法院や地方議会の選挙は国内政治の焦点であり、それを体制に有利に導くことが帝政権力の課題であった。そのための手段が、官選候補制と皇帝―内務大臣―県知事というルートを通じて行なわれる物質的、精神的な威嚇と報奨による官選候補への投票の誘導であった。

官選候補制は、政府を支持する選挙民にその候補者が政府派の候補者であるかどうかを示すための制度だというのが政府の説明であったが、この制度の中核を担うのは皇帝任命の各県の知事であった。県知事はその県の官選候補のリストを作成し、内務大臣に提出する。内務大臣は、その候補者がクーデタに反対した人物であったり、ルイ＝ナポレオンに敵対的な人物であるばあいには候補者リストから取除く。内務大臣ペルシニは、一八五二年の選挙のさいにある知事あてに書いている。「あなたの推せんする人物がどれほど立派であろうと、一八五一年の財務官の投票に賛成した——つまりルイ＝ナポレオンに反対した——かつての議員を政府が受けいれることは不可能です」〔T. Zeldin, p. 15〕。それと同時にペルシニは、選挙のための一般的指示として、「反対者のことで思い悩んではなりません。行政機関の活動が決定的だと私は確信しています。ルイ＝ナポレオンの政府の候補者の名を大声で宣伝しなさい。人民の感情に訴えなさい。今日、選挙を行なうのは大衆であって、古い勢力ではありません」〔ibid. p. 16〕と指令している。このようにして知事は地方行政の総括者としてだけでなく、官選候補の推せんや選挙運動の実質的な責任者としてきわめて重要な位置をしめるのである。*3 そして知事の下では、これまた任命制の郡長、市町村長が、さらに学校教師や郵便配達夫までが露骨な選挙干渉をもふくめて集票マシーンとして働いた。もっとも露骨なばあいには、村長が投票所で投票用紙に官選候補の名前が記入されているか否かをチェックしたといわれる〔ibid. pp. 83-84〕。

プルードンと普通選挙

このような行政機構による選挙運動と平行して物質的利益による投票の誘導が行なわれる。フランスの地方自治体の財政は、とりわけフランス革命以後、貧しい状態にあったから、学校の設立とか橋の建設などの住民に必要な事業を行なおうとすれば、中央政府からの補助に頼らざるをえなかった。このような条件のもとで官選候補は、補助金の約束を武器に、選挙を有利に闘うことができた〔ibid. p. 82〕。

プルードンはこのような状況にある普通選挙にたいしてどのような態度をとったであろうか。前章でふれたように、プルードンは二月革命前後の時期に共和派の普通選挙至上主義の主張にたいして厳しい批判を加えた。その主な論点は、普通選挙は「自由の理論」ではなくて「政府＝統治の理論」であり、人民を現代の課題である経済的革命から逸脱させて政治革命に、政府万能主義に導くこと、第二に、経済的不平等と中央集権国家の現存という条件のもとでは、普通選挙は虚偽の人民主権、「その戯画」〔Carnets, II, p. 230〕しか生みださず、人民の解放ではなくてかえって中央集権の強化を生みだすということである。プルードンは、普通選挙は人民の仮面をかぶった「多数の専制」〔Solution, p. 56〕という最悪の専制であり、「人民に嘘をつかせるもっとも確実な手段」〔ibid. p. 62〕だ、と述べている。この時期のプルードンの普通選挙にかんする主張をそれだけとりあげれば普通選挙の全面的否定ということになるけれども、他のばあいと同じく、プルードンは普通選挙のもつ正機能を認めないわけではなく、それをいかにして増進するかという問題意識をもっていたと考えられる。そしてクーデタ以後に行なわれた数度の立法議会選挙にさいして、プルードンは普通選挙が自由の実現にとって有益であるための条件が何であるかを探求していった。もっともこの探求は、普通選挙がいかなる条件のもとで行なわれてはならないかという、否定的な仕方でなされたけれども。

クーデタ以後の普通選挙にたいしてプルードンのとった態度を検討しておこう。まず、一八五二年二月末に新憲法下で行なわれた最初の立法院選挙にかんしては、プルードンは、あとで述べる一八六三年の選挙のときとは反対に、投票を支持するとともに、議員にたいして新たに義務づけられたルイ＝ナポレオンへの宣誓をも受入れるべきだと主張した。その理由は、クーデタ後の現在においても共和政は深く傷つけられてはいるが存在しており、共和派と社会主義者が立法院に登場することは、共和政の維持に役立つというのである。また宣誓にかんしていえば、宣誓を拒否した三人の共和派の議員——カヴェニャック、カルノ、アノン——をつぎのように批判する。宣誓は王党派にとっては人格的な臣従を意味しているが、共和派にとっては国家の首長への宣誓の形をとった人民主権の承認にすぎず、したがって双務的な契約である、宣誓拒否者たちは宣誓という事態のなかにルイ＝ナポレオンという人物しか見ないという誤謬を犯しているというのである〔Révolution sociale, pp. 218-219〕。

この選挙のときには、プルードンはまだ獄中にあり、したがって選挙とのかかわりも間接的なものであった。プルードンが選挙に直接にかかわるのは、同じ年の九月に行なわれた立法院の補欠選挙のときである。八月末に、古くからの共和派でカヴェニャックの友人であるグショー（M. Goudchaux）と共同で補欠選挙に立候補してほしいという要請がプルードンのもとにとどけられる。プルードンは最初、要請を断るが、友人の勧めもあって、条件つきで受入れる。その条件とは、一、自分の立候補がグショーと競合しないこと、いいかえれば自分の名前が共和派の分裂の種子にならないこと、この共同の立候補が自分のかねてからの主張である中間階級とプロレタリアートの協同を表現するものであること。二、この立候補が、クーデタとルイ＝ナポレオンの独裁は歴史的条件によって社会革命への道を強いられており、社会革命に到達せざるをえないという『クーデタによって証明された社会革命』の主張の表現として受取られること。三、議員に課せられた宣誓の義務については、完全に自由な態度をとること、いいかえれば共和派の戦術である宣誓拒否の態度はとらないということ（à Furet, 10 sept. 1852〔Corr. V, pp. 13-16〕）である。

しかし数日後、グショーは『シエークル』紙で、自分は政策においても思想においてもプルードンとは何もともにするものはないと宣言した。プルードンはこの宣言を二月革命の否定、反社会主義の宣言と理解し、それにたいして拒否された社会主義を擁護するために、グショーと対抗して立候補することを決意する。「私が立候補を受入れるか否かは些細なことだ。現時点で本質的なことは、『シエークル』紙に代表され、その旗に社会主義反対、つまり革命反対と大文字で印している共和主義分派にパリの人民が賛成するか否かを知ることだ」（à Beslay, 15 sept. 1852〔Corr. V, p. 22〕）。ただし宣誓の問題については、支持者との討論で決定し、宣誓拒否の態度をとることもある、と主張を変えている。プルードンのこれらの手紙は、この選挙にかかわるかれの友人や共和派の人びとに回覧され、紛糾をよびおこした。数日後に、今回の選挙で重要なのは政治的行動ではなくて、良心の表明だと述べた手紙が数通とどく。それによれば、グショーの立候補は共和派の良心の表現であり、かれと対抗することは間違いであるだけではなく、邪悪な行為だというのである。それとともにグショーからも弁明の手紙がとどく。プルードンは、自分が二月革命の生き残りとして、社会主義の原則の主張者として立候補を要請されていると考えたことが間違いだったことに気づく。「人びとは、反動的傾向に反対するために、革命家ではなくて純潔な乙女を求めている」(a Beslay, 20 sept. 1852〔Corr. V, p. 28〕)。そうだとすればプルードンは無用の存在でしかない。こうしてプルードンは九月二〇日に立候補の撤回を告げたのであった。

この経過のなかでは、自分の立候補問題は別として、普通選挙そのものにたいする反対、棄権運動などはまったく考えられていない。それどころか、共和派への投票を進行しつつある反動化にたいする抵抗として評価し、共和派の無気力を批判しているのである。

一八五七年の立法院選挙のさいには、プルードンの態度はあいまいになる。共和派は選挙に熱意を示し、亡命中のルドリュ＝ロランやルイ・ブランは民主派の行動を要請する宣言をだした。そして五人の共和派が立法院に席をしめることになったのである。この選挙にさいして、プルードンは友人のベレーに「今日では棄権はぜひとも必要になっている」と書くが、同時に共和派の進出を人民の帝政反対の意志のあらわれとして喜んでもいる。しかし、この五人の共和派の大げさな身振りや言辞はプルードンには我慢のならないものだったようだ。それは二月革命期の共和派の姿の再現であり、かれらがまったく変化していないことをプルードンに痛感させたにちがいない。

棄権運動の提唱

一八六三年の立法院選挙においては、プルードンは棄権運動と宣誓反対をはっきりと主張する。この選挙で飛躍をめざして、選挙に先立って行なうことを義務づけられた宣誓を受入れ、候補者の統一リストを作成して選挙に臨もうとした共和派にたいして、プルードンは『宣誓した民主主義者と宣誓拒否者』というパンフレットを著わして批判を加えるとともに、ジュール・バスティドを議長とする棄権委員会を組織して棄権運動に取り組んだのである。

共和派がうちひしがれていたクーデタ直後に投票を支持し、帝政にたいする反対が力を得てきた一八六三年の時点では投票に反対するという理解しにくい態度変更の理由を、プルードンはまずもって説明しなければならない。じっさいプルードンはこのパンフレットの書きだしを投票と宣誓にたいする自分の態度の変化の説明にあてた。一八五二年の立法院選挙は共和派が姿を現わし、信条を吐露する最初の機会だった、とプルードンはいう。真の共和派のなすべきことは、「新しい事態にたいしてわれわれの権利の恒久性、われわれの希望の不滅性をはっきりと表明すること」であった〔Démocrates assermentés, p. 31〕。さらに一八五二年には共和国の名前は保持されており、「立法院に入ることは、一月二一日に予定されていた人民投票に前もって抗議する」という意味をもっていた〔ibid. p. 32〕。それゆえに自分は投票を支持し宣誓を受入れるように勧めたというのである。それにたいして、一八五七年の選挙においては、「私は帝政の政体を深く研究していなかったし、普通選挙の力を理解していなかった。同様に私には、多くの事実による証明が欠けていた。私のいえたことは、状況は私にはあいまいなものに見えるということだけだった。……それゆえに私は意志の表明をさしひかえ、沈黙を守ることにした」〔ibid. p. 33〕。

しかし今や状況は明確になり、われわれの権利の原則に照らして普通選挙の問題を考察することが可能でもあり必要でもあるとして、プルードンは普通選挙の原理的検討を行なう。まずプルードンは、普通選挙が国民の主権の発動の場であり、あらゆる自由や制度の土台であることを認める。歴史的には普通選挙と大革命との間には深いつながりがある。大革命が行なったこと、すなわち神権の否定、人間と市民の権利の宣言、政教分離、法の前の平等などは、社会がその立法の根拠を神や超社会的権威のなかにではなくて自分自身のなかにもつということであり、正義は社会に内在的だということに帰着する。普通選挙は人民の意志の発現、社会に内在する正義の発現の様式なのである。

しかし選挙が人民の意志の発現たりうるためには一定の条件が必要である。プルードンがあげている条件は、投票が、一、普遍的であること、二、その表現において綜合的であること、三、直接的であること、四、独立であること、五、諮問権ではなくて決定権をもつこと、六、選挙人が集会、討論の権能をもつこと、である。多少わかりにくいのは、投票が綜合的であるという条件だが、この点について、プルードンは、選挙人の利害や意見が異なるから、普通選挙に意味があるのであり、「普通選挙が表現する意見、利害、権利はさまざまであり、しばしば対立してさえいるから、また、普通選挙はその投票を通じて取引きの基礎を提供するのだから、投票から生まれる思想は必然的に綜合的である」と説明している〔ibid. pp. 41-42〕。しかしまさにこの点に普通選挙の困難がある。というのも「普通選挙は綜合的であるけれども、正確にいえば綜合的であるがゆえに、簡単な問題にたいしてしか、いいかえれば賛成か反対かによって決定されうる問題にたいしてしか意志を表明しない」〔ibid. p. 43〕。それゆえに人民にたいして提案された法案の投票は必然的に意外さと誤謬につきまとわれ、多かれ少なかれ非難の余地のあるものになる。一八四八年の大統領選挙然り、一八五一年のクーデタ承認の人民投票然り、である。けれども逆説的なことにこの点に普通選挙の利点があるとプルードンは言う。

つまり普通選挙はこのことよって自らの誤りを訂正する権利を獲得するというのである。永久的で誤りのないものをうちたてるのは、大革命が否定した神権にほかならないのであって、「普通選挙は人間や文明と同じく漸進的(プログレシヴ)であり、その大権はたえず自分自身で訂正しうることにある」〔ibid. p. 67〕。

このように、プルードンは、「民の声は神の声」であるとして、人民の意志の不可謬性を根拠に普通選挙の正当性を主張する共和派とは異なって、その誤りを通じて発揮される自己訂正能力に普選選挙の根拠を求めたのであった。プルードンは、人民は間違いをおかしがちだとして国家による指導・後見——具体的には官選候補制——の必要を主張する帝政権力と同時に、人民の不可謬性のイデオロギーに固執する共和派の普通選挙観をこえようとしたのであった。

一八六三年の立法院の普通選挙は、普通選挙に必要なさきの諸条件にかなっていない。すなわち選挙は、まず、官選候補制を通じて政府の監督・指示のもとにおかれており、投票の独立は存在しない。第二に、選挙人が集会を開き、政府の行動を公然と討議する権利が制限されている。さらにそのために不可欠の条件である新聞発行の自由も著しく制限されているからである。「このような状況において候補者をたて、反対派の人間だと称することは、途轍もない間違いではないとしても、途方もないごまかしである」〔ibid. p. 50〕。

さらに重要なことは、普通選挙が民主主義を実現するためには地域的な自然集団の存続が不可欠だとプルードンは考えたが、それが法令や選挙区の区分によって破壊されていることである。プルードンの考えでは、地域的自然集団は社会的・経済的結合の中核をなすものであり、それに固有の利害、理念をもち、独自の運動をする一個の生きた全体であった。そしてそれらの多様性にもとづく結合こそ自由な社会の基礎条件だとされた。

ところが第二帝政のもとで、コミューンを基礎単位とする地域的な自然集団は中央権力の強い監督下におかれ、破壊されつつある。まず第一に選挙区は、人口三万五〇〇〇人につき一人の立法院議員を選出するという選挙法の規定にしたがって機械的に決定されている。生きた集団にかえて、単なる人口の集積だけが考えられているのである。そしてこの選挙区に政府推せんの候補者が外からもちこまれ、反政府派もそれに対抗して自派の候補を送りこむ。「こうしてフランスの人民はその大権を放棄する。自由の精神は失なわれ、政治契約の思想は消滅する。……もはや社会は存在しない。存在するのは選出されたお偉方、すなわちいつも皇帝の命令にしたがって動く近衛兵の人民である」〔ibid. p. 58〕。第二に、市町村の自治権の破壊がある。さきに述べたように、一八五五年の法律は市町村長は皇帝または県知事によって任命されると規定した。また地方議会議員は住民によって選出されるが、パリとリヨンにおいては皇帝の任命によるとされた。「フランスのコミューンはその独立を失なった。それは県の出先機関である。パリとリヨンは発言権までも奪われたのである」〔ibid. p. 59〕。こうして普通選挙を支えるべき地域的自然集団はその生命を奪われてしまっているのである。

このような条件のもとにおかれて、普通選挙はもはや人民の自発性をひきだし、民主主義の実現を可能にする制度ではなくなっている。その一方で普通選挙が有する専制に向かう傾向はいよいよ強められ、中央集権的支配を人民に承認させる手段に転化している。「普通選挙は共和国のかわりに永続的な独裁を、帝政を作りだし」、それを強化する方向で働いているのである〔ibid. p. 36〕。このような状況のもとで候補者を立て投票を行なうことは、たとえそれが帝政反対派のためのものであっても、中央集権の強化と独裁の永続化にしかつながらない。

このような普通選挙にたいして、プルードンは棄権を主張し、棄権を「新しい民主主義」の原則にすえる。グスタフ・ショデーあての手紙でプルードンはいう。「原則の観点からいって、われわれはいかなる口実のもとでも投票することはできない。現在の条件下では、われわれの思想と投票のあいだには矛盾がある。……実践的観点からいえば、新しい民主主義はこの道〔棄権〕をつうじて登場しなければならない。その理由はこうである。一、体制へのこの参加はきわめて悪いものであり、ただ嘆かわしい幻想の維持に役立つだけで、政治的・社会的革命を視野から失なわせる。二、選挙に参加すれば、われわれはいつまでも、わたしが全エネルギーをもってしりぞけた、時代おくれのナポレオンの近衛兵と入りまじったままにとどまる、ということである」(à Chaudey, 28 jan. 1863〔Corr. XII, pp. 259-260〕)。それにたいして棄権は、「普通選挙がおかれている諸条件がその本性とは反対のものであり、その活動を妨げていること」〔Démocrates assermentés, p. 71〕を明らかにし、「普通選挙が正常な仕方で機能するためには、そのメカニズムにいかなる改善が必要か」〔Lettre à M. Rouy, p. 96〕という、あらゆる選挙に先立って明らかにしておくべき問題を提起する。いいかえれば、反対派の候補者を立て、それに投票することはただ人物のみを問題にするのにたいして、棄権は、普通選挙が民主主義を実現するにはいかなる条件が必要かを根本から問い直す、というのである。

棄権をこのように意味づけたうえで、プルードンは棄権運動を軸に「新しい民主派（ジューヌ・デモクラット）」の結集をはかる。かれが最初考えた棄権の方法は、全員で投票場へ行って投票せずに一斉に投票場から引きあげ、投票者が帰ってゆくのを見守るというものであったが、このやり方が叛乱の叫びとうけとられることをおそれて、白票を投じるという方法をとることにした。こうしてプルードンは、ジュール・バスティッドを議長とし、グスタフ・ショデー、シャルル・ベレー、ヴィリオメ、ガンボン、ジョルジュ・デュシェーヌらを中心として棄権委員会を結成して棄権運動にとりくんだ〔Dolléans, p. 452〕。棄権運動が成功をおさめ、棄権派が多数を獲得するとは、プルードンも期待しなかったけれども。じっさい選挙の結果は、セーヌ県三二万六〇〇〇人の有権者のうち棄権者は八万六〇〇〇人、共和派への投票は一五万三〇〇〇票であり、白票は四五〇〇票余りであった。一八五七年の選挙で有権者三五万六〇〇〇人のうち棄権が一四万三〇〇〇票にくらべて、大幅な減少である。しかしプルードンはこの結果に満足した。「あまり多くのものを要求しないようにしましょう。獲得したもので満足しましょう。いま重要なことは、この勝利を花火のように消えさせてしまわないことです」(à Jules Bastide, 2 juin 1863〔Corr. XIII, p. 92〕)。

『六〇人宣言』

翌年、労働者の候補者をたてることを主張する『六〇人宣言』がだされたとき、プルードンは労働者階級の意識の深化を喜び、また現在のフランスにおいても労働者とブルジョアジーのあいだには厳然たる階級的差別が存在し、労働者人民が自らの代表をもたないことは不当であるという『宣言』の主張に賛成しながらも、労働者候補を立てるという提案には反対した。その理由はこうである。全般的状況についていえば、帝政政府は社会主義的民主主義を滅ぼすことによって成立したのであり、現在においてもその存在理由は社会主義的民主主義を抑圧することにある。そしてこの政府のもとで金融的・産業的帝政が権力をほしいままにしている。このような状況のもとで、われわれの思想は政治から完全に排除されており、われわれの意見は主張もしないうちに反駁されている。要するに現状は「われわれを滅ぼすことが社会と所有を救うことだ」〔Lettre aux ouvriers, p. 317〕ということになっている。選挙に直接にかかわる条件はといえば、まず自然的集団にかえて人口によって機械的に分けられた選挙区が採用されていること、政府のはげしい介入、新聞の独占、中央集権化などとともに、候補者が選挙人とまったく無関係に選定されていることなどがあげられる。要するに「事態は民主的精神を窒息させ、大衆の発言をおさえつけるような仕方で組み合わされている」〔ibid. p. 319〕のである。

このように考えれば、「候補者をたてて選挙に参加することは、労働者階級の望む改善に達するための最良の手段」〔Lettre aux ouvriers, p. 316〕ではけっしてない。「平民の解放を要求しながら、平民を叛徒にするか唖にしてしまうことになる選挙の方式を平民の名において受入れること——これは何たる矛盾であろうか」〔ibid. p. 319〕。こうした条件下でわれわれがなすことができ、またなすべきことは、労働者の議員を選出して個々の政策や法律について議論をすることではなくて、白票＝拒否権の行使によってこれらの条件そのものにたいしてノンということである。帝政が労働者におしつけているあらゆる種類の排除を、労働の側からの積極的な分離に転化することである。こうして普通選挙の批判は、実践の問題としては「分離主義」に結実したのであった。*4

しかしいうまでもなく、棄権は現在の強いられた条件下で有効な戦術であって普通選挙そのものを否定するものではない。かえってプルードンは、さきにも述べたように、普通選挙を神権による決定から社会の自己決定への移行として、したがって権威主義・絶対主義からの解放の画期的な第一歩としてとらえた。このような観点から棄権の意味は、今回の投票があるべき投票のあり方からいかに外れているかを示し、普通選挙が真の民主主義を実現するにはいかなる条件、いかなる改善が必要かという問題を提起することにおかれることになる。こうして普通選挙の批判は、理論の問題としては普通選挙にかんしてなされるべき改革の考察に向かうことになる。

しかしプルードンはこの問題に具体的な解答をもたらすことはできなかった。この問題の解明を課題の一つとして執筆された『政治的矛盾』(一八六四年)はついに草稿のままに終り、しかもこれまでの憲法の批判の部分が書かれたにとどまった。けれども、これまで引用してきた著作などから推論すればつぎのことはいえるだろう。まず普通選挙が自由の実現に寄与するためのもっとも基本的な条件が、経済的革命によって労働の資本への依存・隷属を断ちきり、「隷属させられた大衆の本能」を根底から陶治(とうや)することにあることはまちがいない。それなしには、普通選挙は依然として独裁と中央集権的国家の母体にとどまるであろう。そのうえに、さきに述べた新聞、集会の自由、投票の独立性などの条件が加わる。しかしこの時期のプルードンが重視したのは、地域的な自然集団、とりわけその基礎単位であるコミューンであった。「男たちが妻と子供をつれて一つの場所に集まり、隣りあった住居に住み、隣りあった土地を耕し、さまざまな産業を発展させ、かれらのあいだに隣人関係をつくりだし、よかれあしかれ相互の連帯関係を生みだすときには、かならずかれらは、私が自然集団と呼ぶものを形成する。それは統一性、独立、自治を確立して、まもなく都市国家（シテ）あるいは政治機構を形づくる」〔Contr. pol. p. 237〕。「コミューンは家族や個人と同じく……主権をもつ存在である。この資格においてコミューンは自らを統治し自らを管理する権利をもつ」〔ibid. p. 245〕。さきに述べたように、プルードンは社会の構成単位を仕事場におき、相互主義化された仕事場が経済的解放の基本的条件だと考えたが、政治的次元においては、地域的自然集団を重視し、自治能力を身につけた地域集団の連合に政治的解放の条件を見出したのであった。地域的な自然集団とそこから生まれる「地方的精神」は、国家あるいは国民（ナシヨナリテ）といった虚偽の統一性にたいする確実で有効な対錘であり、国家がもつ中央集権化への傾向にたいする有効な歯止めだと考えられたのである。

こうして普通選挙の批判は、第二帝政の政治構造にたいする批判であると同時に真の民主主義は中央集権国家とは両立不可能であること、したがってその実現のためには国家の解体が不可欠であること、そして国家の解体は中央集権的権力の地域的自然集団への解消によってもたらされるという結論をもたらしたのであった。

＊1――時代別の有権者数はつぎのとおり。七月王政期――一六万七〇〇〇人から二四万八〇〇〇人、

一八四八年四月——九四〇万人、一八五〇年五月——六八〇万人、第二帝政期——九〇〇万人から一〇五〇万人。一八五〇年五月の選挙法改正は、同年四月の選挙での左派の候補者ウジェーヌ・シューの当選に不安を抱いた保守派が「危険な階級」を排除するために行なったものであった。ルイ＝ナポレオンは、この措置が労働者民衆のあいだに議会にたいする不満を増大させ、それに反比例して自己の声望を高めるであろうと考えていたように見える。この選挙法改正後に、かれは、「議会が絶壁の上にのぼったとき、私は綱を切るでしょう」と語ったといわれる〔ロム、三〇三—三〇四頁〕。

＊2——ボナパルト派は、政治から疎外されている大衆を動員するために、ナポレオンの肖像画、メダル、シャンソンなどを多用した〔竹内成明、一九七七年、二六八頁〕。

＊3——こうした役割のゆえに、第二帝政下の知事は「小型の皇帝」とよばれたが、その実際上の権限は、上からは中央政府によって、下からは市町村長によって制限されていた〔西川長夫、一九七七年、四五頁〕。

＊4——一八四八年七月の「所得税法」の議会への提案と討論のさいに、プルードンは「われわれ（プロレタリアート）はあなた方（ブルジョアジー）なしに改革にとりかかるであろう」と述べて、すでに分離の主張を行なっている。なお、プルードンの分離主義とのちのサンディカリズムとのつながりについては、〔谷川稔、一九七八年〕を参照。

三　対外政策とナショナリズムの批判

対外政策への関心

普通選挙にたいする批判と平行して、ナポレオン三世の対外政策にたいする批判が行なわれる。それは確立された理論にもとづいた批判でも純粋に理論的な議論でもなくて、イタリア統一運動、ポーランドの独立運動、およびナポレオン三世が一八六三年に呼びかけたウィーン条約にかんする国際会議に関連してなされた時局的な議論であった。しかしプルードンはこれらの議論を通じてこれらの事件の根底をなすナショナリズムにたいする批判への道を切り開き、ナショナリズムにとってかわるべき原理として「連合の原理」を提起した。この意味でこれらの国際関係にかかわる時事問題の論評がプルードンの思想の成熟にとって、とりわけ国家論の成熟にとってもつ意義は重いといわなければならない。

プルードンが国際政治の問題に関心を寄せはじめるのは、イタリア統一戦争の始まる一八五九年からである。二月革命期には、プルードンの関心は経済問題に集中しており、外交問題はまったくといってよいほど論じられなかった。『一九世紀における革命の一般理念』においても、その第七研究で外交問題を取りあげてはいるが、経済的革命の立場からこの問題をいかに取りあつかうべきかを一般的、抽象的に取りあげたにとどまった。すなわち、「国民は国際的な諸関係のために政府をつくらなければならない」というような「対外政策についての先入見は、われわれのあいだで革命的知性がなおどれほど弱体であるかを示す」〔Idée générale, p. 331, 邦訳二九九頁〕ものであること、「革命は普遍的にならなければ、フランスにおいてさえ崩壊するであろう」が、革命戦争は不必要であり、「フランスの模範に従おうとする諸国民の努力を支援するだけで充分である」〔ibid. p. 332, 邦訳三〇〇頁〕こと、「国民にたいする抑圧と諸国民相互間の憎悪とは相互に結びついた相関的な二つの事実」であり、その共通の原因である政府を経済的革命によって解体すれば、両者を同時に解決することができること〔ibid. p. 333, 邦訳三〇一頁〕を主張するにとどまった。要するに経済的革命の政治にたいする、さらに外交にたいする優位がその結論であった。これはプルードンの変ることのない基本的立場であるけれども、それだけではいかにも抽象的かつ一般的な主張であった。

クリミア戦争（一八五三―五六年）、とりわけフランス軍のセバストポールでの勝利が、プルードンの関心を多少とも外交問題に向かわせた。プルードンは、フランスの参戦を、当時一般に受取られたように、反動的ロシアにたいする戦争としてではなくて、フランスとヨーロッパ全体における軍国主義的体制の強化としてとらえた。「同盟軍の勝利は、ロシアの没落よりもフランスにおける、そして全ヨーロッパにおける軍事的体制の強化を意味しています。……戦争反対、クリミアでの勝利反対、軍事的栄光反対！……そこには国民的栄誉はありません。……軍事的専制主義はもはやツァーによってではなくてフランスの皇帝によって代表されています。自由が救われるためにフランスが敗北し、面目を失うことが必要だとすれば、あなたは躊躇するでしょうか。わたしはこのようなためらいを知りません。わたしは僧侶と全抑圧機関を犠牲にする決意をしていますから、文明と自由な思想が要求するばあいには、フランスそのものを犠牲にするでしょう」（à Edmond, 5 avril 1855〔Corr. IV, pp. 155-156〕）。さらにフランス中がセバストポール陥落に沸きたっている一八五五年九月に、プルードンは同じ友人のエドモンにつぎのように書いた。「一八四八年の〔大統領〕選挙、五一年の暗殺的行為〔クーデタ〕、セバストポールの勝利、これが私の三つの悩みのたねです。第一のものはわれわれに大衆の分別と嫌悪すべき本能を教えました。第二のものは、軍国主義的専制を賞讃をもって始めました。そして第三のものはそれを聖化し、それに王冠を授けました」（à Edmond, 14 sept. 1855〔Corr. VI, p. 252〕）。プルードンのクリミア戦争にたいする反対は、この戦争が本質的にツァーにたいする戦争であるよりもヨーロッパの自由にたいする戦争であり、軍国主義的専制を結果することにたいするものであった。けれどもプルードンのクリミア戦争にたいする批判は対外政策、および国際関係全般にかんする理論にまでは達しなかった。この時期のプルードンの主な関心が証券取引所の分析と鉄道敷設問題に向けられていたこと、経済的革命の立場から外交や戦争を考えるという見方が、かえってこれらの問題を二次的問題として過小評価する結果を生みだしたのである。

イタリア統一運動

しかし一八五九年四月に始まったイタリア統一戦争、サルデーニアを支援するフランス軍の対オーストリア開戦、そして一八六一年のイタリア王国成立などの一連の事件が、プルードンの目を外交問題、国際関係に向けさせた。この時期、プルードンは『革命と教会における正義』(一八五八年)による有罪判決(三年の禁固と四〇〇〇フランの罰金)を逃れて、ベルギーに亡命中であった。かれの関心はポーランド問題にかんする著作を仕上げることであった。イタリア統一運動にかんしてはヴィラフランカの条約以後、イタリア統一運動がヨーロッパの平和を損ないかねないことを懸念し、民主派の新聞のイタリア統一への過度の熱中に警戒心を抱きながらも、当初は沈黙を守った。[*1]「事件を進行するにまかせ、人間の自由意志がかくも厳粛な状況のなかで、どの点まで事物の必然性に打ち勝つかを判断することが最良だと私は考えた」〔Fédération et l'unité, p. 80〕。しかし一八六二年六月六日に、サルデーニア王ヴィクトル・エマニュエルの妥協を非難し、たとえ秘密結社と陰謀によってでも、イタリア統一、とりわけローマとヴェネチアの奪還をはかるというマッツィーニの宣言が現われた時から事態は変る。この

「陰謀」という言葉が、革命と統一運動の頽廃を示すものとして、プルードンに大きなショックを与えたからである。「この時点までは統一運動がイタリアの再生に役立ってきたことを認めつつも、この運動は燃えつき、革命は今後は別の道から追求されねばならない、私が発言すべき時がきた、と私は考えた」〔ibid. p. 81〕。こうしてプルードンは、のちに『連合とイタリアの統一』にまとめられる、「マッツィーニとイタリアの統一」(一八六二年七月一三日)と「ガリバルジーとイタリアの統一」(九月七日)をブリュッセルの『オフィス・ド・ピュブリシテ』誌に発表して、イタリア統一運動に激烈な批判を加えた。イタリア統一運動は人民を中央集権国家の支配のもとにおく時代錯誤の反動的運動だ、というのである。これらの論文はベルギーの論壇に非難の嵐をまきおこし、プルードンはそれに応えて「ベルギーの新聞とイタリア統一」(一〇月一日)を発表して反論した。

プルードンは、これらの論文で、まずイタリアの国家的統一の企てが国際関係からもイタリアの国内的条件からも非現実的であることを指摘する。

イタリア統一の非現実性というのはこうである。イタリア統一は、国際的にみれば、フランスとの関係ぬきには考えられないが、軍事的・政治的な観点からみて、ナポレオン三世が、領土上の均衡の回復以外の利害関係をもたないオーストリアにたいして、イタリア統一のために戦争を継続することなどありえない。またフランスの安全という点からも、フランスの入口に統一イタリアという大国が成立するのを許しはしないだろう〔Fédération et l'unité, pp. 89-91〕。さらに、ローマにかんしていえば、ナポレオン三世が体現している「教会と帝国の結合」〔ibid. p. 93〕からして、教皇との関係悪化を覚悟してイタリア統一を支援することはありえない。現在のヨーロッパの国際関係のもとでは、イタリア統一は現実性をもたないのである。

イタリアの内部的条件から見ても、イタリアの国家的統一は非現実的だとプルードンは言う。[*2]つまり、イタリアの地理的条件から見れば、統一国家ではなくて独立性をもつ都市あるいは諸地方の連邦に適しているし、民族という点では、イタリア半島には多様な民族が存在している。シシリー人、ローマ人、ナポリ人は実在するが、イタリア人というのは虚構にすぎない。「イタリア人というのは、フランス人と同じく、一つの抽象である」〔Fédération et l'unité, p. 127〕。さらに歴史を見れば、自治権をもつ独立した諸都市と、統一と諸都市の従属を要求する皇帝や王とのあいだの闘争の歴史がイタリア半島を貫いている。国家的統一の主張は、こうした歴史を無視しているというのである〔Observations, pp. 225-237〕。このように、イタリアの国家的統一の非現実性を述べたうえで、プルードンは国家的統一そのもののもつ意味、統一運動を支えるナショナリズムのイデオロギーに批判を加える。この点を検討しておこう。

ナショナリズム批判

プルードンはすでに『一九世紀における革命の一般理念』において、ナショナリズムが経済的革命の障害になることを指摘していた。その理由は、第一にナショナリズムが政府至上主義を育むからである。「権力の国民的性格が政治的支配の原理の価値に幻想をもたせるので、政治的支配は、王政、貴族政、民主政といった不断の転変を通じて存続した」〔Idée générale, p. 334, 邦訳三〇二頁〕。第二に、「革命は世界的にならなければ、フランスにおいてさえ崩壊するであろう」が、「国家によってそそのかされた国民意識が世界の統一的な経済生活にたいする頑固な障害となる」〔ibid. pp. 332, 334, 邦訳三〇〇、三〇二頁〕。このようにナショナリズムが経済的革命にたいしてもつ負の効果に注目していたけれども、プルードンの関心はあくまでも経済的革命にあり、ナショナリズムの論理と帰結そのものにはなかった。こうして『一般理念』の結論は、経済的革命によって、「国民にたいする抑圧と諸国民相互間の憎悪」〔ibid. p. 333, 邦訳三〇一頁〕の原因である政治的支配を解消し、それによって「世界共和国」を実現するということであった。

イタリア統一運動は、このような視点の放棄ではないけれども、ナショナリズムの論理をもっと現実的な次元で立入って検討することを迫った。プルードンはまず国民の概念がまったくあいまいなことを指摘する。ひとはたとえば言語の共通性を国民形成の自然的基礎にすえる。しかしフランス語を用いるベルギー人、スイス人はフランス国民を形成しない。人種、信仰などにしても同様である。「国民とはどういう意味か。民族と同じ数の国民があるのか。民族に信仰と言語の特徴をつけ加えればよいのか。さらに政府の形態を加えるべきなのか。一国民が他の諸国民に政治的に同化してしまっているばあいにも、その諸部分を国民の構成要素と見なすのか。そんなことをすればわれわれは悪循環におちいってしまう」〔Traités, p. 355〕。要するに国民の観念は、自然の産物であるよりもはるかに強く政治と歴史の産物なのである。[*3]「フランス人というのは約束による存在であり、実在しない」〔France et Rhin, p. 594〕。それではなぜこのような虚構の観念が力をもつのか。真の統一を実現しえない国家がその補完物として利用するからである。国家がナショナリズムを自己のイデオロギー的支柱にするからである。

したがってこの問題について重要なことは、こうである。「私の考えでは、あらゆる定義、種別性、区画、関係、活動をぬきにして抽象態で考えられた一国民が統一された単一の独立国を構成しうるかどうかを知ることは重要ではない。このような設問の一般性そのものがこの設問の空虚さを証明している。それは、大衆の想像力をかきたて、扇動することにしか役立たない妄想である。重要なことは、国民を構成するものが元来何であるかを、社会的活動の観点から事物の現実に即して具体的に知ることである。たとえばイタリア半島の住民が真に均質的な一国民を形成しているか否かを知ることである」〔Fédération et l'unité, p. 141〕。要するに、生活と意識の共通性、それらにおける関係の緊密度にもとづいて考えなければならないということである。この視点から見れば、イタリア人もフランス人も一個の抽象にすぎない。

しかしプルードンは各人が自己の生活圏にたいしてもつ愛着を否定しはしなかった。それどころか、それこそプルードンのいう具体性においてとらえられた国民意識であり、人間の社会性のもっとも根本的な要素だと考えられた。その母体が前節で考察した地域的な自然集団であることはいうまでもない。こうしてプルードンは「市民がそのもとで生活し区別される固有の国民意識（nationalité particulière）」と、「だれもそれを呼吸しておらず、また知ってもいない抽象的国民意識（nationalité abstraite）」〔Fédération et l'unité, p. 99〕を区別し、国家的統一とは前者を後者に変えて消滅させることだと主張する。いいかえれば、「抽象的国民意識」は「固有の国民意識」の疎外体であり、国家的統一とはこの疎外の過程にほかならないというのである。プルードンが主張したのは、それとは反対の過程を進めること、「抽象的国民意識」を解体して「固有の国民意識」に戻すことにほかならなかった。[*4]

ところでナショナリズムの帰結は、論理的にも事実の上でも国家的統一であり、かつ中央集権化の推進である。この点についてのプルードンの批判はすでに何度もふれたので簡単にすませよう。まず第一に国家的統一の主張は二月革命によってすでに無効を宣言されただけでなく、経済的革命から逸脱させるものだという批判がくり返される。つぎに中央集権化は「固有の国民意識」を消滅させて「抽象的国民意識」にもとづく統一性をうちたてようとするが、この統一性は虚構にすぎないから、その維持のために外的な補強を必要とする。「二六〇〇万の人間を支配するためには、この巨大な機関を動かすためには、膨大な官僚群が必要である。それを内と外にたいして守るためには常備軍が必要である」〔Fédération et l'unité, p. 99〕。そのために、人民と地域集団は収奪され、ますます貧しくなる。それでは国家的統一はだれの利益になるのか。「今日、一八一五年以後、統一国家とはまったく銃剣に保護されたブルジョア的搾取の一形態そのものである。然り、巨大国家への政治的統一はブルジョアのものだ。それが作りだす地位、それが惹きおこす陰謀、それが育む影響力、これらすべてはブルジョアのものであり、ブルジョアに役立つのである」〔ibid. pp. 100-101〕。このようにプルードンはナショナリズムによる国家的統一を批判し、それにかえて「固有の国民意識」をもつ地域的な自然集団の連合を構想する。[*5] これこそプルードンが最後にたどりついた結論であるが、この点については次節で検討しよう。

さらにプルードンは、イタリア統一運動がヨーロッパの平和にたいして破壊的な作用を及ぼすことを強調する。さきに述べたように、プルードンの考えでは、国内での中央集権化と抑圧の強化と、対外的戦争とはたがいに生みだしあい、支えあうものであった。「各国家権力は、その均衡を自己の内部に求め、その力を均衡に求めるのではなくて、国内での集権化と対外的拡大と独立に求める。世界中が自己の影響力の拡大と併合による膨脹を追求する。その結果、世界中が脅威を感じ、武装する」〔Justice, II, p. 319〕。こうして、国内において専制的集権化を行なう国家は対外的には軍国主義的、膨脹主義的になる。ナポレオン三世がオーストリアとの戦争にさいしていかなる大義をかかげようと、その本質はこの点にあるというのが、プルードンの考えであった。このことは逆にいえば、平和の維持が決定的な意味をもっているということである。「現在の状況において、平和が専制の死を意味することは、フランスでもヨーロッパでもだれもが理解している。共和主義者はどんな犠牲をはらっても平和を主張しなければならない」(à Chandey, 14 mars 1859〔Corr. IX, p. 35〕)。ところで現在のヨーロッパの平和は諸国の均衡の上になりたっているが、イタリアの国家統一は、この均衡条件を変化させ、ヨーロッパ全体の動揺を生みだすであろう。たとえばフランスはバルカンを、ロシアはコンスタンチノープルを要求する、などなどである。じっさい、イタリア統一戦争はフランスによるサヴォア、ニースの併合をもたらしている。こうしてイタリア統一はヨーロッパ全土にその反作用を呼びおこし、全面的な戦争状態を招来するであろう。そしてその結果は反革命の強化ということである。「一たび統一イタリアが形成されれば、その反動が全ヨーロッパに現われるだろう。全政府のあいだに、全専制君主のあいだに連帯がうちたてられるだろう。そして社会問題の解決、真の解放の問題は、数世代にわたって遅れさせられるだろう」(à Buzon, 22 août 1862〔Corr. XII, pp. 174-175〕)。それと同時に、このような動きは、小国の大国への併合、小国の滅亡をもたらすであろう。「われわれは、神権を守り再建し、貧しい庶民を搾取することを目的とする五ないし六の巨大な帝国の形成にむかって進んでいる。小国はその前に犠牲にされるだろう。……ヨーロッパには法も自由も原理も習俗もなくなるだろう」(à Beslay, 3 mai 1860〔Corr. X, p. 25〕)。このように、イタリアの国家的統一はヨーロッパの均衡の破壊を通じて連鎖反応的に大国の膨脹主義を刺激し、そのことによって専制と軍事的抑圧を結果せざるをえないというのが、プルードンの主張であった。

つぎにプルードンは、まれなことではあるが、この問題をフランスの利害に結びつけて論じる。つまりフランスの有利な条件はその国境近くに強国をもたないということにあるが、イタリアにおける統一国家の出現はこの条件を突き崩すというのである。「スペインは背後から、イギリス、ベルギーおよびオランダは前面から、ドイツ、オーストリアとロシアは脇腹からわれわれを脅かしている。イタリアはわれわれの脚もとから攻撃をかけるだろう」〔Fédération et l'unité, p. 121〕。そしてこのような強敵の包囲のもとで、フランスの軍事的、中央集権的体制は強められ、社会問題の解決は吹きとばされるであろう。このようにしてフランス人はイタリア統一運動を援助することによってフランス人の利益を損なっているというのがプルードンの見方であった。

ウィーン条約をめぐって

ヨーロッパの国際関係とそのもとでのフランスの利害にかんする考察は、その現実的基礎をなすウィーン条約の検討にゆきつくことになる。[*6] 時あたかもナポレオン三世が「一八一五年の諸条約は存在しなくなった」（一八六三年一一月五日の演説）と述べて、イタリア統一問題やポーランド独立問題などのヨーロッパの係争問題を解決するために、ウィーン条約にかわる国際関係を樹立するべくヨーロッパ会議の開催を提案した時期である。[*7] 周知のようにウィーン体制はヨーロッパの勢力均衡のための「政治的不動性」と各国における国制の保証のための「王朝の永続性」という二原則を採用することによってヨーロッパの平和の回復と維持をはかろうとするものであった。それは、ヨーロッパを革命以前の「正統」の状態に復帰させようとするものであり、その意味で反革命的体制にほかならないというのは、この時代の常識である。当時のフランスにおいても、ナポレオン三世から共和派にいたるまで、ウィーン体制は反革命のシンボルであり、またフランスの栄光を損なうものだとして、それに反対する立場が支配的であった。当然ながらナポレオン三世はウィーン条約に反感をもっていた。ウィーン条約はナポレオン一世の業績の全面的否定だからである。またナポレオン三世の近代感覚〔河野健二、一九七七年〕からすれば、ウィーン体制の盟主たるオーストリアとロシアの反動的、封建的体制は嫌悪すべきものでしかなかった。さらにある国民が長期にわたって外国人に支配されることは公正の原則に反すると考えられた〔Duveau, p. 336〕。このような見方は広く主張されるところだった。七月革命の直後にある労働者は、われわれがブルボンの政府をうち倒したのは、「この政府がわれわれを不幸にしたからではなくて、それが勝者によって、外国と平和条約によってわれわれにおしつけられたからだ」と語ったといわれる〔G. Weill, p. 22〕。共和派のジュール・ファーブルは、ナポレオン三世のイタリア遠征にさいして「私は、内政にかんしては、あなたと私のあいだにはいかなる協定もありえないと述べた。しかし、あなたがオーストリアの専制を打ち破り、イタリアをオーストリアの侵略から解放しようとするのなら、私の心も血もすべてあなたのものです」と演説した〔ibid, p. 327〕。

プルードンのウィーン体制観は、このような〈常識〉に真正面から対立する。プルードンは、ウィーン条約がウェストファリア条約（一六四八年）を受けつぐヨーロッパの国際法の画期的な達成であり、そのようなものとして成立後四〇年間にわたって、その目的であるヨーロッパの平和の維持にまがりなりにも成功してきたことを評価する。「一八一五年の条約がもはや存在しないとすれば、ヨーロッパの公法はもはや存在しない。……そうなれば、諸国家の存在は何にもとづくことになるのか。その存在の保証はどこにあるのか。公法がなければヨーロッパは戦争状態におちいる」〔Traités, p. 351〕。プルードンは、ウィーン体制のなかに諸国家の勢力均衡という原理による平和の実現を見たのである。またウィーン体制がフランスにとってむしろ有利なものであったこともプルードンの認めるところであった。ウィーン体制のもとでもフランスは依然として大国にとどまったし、それが課したヨーロッパの均衡によって、フランスは国境近くに強国をもたないという国の安全にとって有利な条件を得ていたのである。[*8]「プルードンはギゾー、ラマルティーヌ、ティエールとともに、フランスが一八一五年の条約から大きな利益を得ていることを理解した、わが国の非常にまれな政治家、著作家の一人であった」〔Duveau, pp. 334-335〕。ここでウィーン体制について立入って論じることはできないけれども、プルードンのウィーン体制観が、心情的でロマンチックな共和派、自由主義派のそれとは対照的に、意外なほど、ヨーロッパとフランスの現状に即した現実主義的なものであったことは認めなければならない。

しかし、プルードンの議論はこのような現実政治のレベルにはとどまらない。かれはいつものやり方でウィーン条約の根底にある理念をさぐりだし、それを歴史のなかに位置づけようとする。プルードンによれば、ウィーン条約はヨーロッパの国際関係を律する公法の歴史における第二の画期をしるすものであった。ヨーロッパの公法の最初の画期はウェストファリア条約（一六四八年）によって与えられた。この条約以前において、ヨーロッパを支配したのは「力の原則」であり、勝者による敗者の併合ということであったが、ウェストファリア条約によって、ローマ人と教会によって認められた単一の君主国の仮説が否定され、諸国家の多元性と諸国家間の均衡がヨーロッパの平和の条件であることがはじめて明記され、その後、この原則がヨーロッパを支配することになった〔Traités, p. 362〕。このことの意義はこうである。「均衡によって保護された諸独立国への人間集団の政治的＝経済的分割という法律は、本質的に連合主義的な思想であり、文明のコースを変更し、……ついにはその影響によって必ずや諸国家の内的統一あるいは集権化を変革するにちがいない」〔ibid. p. 363〕。

ウィーン条約は、ウェストファリア条約に「すべての国を一種の相互保証によって結びつける補助的な原理を導入した。この新しい原理は、諸国民が要求し、君主によって承認され約束されたものであるが、あまり支持されておらず、まだほとんど理解されていないけれども、それは憲法の相互保証ということである」〔ibid. pp. 363-364〕。ウィーン会議の目的はナポレオン戦争で傷つけられた平和を諸国家間の均衡の復活によって再建することであったが、そのさい、フランス革命が諸国民のあいだでよびおこした政治的権利の要求、憲法制定の要求を無視することはできなかった。こうしてウィーン条約はヨーロッパの勢力均衡と憲法の相互保証という二つの原理を結合することになった。もっとも後者はその原理の承認と諸国民への道徳的保証を与えることにとどまったけれども。このように、プルードンにとってウィーン条約は「憲法時代の真の出発点」〔ibid. p. 373〕と考えられた。

ウィーン条約の二つの原理は、この条約にたいするさまざまな外見上の違反[*9]にもかかわらず生きつづけており、ヨーロッパの平和の維持に寄与してきた。すなわち、均衡の原理によって大国の力による支配・併合の動きは抑制され、憲法の原理によって国家権力の恣意と肥大化の傾向は制限された。こうしてウィーン条約は戦争状態と専制にたいする防壁の役割をはたしてきた、というのである。「ウィーン条約の維持だけが今後の世界平和の唯一の保証なのだから、無知や誤まった愛国心がたえずウィーン条約に加える攻撃こそ、ヨーロッパの紛争の第一の原因である」〔Traites, p. 368〕。こうしてプルードンの結論は、㈠一八一五年の条約は現に存在しており、それを破棄したり無視したりすることはヨーロッパを混乱に導く、㈡しかしこの条約には現状に即した部分的修正と、さらにこの条約につけ加えるべき「新しい理念」を明確にすることが必要だ、ということであった〔ibid. pp. 423-428〕。そしてこの「新しい理念」についてプルードンは、「両者〔ウェストファリア条約とウィーン条約〕から論理的に演繹され、両者を補完し認可する第三の理念が必要である。それは、国境の変更という危険な道におちいらずに、主権と統治の内部的分配によって、国家間の不平等の忌わしい結果を相殺し、諸国民の自由を保証するであろう。この理念は存在し、すでに流布されている」〔ibid. p. 428〕と述べている。この理念は明示されてはいないが、かれが数年来、暖めてきた「連合」の原理であることは間違いないであろう。この点についてはあとで考察しよう。

プルードンのイタリア統一運動とウィーン体制にたいする評価は、共和派はいうに及ばず、当時、フランスとヨーロッパにみなぎっていたイタリア統一運動への共感と、反動のシンボルとしてのウィーン体制にたいする反感に真正面から対立する反時代的なものであった。じっさいプルードンは、この主張によって、共和派からは反動、変節と非難され、長年来の友人からも疑惑の目を向けられた（cf. à Milliet, 2 nov. 1862〔Corr. XII, p. 221〕）。

プルードンの危機感

プルードンのこのような見解には、当時の国際的・国内的状況にかんしてかれがもっていた判断や見通し、さらには先入見が入り混っていた。

まず第一に、この時期のプルードンが抱いていたヨーロッパの現状と未来にたいする深刻な危機意識がある。一八六〇年一〇月二七日付のグスタフ・ショデーあての手紙書いている。「われわれはしだいに解体と動乱の時代におちいってゆくと私は確信している。全ヨーロッパは病んでいる。道徳蔑視はぞっとするほどのものになり、貧困がそれに続く。殺戮が到来し、この血の湯浴（ゆあ）みにつづいておこる虚脱状態は恐るべきものであろう。われわれは新しい時代の夜明けを見ず、暗闇のなかで戦うであろう。われわれが賢明ならば、悲哀にうちひしがれず、おのれの義務をはたしてこの生に堪えるために身構えなければならないであろう。たがいに助け合い闇のなかで声をかけ合い、機会あるごとに正義をはたそう」〔Corr. X, pp. 187-188〕。また同じ年の一〇月二九日付のマテあての手紙でも悲壮なまでの危機感が表明されている。「文明は歴史上先例のない危機に瀕している。……伝統はすべて衰え、信仰はことごとくすたれたが、新しい計画はできあがっていないし、大衆の意識に浸透してもいない。そこから、私が解体と名づけるものがやってくる。これは人間社会の存在におけるもっとも恐ろしい時である。良心の堕落、凡庸の勝利、真偽の混同、……これらすべてが集まって廉潔の士を悲嘆に暮れさせる。この禍いはフランスだけでなくいたるところに広まっている。……この頽廃がいつ終るのか、私には見きわめもつかない。それは一世代や二世代のうちには衰えそうもない。これがわれわれの運命である。……私の見るものは禍いだけであろう。私は暗黒のなかで、前歴のために非難の刻印をおされて、腐敗した社会のなかで死ぬだろう」〔ibid. pp. 205-206〕。

この時期、プルードンは亡命地ブリュッセルで不如意な生活を強いられており、また前年来、不眠と神経症に悩まされていた〔G. Woodcock, p. 247〕ことが、おそらく深刻な危機感の一つの理由だったと思われる。しかしより重要な理由は、イタリア統一戦争でひきおこされたヨーロッパの戦争の危機、好戦的気分の汪溢、あらゆる腐敗にもかかわらず地歩を固めつつある帝政、そのもとで深まる孤立などにあったに違いない。[*10] しかしこのような絶望にとらわれながらも、プルードンは沈黙し続けたり隠遁したりしようとはしない。かれは「悲哀にうちひしがれず、おのれの義務をはたし」、「正義」をはたそうとする。

この絶望は、これまでプルードンが賭けつづけてきた経済的革命の早期における実現の可能性にかんする絶望でもあった。このような絶望を越えて発言し活動するとすれば、頽廃をおしとどめ、現に存在するもののなかで多少とも経済的革命の実現に役立つと考えられる要素を守り育てることであろう。そのためにプルードンが何よりも重要な要素だと考えたのは、平和の維持であった。こうしてイタリア統一運動とウィーン条約にたいする現実政治の視点からする考察が行なわれるのである。

しかしプルードンは、これらのものの現実的な効果を摘出するだけでは満足しない。かれは存在するものから理念をひきだすといういつものやり方で、それらの内包する理念、原理の抽出に熱中する。[*11] プルードンはウィーン条約から均衡と憲法という二つの原理をひきだし、今度は、この二原理からウィーン体制を正当化し、イタリア統一運動を否定する。おそらくこの点で、ある種の逆転がおこると思われる。事態の悪化の歯止めと考えられていたものが、積極的評価の対象になり、革命のよるべき原理の一つと評価されるのである。プルードンの強い一般化志向、理論化志向がこうした傾向に拍車をかける。こうしてウィーン条約は、それが現実にはたしていたと考えられる点をこえて正当化される。現実主義が空想に転化したというべきであろうか。

その上に、プルードンが長年にわたって抱きつづけてきた、均衡、経済的革命、中央集権的国家への反対といった観念からの判断が重なる。プルードンは自らの主張してきた均衡の観念をウィーン条約の「勢力均衡」と簡単に同定する。現実に存在する「勢力均衡」から理念としての均衡への飛躍が行なわれる。いうまでもなく、プルードンの主張する均衡は、等しい単位のあいだで等価的で双務的な交換のもとで成立するものであり、「勢力均衡」とは、言葉の点をのぞけば、ほとんど共通するものはないにもかかわらず、である。また中央集権への反対と連合制の主張が、ヨーロッパでもっとも保守的でもっとも封建制の強く残っていたオーストリア帝国への期待をおこさせる。つまりオーストリア帝国の軍事的な弱さが、武器による威嚇や軍事的併合によらずに、連邦制をとることを余儀なくさせており、この点でオーストリアをもっとも進歩した国たらしめているというのである〔Amoudruz, p. 86〕。

それとは反対に、ポーランドの独立運動にかんしては、ポーランドの貴族が自己の利益のために過去四〇〇年間に幾度も外国の君主たちを自国に呼び入れたことを引き合いに出して、現在の叛乱も貴族による農民の搾取と封建的支配をめざす反動的な叛乱だとして全面的に否定される。ポーランド国家の再建は、「反動と貴族の再建を生みだし、それは別のかたちの農民の搾取をもたらすことによって、ポーランド国民の創出を数世紀にわたって遅れさせるだろう」〔Traités, p. 422〕。このばあいには、ポーランドの経済構造と封建的支配の存在が民族解放の要求そのものの否定の根拠とされるのである。民族独立が労働者農民の解放をもたらすとは限らないし、かえって搾取と抑圧を強化する危険もあるというそれ自体としては間違いとはいえず、その後の歴史に照らせば重要性をもつ主張も、外国による支配の現状の是認にまで進めば問題であろう。原則へのこだわりがパースペクティヴを混乱させているのである。同じような問題はアメリカ南北戦争にかんしても見られる。

プルードンのウィーン体制観は、これらのものの奇妙な結合のうえに成りたっていた。国際政治の現状にかんする現実主義的な判断と一連の固定観念からくる空想と錯誤が折り重なっていたのである。そして結論はといえば、現状維持の色彩の濃いものであった。アナーキスト・プルードンは諸列強の勢力均衡の維持を主張する保守主義者に変質したのであろうか。当時の自由主義派やジャーナリズムはそう見なした。しかしプルードンのめざすところは、諸列強の勢力均衡の維持ではなく、中央集権国家のより小さな規模の地域集団への解体を通じて真の均衡を作りだすことにあった。そしてウィーン条約は均衡と憲法という二原則にもとづいているがゆえに、そのための第一歩と見なされたのであった。いいかえれば、かれが考えてきた国家解体の構想が、逆説的なことに、ウィーン体制の原則の維持を主張させたのである。このような紆余曲折をとおして私たちは、プルードンの国家解体の構想にゆきつくことになる。

＊1——この時期、プルードンは経済的にも精神的にも困難な状態にあった。亡命地での不如意な生

活、政治犯の特赦からの除外、ヨーロッパの戦争の接近にたいする不安、不眠症などがプルードンを襲ったからである。このような危機が、この一時的沈黙の原因の一つであった。

＊2――プルードンのイタリアに関する知識源は、G・フェラーリ（G. Ferrari）であった。フェラーリはイタリア出身のジャーナリストで、イタリア統一運動にかんしてマッツィーニに反対して、地方分権にもとづく連邦主義を主張していた（cf.〔Fédération et l'unité, p. 79〕）。

＊3――当時、さかんに唱えられた自然国境の主張にかんしても、その虚構性が指摘される。「ひとは国民（ナショナリテ）について語る。しかし世界史はたがいに破壊しあい吸収しあう諸国民の一覧表にほかならない。ひとは自然国境について語る。しかし近づいて見ると、自然国境は見出されない」（à Mathey, 11 avril 1859〔Corr. XI, p. 8〕）。

＊4――ナショナリズムは民族の国家への集中、統一を主内容とし、国家への忠誠を他のすべてに優先させる傾向をもつのにたいして、パトリオチズムは個々人がもつ自然発生的で素朴な土地への愛着、その土地の護持を内容とするという、ナショナリズムとパトリオチズムの区別〔桑原武夫、一九五九年、二八頁〕にもとづいていえば、プルードンはナショナリズムのパトリオチズムへの転換を主張したといえよう。

＊5――イタリア連邦の主張は、ナポレオン三世の主張と結論としては一致していたから、プルードンは民主派、自由派から、変節漢として非難された。「ひとは、私の思想が皇帝の思想、司教の思想と一致していると非難する。しかしこの一致はまったく卑俗なことであり、まったく一時的なことである」（à Milliet, 2 nov. 1862〔Corr. XII, p. 221〕）。

＊6――プルードンのウィーン体制観、『一八一五年の条約はもはや存在しないか』の内容については、〔後藤修三、一九六七年一月、四月〕が詳しく検討している。しかしプルードンのウィーン体制観の変化を、「ウィーン体制がプチ・ブルジョワジーの生存にとって圧力になっていたあいだはプルードンはそれに対して反対する態度をとり（初期プルードン）、大産業の発展がウィーン体制をもおしのけ、それと同時にプチ・ブルジョワジーの生存基盤をも押し流そうとしてくる時期に至っては、かれはその防波堤としてウィーン体制を擁護する」〔後藤修三、一九六七年四月、八五頁〕というのは、プルードン＝プチ・ブル説からするあまりに大まかな割り切りにすぎる。第一に、プルードンは、ほぼ一八六〇年頃まではほとんど国際関係について言及しておらず、散見されるウィーン体制批判もかれ自身の積極的な見解というよりは共和派、自由派の主張をあまり検討せずに受けいれたものと見られるからである。第二に、プルードンのウィーン条約にたいする評価は、ヨーロッパの平和の維持が社会革命の不可欠の条件だという視点からなされていること、そして最後に、プルードン＝プチ・ブル説については前々節の註2で述べた点を考慮することが必要であろう。

＊7――ナポレオン三世のパリ国際会議開催の提案は、ヨーロッパ諸列強が多かれ少なかれ冷淡な態度をとったために実現を見なかった〔後藤修三、一九六七年一月、九七頁〕。

＊8――共和派やナポレオン三世はこのことを見落としているために、かれらの主張と行動は矛盾したものにならざるをえないというのがプルードンの評価であった。

＊9――当時、ウィーン体制にたいする違反として、またウィーン体制の崩壊の実例として、普通に

考えられていた七月革命とベルギーの分離・独立(一八三〇年)について、プルードンは反対に、それらがウィーン条約の二つの原則によってひきおこされ、あるいは二つの原則の強化をもたらした、と主張する。七月革命はウィーン条約を侵害するものではなかったし、王朝は変っても、フランスは憲法においては議会制度を維持しており、ヨーロッパの均衡を侵害しようとはしなかった。ベルギーの分離は表面上はウィーン条約に違反しているけれども、その原因は憲法に規定された義務を守らなかったオランダ国王ヴィルヘルムにあり、したがって違反の責任は国王にある。「国王ヴィルヘルムは、国民の憲法上の権利に背くことによって、その事実自体によってウィーン条約に違反した。それゆえベルギー国民はその君主の廃位を宣言したのである。このような違反は一八一五年の諸条約の精神に一致していたと私は主張する」〔Traités, p. 385〕。

*10 ——第二帝政の命運について、プルードンの見解はかなりゆれ動いている。一八五四年四月には「二月二五日(一八四八年)から今日にいたるまで、ラマルティーヌ、ルドリュ゠ロラン、カヴェニャック、ボナパルトそしてナポレオン三世の名のもとで支配してきた反動の体制は頂点に達しようとしており、まもなく終末にいたるであろう」(à Maurice la Chatre, 13 avril 1854〔Corr. VI, p. 20〕)と書いた。しかしセバストポール陥落でフランス全土がわきたった一八五五年には、反動の体制が軍事的栄光によって強化されると考えて、「おそらく戦争の継続によって、われわれはカエサル的絶対主義、軍人的蛮行……けちな相場師のぺてんが勢いを盛りかえすのを見るだろう」(à Maguet, 16 sept. 1855〔Corr. VI, p. 254〕)と記す。

さらに一八五八年一二月には、「反革命、もっと正確にいえば社会主義にたいする反動は、ヨーロッパではまだ頂点に達していない。……反革命がどこまで進むか、いつ終るかを予見することは不可能である」〔Dolléans, 1948, p. 362〕と書いている。

*11——プルードンの考えでは、「一八一五年の諸条約の重要性は、それらが表明しているものよりもはるかに多くそれらが言外にふくむものに由来している」〔Traités, p. 366〕のであり、このことを無視して条文にしか注意をはらわない共和派は根本的な誤りを犯しているということであった。

四　連合主義と〈国家の死滅〉

地域集団の連合

「一八四〇年に、政府万能主義的理念にかんする私の批判の結論であるアナルシーから議論を始めたとすれば、私は、共和政における人間の権利とあらゆる国家組織にとって必要な基礎である連合(フェデラシオン)によって議論をとじなければならない」(à Milliet, 2 nov. 1862〔Corr. XII, p. 220〕)。

プルードンは友人あての手紙で自分の思想の発展についてこのように述べ、さらに『連合の原理』(一八六三年)で自分の到達点をつぎのように要約した。「二〇年にわたってくり拡げられた私の経済思想のすべては、農＝工連合という三つの言葉に要約される。私の全政治的見解はおなじような公式に還元される。すなわち政治的連合あるいは分権化」〔Principe fédératif, p. 361, 邦訳四一〇頁、セレクション二六二頁〕。

プルードンの主張する「連合」とは、地域的集団が特定の目的のために政治的契約によって形成する連合組織のことであり、中央集権的国家の根本的な変革をめざすものである。政治的契約についてプルードンは言う。それは「一人または数人の家長、一つまたはいくつかのコミューン、一つまたはいくつかのコミューンの集合体あるいは国家が、一つまたはいくつかの特定の目的のために相互に義務を負うという約束」〔Principe fédératif, p. 318, 邦訳三七〇頁、セレクション二六三―二六四頁〕であって、いうまでもなく双務的かつ限定的でなければならない。そしてそのためには、この契約によって形成される連合組織において、コミューンなどの構成単位、提供したのと同じだけのものを連合組織から受取ること、契約の目的にかかわるもの以外にかんしては、その自由、主権、イニシアチヴを保持することが必要だとされる。「連合の権限は、現実的にも量的にもコミューンまたは地方の当局の権限を越えることはけっして許されない。……同様にコミューンや地方の権限は、人間と市民の権利や大権を越えることは許されない。そうでなかったら、コミューンは共同体になるだろう。連合は君主政的中央集権制に戻ることになるだろう。単なる代理人であり、従属的な役割であるはずの連合の権威が優越するものと見なされるであろう」〔ibid. pp. 319-320, 邦訳三七一頁〕。こうして連合は、可能なかぎり中央権力の権限を縮小し、コミューンを中核とする地域集団の諸権利を拡大することによって、社会の自由と自律を回復しようとするものであった。連合が目指すものは何よりも「自由の制度」であった。

それでは、この連合を構成する基礎単位は何であろうか。「連合においては、政治体を形成する単位は、個人、市民ないし臣民ではない。それは、自然によってアプリオリに与えられた集団であり、その平均的な大きさは、数百平方キロメートルの地域に集まった住民の大きさを越えない。これらの集団は、それ自体、連合にもとづく保護のもとで民主的に組織された小国家であり、その構成単位は家長または市民である」〔Principe fédératif, p. 546, 邦訳四一六頁〕。ここでいう「自然によって与えられた集団」とはその大きさからいってほぼコミューンにあたると考えてよかろう。それは、プルードンにとって、「自然と歴史的発展とによって結びつけられ、家族におけると同様、ともに生きるよう習慣づけられ」〔Capacité politique, p. 269〕た構成員で形成され、「精神的人格」をもつ自然的集団であった。そしてこのような存在としてのコミューンこそ連合の基礎をなすものであった。プルードンはその一方で、「地方（province）」の連合について語り、地方主権の確立を主張している。つまり現在のフランスを、平均面積六〇〇〇平方キロメートル、人口一〇〇万人の、三六の主権をもつ地方の連合体に再組織するというのである〔ibid. p. 322〕。

こうして連合の基礎単位の大きさにかんしてはあいまいさが残るけれども、いずれにせよ、地域的な自治的集団であることは間違いない。そしてプルードンは、連合の制度の拠るべき条件をつぎのようにまとめている。

一、それぞれが主権をもつ中位のグループを形成し、それらを連合契約によって結合すること。

二、連合した各国家のなかに、諸機関の分離の法にしたがって政府を組織すること。権力のなかでは、分離しうるものはすべて分離し、限定しうるものはすべて限定し、分離し限定しうるものすべてを異なった諸機関に分配すること。公共の行政を完全な公開と監督の条件のもとにおくこと。

三、連合した諸国家または地方および市町村の権限を中央の権限に吸収するのではなくて、中央の権能を全般的な発議と相互保証と監督の簡単な役割に制限すること〔Principe fédératif, pp. 330-331, 邦訳三八二頁、セレクション一六三頁〕。このような体制が形成されるとき、「政治的中心はいたるところに存在し、周辺はどこにも存在しない」〔Capacité politique, p. 198〕ことになるであろう。自然的集団を基礎単位とする多中心主義、これが〈連合の原理〉にほかならない〔樋口謹一、一九七四年、一五二頁〕。パリ・コミューンが採用した路線と活動は、地方分権と自立したコミューンの連合という、プルードンの主張する連合主義であった〔ルフェーヴル、上、二六一―二六九頁〕。

連合の構想は、同時に、ヨーロッパの国際関係の変革をめざすものであった。それは、ヨーロッパのすべての国の国家構造を中央集権的体制から連合の体制に変えることによって、すべての国家の排他性、力による征服と併合への傾向を弱め、さらにすべての国家の集権制を弱体化させ、そのことを通じて真の国際的均衡を作りだすことをめざしていた。じっさいプルードンは、イタリアにおいてもポーランドにおいても、フランスにおけると同じく、連合の体制は実現可能でもあり、かつ必要不可欠だと考え、連合への実際の動きとして、スイスの連邦制、アメリカ合衆国などに注目している。「連合の制度は、あらゆる国民、あらゆる時代に適用しうる」[*1]〔Principe fédératif, p. 331, 邦訳三八三頁〕。

アナルシーから連合へ

ところでプルードン自身が要約した〈アナルシーから連合へ〉というこの発展は、何を意味しているのであろうか。まず、連合の構想の成立過程についていえば、それは純粋に理論的な思索の産物であるよりも、第二帝政期の内政と国際関係の展開の検討、さらにそのもとでの民主派の思想と行動にたいする批判の産物であった。内政においてプルードンの見たものは、コミューンを中心とする地域集団の自立性の崩壊と中央権力への従属が加速する過程であり、普通選挙や人民投票がそのてことして働いているという事態であった。今一つの点は、第二帝政のもとで中間階級が没落分解し、そのことが中央集権への傾向を強化しているということである。国際政治にかんしては、国民国家と自然国境の主張によって、ヨーロッパの平和が危機に瀕しており、少数の大国によるヨーロッパ支配が到来しつつあるという危機的現実であった。「私たちは、神権の擁護と再建、貧民の搾取を目的とする五ないし六つの帝国の形成にむかって進んでいます。小国はその前に犠牲にされるでしょう。……ヨーロッパには法も自由も原理も慣習もなくなるでしょう」(à Beslay, 3 mai 1860〔Corr. X, p. 39〕)。そして民主派はといえば、単一不可分の共和国を主張する立場に固執して、中央集権化と国民国家の主張を、その結果が何であるかも考慮せずに、支持している。かれらは、「古い公式、古い理念、古い逆説をくりかえしている」〔La guerre et la paix, p. 506〕にすぎないのである。プルードンの連合の原理は、このような状況にたいする反措定として構想されたのであった。

〈アナルシーから連合へ〉の発展の内容にかんして、まず指摘しておくべきことは、この発展が自由の理念につらぬかれていることである。自由は、『日曜礼拝論』で「秩序における自由であり、統一における独立であるような社会的平等の状態を見出すこと」〔Dimanche, p. 61〕と書いて以来、プルードンの思想の変らぬ核心であった。二月革命期に〈労働の組織化〉に反対したのもそれが自由を抑圧すると考えたからであり、『一革命家の告白』においては、二月革命の総括をふまえて自由の哲学を展開した。すなわち自由こそ社会哲学の最初にして最後の言葉であり、自由がすべてのものの根拠だというのである〔Confessions, pp. 340-341〕。そしてさまざまな政体の歴史は、人類が自由を実現するために作りあげた幻想と錯誤の歴史にほかならないが、それを通じて人類は無限に自由に接近してゆくとされた〔ibid. p. 62〕。このような自由の進歩史観は『連合の原理』でも堅持されており、権威の制度から自由の制度への移行という歴史の運動が想定されている。そのうえで連合の制度は、中間集団や地域集団の自律性を回復することによって、自由の制度への画期的な一歩を踏みだすものと考えられたのである。

ところでプルードンの自由論を考えるとき、二つの点に注意しておくことが必要である。一つは、プルードンの主張する自由は「純粋自由の仮説」の主張する自由に対立するということである。この点については前章で述べたが、プルードンがとるのは、未開人の孤立的な自由ではなくて、文明社会における連帯的な自由、「複合的な自由」である〔Confessions, p. 249, セレクション一三八頁〕。この自由は、自由な存在のあいだの相互関係としてのみ成立するのであり、それゆえにこそ契約がその唯一の適合的な関係だとされる。プルードンの主張する自由は自己絶対化に向かうものではない。いま一つの点は、自由の実現は直線的な過程ではないということである。自由は権威とのたえざる闘争のなかで自己を実現してゆくが、自由を実現しようとする運動がかえって権威の強化を生みだし、また自由の実現がそれを規制する新たな権威をよびだすといった逆説が歴史のなかでしばしば見出される。自由の実現は、たえざるジグザグの過程、前進と後退をくりかえしながら進行する。プルードンが宗教改革のなかに、フランス革命のなかに見出したのは、まさにそのような自由の実現と抑圧の交替の実例であった。そのもっとも身近な事例が、二月革命から第二帝政への過程であった。それは、民主主義を求める運動から独裁が生じ、自由を求める闘いから専制が結果するという歴史の逆説的進行の見本と受取られた。連合の制度は、このような歴史の逆説の認識をふまえて構想されているのである。

自由の理念の堅持という点では変らないけれども、二月革命期のアナルシーの理論と連合の構想とのあいだには、明らかに力点の移動がある。二月革命期には、政治的支配と経済的構造のあいだの相関関係が問題とされ、経済的構造の根源性、経済的革命による政治的支配の消滅が結論された。政治的支配に固有の問題は二義的な位置をしめるにすぎなかった。それにたいして、連合の構想においては、経済的革命の不可欠であることを強調しながらも、政治的支配の問題が中心の位置をしめている。ここでは、政治の問題を自由と権威の二原理の対抗の問題としてとらえたうえで、地域集団の自律性の回復による中央集権的国家の改革にまとをしぼって議論が展開される。このような限定は、国家そのものの問題という原理的な大問題から時事的な問題への議論の縮小と見なされかねないものをふくんでいる。けれどもそのことを通じて、普通選挙や議会といったレベルでしか民主主義の問題を考えない当時の民主派とはまったく異なった地域の活性化という視点から政治の変革を提起することが可能になったと見ることができよう。

この点に関連してつぎに注目すべきことは、アナルシーが理念として措定された社会状態であるのにたいして、連合は不断にそれに接近してゆく過程として提起されていることである。

自由と権威

『連合の原理』をつらぬいているのは、政治の問題を自由と権威という対立しながら補完しあう二原理の関係としてとらえるという二元論的把握であった。「これら二つの原理は、いわば一対のものであり、分かちがたく結びついているけれども、一方を他方に還元することのできないものであり、われわれが何をしようと果てしなく戦いつづける。……権威は、討議し抵抗する、あるいは服従する自由なしには空語である。自由は、その対錘をなす権威なしには無意味である」〔Principe fédératif, p. 271. 邦訳三三二頁〕。自由は他者の自由によって相対化されるだけではなく、権威によってもまた相対化されるのである。プルードンは権威と自由の二原理を軸にして、権威の制度に属する君主政と全体主義（パナルシー）、自由の制度に属する民主政とアナルシーの四つの政体を区別したが、これらはいずれも理念型であり、現実の政体はそれらとは多少とも異なる折衷的な存在でしかない。「原理への忠誠は政治においては理想のなかにしか存在せず、その実践はあらゆる種類の妥協を蒙らざるをえないから、統治は、結局、人びとの最良の意志と美徳にもかかわらず、折衷的であいまいな創造物に帰着する。……いかなる統治もこの矛盾をまぬがれることはできない」〔ibid. p. 307, 邦訳三六二頁〕とまでいわれるのである。

こうして「もっとも権威主義的な社会においてさえ、一部は必らず自由のために残されている。もっとも自由な社会においてさえ、一部は権威のために残されている」〔Principe fédératif, p. 272, 邦訳三三三頁〕。自由の制度に向かうべき連合のばあいも例外ではない。そこでも、二つの原理の対立・葛藤は存在し、社会的労働の配分や利害の調整のために権威を強化しようとする傾向、さらには専制にむかう傾向が内包されている。「国家〔連合の原理にもとづく国家〕が自分自身で創設した事業のなかにいつまでもとどまり、独占の誘惑に負けるとき、何が起きるであろうか。……国家は国民を援け市民やコミューンにつくすかわりに、それらから持物をとりあげ、搾取する巨大な株式会社になる。やがて腐敗が、汚職が、自堕落がこの制度に浸透する。それは、自分を支えること、その特権をふやすこと、業務をふやし、予算を膨脹させることに専念し、やがて専制と事なかれ主義におちいる」〔ibid. p. 329, 邦訳三八一頁〕。だから重要なことは、専制への傾向に先手をうち、それとたたかい、それを抑制すること、自由を守り育てることである。こうしてプルードンは、連合の権限を可能なかぎり縮小し、地方やコミューンの権限を可能なかぎり増大させるための方策をくりかえし取りあげ強調したのであった。

このことはいいかえれば、連合は権威と自由、あるいは集団とその構成要素の対立・矛盾を最終的に止揚した制度ではなくて、かえってそれを原動力として運動する運動体だということである。もともとプルードンは矛盾の最終的止揚というヘーゲル弁証法を信じなかったが、ここではその立場が二元論のかたちをとって鮮明にうちだされているのである。そしてこの二元論によって、矛盾の最終的止揚を主張する理論の内包する危険——集団による個人の新たな抑圧の危険と、矛盾の最終的止揚の名によるこの抑圧の隠蔽の危険——を明らかにしえたのであった。同時に、それによって、「連合の制度」を理想としてのアナルシーへの「近似物」として、不断にそれに接近することを目的とする過程的な制度、いわば死滅しつつある国家として位置づけた。自由と権威という陳腐な対立図式が、アナルシーへの接近の過程に多少とも現実性をもたらしえたといえよう。*2

最後に注目すべきことは、連合における地域的な自然集団の重要性である。さきに述べたように、プルードンのアソシアシオン論は、中間集団としての作業場の自立性と活力をいかにして保証するか、またそれを構成する個人の自由と平等をいかにして確実なものにするかという問いに答えようとするものであった。それと同じく、連合論においては、中間集団としての自然集団の自立と活性化が主題になっている。現実の生活圏としての地域集団の自律性を回復すること、これが連合論の核心であった。こうしてプルードンは言う。「コミューンは主権者であるか出先機関であるか、すべてであるか無であるかのどちらかであって、その中間はない。……コミューンがそれ自身の法にもとづかず、より上位の法を承認せざるをえなくなるや否や、コミューンを部分とする大集団がコミューンの連合の関係の表現ではなくてその上位者であることが明瞭になるや否や、いつの日かコミューンはこの大集団と矛盾におちいり、闘争が勃発することは避けられない。ところで闘争がおこれば、論理的に見ても力の点でも勝利するのは中央権力である」〔Capacité politique, p. 286, セレクション二七八―二七九頁〕。そうだとすれば、中央権力の勝利をはばむためには、国家の構成そのものを変革しなければならない。それゆえにプルードンは、コミューンを部分とする統一国家にかえて、主権的存在としてのコミューンの連合体を主張したのであった。

コミューンのこのような重視は、時代状況から見れば、歴史の進行に逆行するものにならざるをえない。それは歴史の進行とともに生みだされるものではなくて、存在の基盤を掘りくずされつつある伝統的集団の重視にほかならないからである。じっさいコミューンについてかれが行なった記述を読めば、理念的集団の記述ではなくて、伝統的ではあるが資本主義と中央集権化の進行によって崩壊しつつある実在のコミューンの記述であることは、容易に見てとることができる。けれどもこの保守性は、プルードンが人間の自由と独立を普通選挙や議会制といったたてまえの理屈あるいはユートピアにもとづいて考えるのではなくて、日常的な生活圏とそこに息づく自由の感覚をよりどころにして構築しようとするところに由来している。この意味でプルードンの主張は、「保守的であるためにかえって根底的になるといった性質」〔谷川稔、一九七八年、九八頁〕をもっているということができる。

連合の構想は、このように、その成立過程からいっても、理論の枠組からいっても、この時代のフランスに固有の現実的諸条件と深く結びついて形成された。しかしプルードンは、かれのいつものように、時代の歴史的条件とフランスという地域的条件とを簡単にとびこえて、一般理論化を急ぐ。そのうえ、プルードンは「事実としての多元性から、社会革命の目的としての多元性へと、少しも気づかずに移ってしまう」〔G. Gurvitch, p. 45〕。このばあいにも事実としてのコミューンの存在から、目的としてのコミューンの連合への飛躍が行なわれる。実在から理念に直接に移ってしまうのである。こうして連合の構想は、現実の次元と理念の次元が錯綜することになる。連合の構想が最初に発表されたとき、ナポレオン三世の構想と同じものと見なされ非難を受けたこと、ベルギーの愛国者たちがそれをフランスによるベルギーの併合の主張と見なしたことなどもまったく根拠のないこととはいえないのである。

しかしそれにもかかわらず、実際の生活圏を基礎とする、いわばヒューマン・サイズの集団の自立と活性化によって国家からの解放を実現するというプルードンの構想は、国家の肥大と巨大化にたいする、当時提起された唯一ともいうべき反措定であったことを忘れてはならない。

＊1――プルードンは、連合制度の実現を困難にしている条件を「国民の大きさ、領土の広さ、首都の重要さによって自己を評価するという個人的および集団的虚栄心」〔Impôt, p. 278〕に見出している。

＊2――ここでマルクスにおける国家死滅の構想についても簡単にでもふれておくことが適切であろう。マルクスにとって革命とは何よりも権力獲得の問題であり、社会主義革命はプロレタリア独裁の問題に収斂する。マルクスによれば、プロレタリア独裁の権力は特殊な権力であって、階級支配の単なる逆転ではなくて、階級支配そのものの廃止を、したがって権力そのものの廃止をめざす権力である。この特殊性は、プロレタリア権力の特殊な形態に反映されなければならないが、『共産党宣言』では、この点はほとんど考察されていない。国家の死滅にかんしては、「発展の行程で、階級差別が消滅させられ、すべての生産が連合した個人の手に集中されると、そこで公権力は政治的性格を失なう」という一般的命題が述べられるにとどまっている。他方では、「プロレタリアートは、その政治的支配を、……すべての生産用具を国家の手に、すなわち支配階級として組織されたプロレタリアートの手に集中するために、……利用するであろう。もちろん、このことは、最初はただ、所有権と市民的生産諸関係への、専制的な介入をつうじてのみ、生じうる」〔マルクス・エンゲルス全集四巻、四九四頁〕

といわれる。ここではプロレタリアートによる国家の利用は語られているが、全生産用具を手中におさめ、専制的介入によって肥大した国家がいかにして死滅に向かうかについては何も述べられていない。政治的支配そのものの終焉とプロレタリアートによる国家の利用とは結びあわされてはいないのである。そして国家の利用の視点から「一七九三年のフランスでそうであったように、今日のドイツでも、もっとも厳格な中央集権化を実現することが真の革命党の任務である」〔「一八五〇年三月の中央委員会の同盟員への呼びかけ」、全集七巻、二五七―二五八頁〕と主張される。

マルクスにこのような既存の国家の利用という視点を放棄させたのは、パリ・コミューンの経験であった。『共産党宣言』一八七二年ドイツ語版への序文はこう述べている。「この綱領は、こんにちではところどころ古くさくなっている。すなわちコミューンは、「労働者階級は、できあいの国家機関をたんに手に入れて、それをかれらの固有の目的のためにうごかすことはできない」ということの証拠をあたえた」。こうして死滅に向かう権力としてのプロレタリア権力は、それに固有の国家装置を必要とすることが主張され、パリ・コミューンの取った諸方策――常備軍の廃止、行動体としてのコミューン、議員、官吏などあらゆる役職の選挙とリコール、かれらの賃金を労働者と同額にすること、中央政府にたいする地方自治体の優越など――にプロレタリアートの政治的支配の特性を見出している。さらに『ゴータ綱領批判』においては、国家と社会の関係にかんして「自由は、国家を社会の上位にある機関から社会に完全に従属する機関に変える点にあり、今日にあってすら、さまざまな国家形態は、それが「国家の自由」を制限する程度におうじて、より自由ないしより不自由である」〔全集一九巻、二七―二八頁〕と述べた。

また中央集権か地方分権かという点にかんして、エンゲルスは、「一八五〇年三月の中央委員会の同盟員への呼びかけ」の先に引用した文章につけた註（一八八五年）のなかでつぎのように述べている。「これが書かれた当時には、フランスの中央集権的な行政機構は大革命によって導入されたもので、とくに王党および連邦主義派の反動や、外敵を打ち破るさいになくてはならない決定的な武器として、国民公会によって運用されたということがまちがいのないことだとされていた。しかし、いまでは次のことが周知の事実になっている。すなわち、ブリュメール一八日にいたる全革命期をつうじて、県、郡、市町村の全行政機構は、行政区民自身によって選ばれた官庁からなっていて、これが一般国法の範囲内で完全な自由をもって行動したということ、アメリカのそれに似たこの州および地方の自治こそ、革命のもっとも強力なてことなったということである」〔全集七巻、二五七―二五八頁〕。このようにエンゲルスはかつての見解を修正して地方自治の革命性を主張している。ところでエンゲルスは、かつての中央集権の主張を「ボナパルト派や自由主義者の歴史偽造」〔同前、二五五頁〕による誤解のせいにしている。しかし中央集権化の主張は、この時期の諸著作、とりわけ『共産党宣言』のプロブレマティクときわめて適合的であるから、「歴史偽造」にもとづく誤解よりももっと深いところにあったと思われる。それゆえに、この誤解をただすためには、パリ・コミューンの経験による『共産党宣言』の「本質的な訂正」（レーニン）が必要だったのである。

結語

プルードンが連合の構想を練りあげた産業帝政の時代は、大きくいえば世界資本主義の成立の最終局面であった。それは、ヨーロッパ大陸諸国の側から見れば、いちはやく産業革命を達成したイギリスを中枢とする世界連関への従属的な資格での編入の最終局面ということであり、それに抵抗しようとすれば、〈国民経済〉の確立が至上命題になるということである。イギリスは国民的規模の再生産圏をこえて、他国民との経済的連関を積極的に作りだすことによって産業革命を遂行し、世界の諸地域を自己の一分枝とする世界資本主義体制を作りあげることに成功した。それにたいして、大陸諸国にはそのような可能性はもはや閉ざされていた〔河野健二、一九七〇年、五一―五二頁。なおこの時代の世界資本主義の構造の全体的な見取図については、同書二四〇―二四一頁を参照〕。これらの国々では、イギリスと同じ道を通って産業革命を遂行することは不可能であり、イギリスによって強制される支配＝従属的な国際分業の一分枝に甘んじるか、それとも拒否するかの二者択一が問題であった。

このような支配＝従属関係を拒否しようとすれば、強力な統一国家を形成し、世界資本主義から身を守って、〈国民経済〉の確立を急ぐ以外にない。そして〈国民経済〉の確立は国内市場の整備と工業化に負っており、その自生的展開を待つことができない以上、その基礎条件である鉄道・金融網などの国家による創出・整備が不可欠になる。こうしてナショナリズムと政治的および経済的集権化が合言葉になるのである。

ナポレオン三世の政治は、このような課題を遂行しようとするものであった。鉄道建設、都市改造、金融機関の育成などの近代的国民経済のための基盤の構築、強力な執行権力とそれを背景とした知事の権限をてこにした中央集権化などのナポレオン三世の政策は、時代の要請に支えられて成立し、一定の成功をおさめた。プルードンの言葉でいえば、「政治的・産業的帝政」がその結果であった。そしてそのメダルの裏側は、自律的な地域集団の最終的解体であった。

連合の制度は、このような第二帝政の政治・経済にたいする、またそれを支える時代の流れにたいする反対物として構想された。政治的連合は、「行政的・政府的中央集権制の反対物」〔Principe fédératif, p. 321, 邦訳三七二頁〕であり、その裏づけである農・工連合は金融的・産業的帝政の反対物であった。こうしてプルードンの連合の構想はまさしく〈反時代的〉であった。しかし、くりかえしになるけれども、プルードンは時代の流れに反対し、反時代的になることによって、より根源的な問題に迫りえたし、国家からの解放という希望に結びつくことができた。そしてそのようなものとして、パリ・コミューンを闘った人びとをとらえたのであった。

現実の生活のなかで自由に生きるとはどういうことか、そのためには何が必要かというプルードンの問いつづけた問題は私たちの問題である。「二〇世紀は連合の時代を開くであろう。さもなければ人類は千年にわたる煉獄をくりかえすことであろう」〔ibid. pp. 355-356, 邦訳四〇六頁〕というプルードンの言葉は、いまだ過去のものになってはいない。

あとがき

この本は、プルードンの思想との格闘のなかから生まれた。容易に私の思考になじもうとしない対象を追って、ゆきつもどりつしながら、私はプルードンの飛躍と矛盾の多い思想を再構成し、フランス社会主義の思想と運動のなかに位置づけようと試みた。そのなかで、プルードンが終生こだわりつづけたものが多少ともはっきりした輪郭を見せてきた。つまり、諸個人が自立的でありつづけながら自発的に連帯し、個人の発展が全体の発展と両立しうるような集団のあり方は何かという問いであり、理想的未来を実現しようとする運動と組織が陥りがちな、集団への個人の従属、埋没という疎外への傾向にたいする不断の告発である。それは、理論的というよりも、素朴だが強力な実感に支えられた問いであった。プルードンがこの問いにたいして与えた解答は本書を見ていただきたいが、この問題は今日においても、いや今日においてますます重い、と私は思う。

この本におさめた文章を書くきっかけになったのは、京大人文科学研究所で一九六九年四月から河野健二先生を班長として始まったフランス社会主義思想にかんする共同研究に参加したことであった。それまでカウツキーを中心にドイツ社会民主主義を研究していた私にとって、フランス社会主義の思想と運動は新鮮なものであった。ドイツ・マルクス主義、とりわけカウツキーの護教論的な重苦しさ、組織性の一面的強調にたいして、フランス社会主義がもつエスプリのきいた尖鋭さ、自由と自発性の重視のイメージは、きわめて魅力的なものに映った。この共同研究の前後の時期の社会と大学をめぐる問題状況も、組織のなかでの個人の自立と自発性の問題を考えさせた。私は、この問題の重要さを〈社会主義〉とのかかわりのなかでもっとも強く主張した思想家としてプルードンを読んだのであった。

その後、一九七九年に刊行された『資料 フランス初期社会主義』(河野健二編、平凡社)の編集・訳出に加わったことが、この本の成るについて大きなプラスになった。この資料集の作成には三年近い月日を費したが、七月王政期の問題状況とさまざまな〈社会主義〉、とりわけ当時の労働者運動の指導者の主張を知り、フランス社会主義の全体的な流れを把握するうえで、なくてはならないものだった。その途上での、河野先生や資料集作成のために集まった友人たちとの討論、それを母体に一九八〇年から始まり現在進行中の「一八四八年研究会」は、楽しくかつ刺激に満ちたものであった。その成果をどれほど活かしえたか、かえりみて忸怩たるものがあるけれども、少なくともこの本のIIの部分はそれなしにはありえなかった。

〈フランス社会主義〉は、つぎの二つの要求の複合体であった。

一つは、国民経済の、さらには社会全体の計画的管理の主張である。社会主義は、失業・貧困などの社会問題の根源を私的所有にもとづく生産・分配の無計画性、無政府性に見出し、その解決策を提起するものであったから、それは当然である。このことをもっとも鮮明に主張したのは、サン＝シモニアンであった。〈人間の支配から物の管理へ〉というかれらのスローガンはそのことをよく示している。

いま一つは、労働者民衆の自己解放・自立の要求である。一八三一年のリヨン蜂起において、絹織物工たちが「働いて生きよう、さもなくば闘って死のう」を合言葉に立ちあがったとき、かれらが表明したのはこの自立への意志であった。七月王政期の〈労働者アソシアシオン〉の運動も、失業と貧困の解決策であると同時に、自らの手で自己の解放を実現するという意志に貫かれていた。もっともそれはブルジョアにとっては嘲うべき妄想でしかなかった。じっさいパリの商工会議所は、一八四八年の労働者調査で、労働者の協同組織熱にかんして、「パリの労働者には、自分たちの負担で事業体をつくりたがる傾向がある」と冷笑的に記している。しかしプルードンが何よりも尊重し、〈相互主義〉によって定式化しようとしたのは、この自己解放への意志であった。

この二つの要求は両立不可能というのではないけれども、そのあいだに大きなジレンマがあることは見やすいところであろう。社会全体の計画的管理の主張は、その実現自体に伴なう現実的困難は別としても、計画的管理の中心である国家の肥大化に、エリート支配にゆきつく危険をはらんでいる。そしてそうなれば、人民の自立や自己解放は実現されないであろう。とりわけ計画的管理が集権的に行なわれるばあいには、対立関係は明白になるだろう。労働者民衆の自立あるいは自己決定と国民経済全体の計画的管理との両立は容易ではないのである。

本書のII—三で述べたように、〈アソシアシオン〉をめぐる論争、たとえば、一産業＝一協同組織方式の是非、また協同組織と国家の関係をめぐる論争が提起したのは、この問題であった。そしてたとえば『アトリエ』派は競争と協同組織の混合体制にその解決を求めた。もちろん、この問題は〈フランス社会主義〉だけの問題ではなかった。ロシア革命ののち、社会主義のもとでの労働組合のありようについて行なわれた論争もこの問題に関するものであった。一九二一年のロシア共産党第一〇回大会は、労働者による産業管理を主張する労働者反対派を斥けて、集権的計画化の道を進んだのであった。

ところで労働者の自立というばあい、階級としての自立と個人としての自立の問題がある。両者は結びついているけれども、くいちがってもいる。とくに階級的連帯や協同組織への献身が一方的に強調されるとき、個人の自立は否定されることになる。プルードンが連帯とか結合（アソシアシオン）とかの主張にたいして極端なまでの警戒心を示したのはそのためであった。そのかぎりでプルードンは個人主義的傾向の強い思想家として現われるが、かれの意図は、くりかえしになるけれども、個人が自立を保持しながら自発的に連帯するという個人－集団関係を定式化することにあった。プルードンは、個人が自己の独立を放棄して連帯することで階級的自立が達成できるなどとは考えなかった。かれは、小作業場における技能的熟練にもとづく労働者の結合関係をモデルにして、労働者の個人としての自立が階級的自立につながる道筋を構想したのであった。

管理か自立かという問題は、政治革命か経済革命かという問題とからみあいながら、その後もひきつづき継承された。前世紀末から今世紀初頭にかけての、マルクス主義をフランスに導入したJ・ゲードに率いられるフランス労働党とサンディカリストの対立、ロシア革命後の労働総同盟（CGT）における共産党とサンディカリストのはげしい対立は、もちろんそのときどきの政治状況に規定されていたけれども、根本的にはこの問題をめぐるものであった。

一九二九年恐慌の余波をうけて、フランス経済は一九三〇年代に長期的停滞に陥るが、そのなかで〈計画〉の観念が多くの知識人をとらえる（拙稿「計画の観念とテクノクラートの形成」、河野健二編『ヨーロッパ――一九三〇年代』、岩波書店、一九八〇年）。かれらは、経済の計画化のみが現在の危機の克服策であるとして、さまざまな計画化案を提出した。フランス社会党内では、ベルギー労働党の理論家アンリ・ド・マンの「管理経済」の主張から刺激をうけて、若い知識人党員たちが「プラニスト」とよばれるグループを作った。他方で国務院や財政検査院などの高等行政組織に勤務する若いエリート官僚も、「ポリテクニク経済研究センター」に結集して国民経済プランをねった。かれらはヴィシー政権のもとでその中枢部につき、さらにその多くは解放後もその職にとどまり、モネ・プラン以下の一連の経済計画を担った。一九三〇年代に、計画化を合言葉にテクノクラシーが形成されていったのである。

これらの計画の提唱者たちも、計画化がはらむ、中央集権化、エリート支配などの問題に気づかなかったわけではない。じっさい、かれらにとって、ソ連型の集権的計画は批判の対象でしかなかったし、計画と民主主義の結合をいかにして実現するかがかれらの関心事であった。

この点に関して鋭い指摘を行なったのは、シモーヌ・ヴェイユとエマニュエル・ムーニエである。ヴェイユは、ソ連の集権的社会主義を新たな抑圧としてきびしく告発するとともに、「労働者が社会に根をおろすことができるようなかたちで社会を変革する」ことを追求しつづけた（谷川稔「シモーヌ・ヴェイユとサンディカリスム」、河野健二編『ヨーロッパ——一九三〇年代』）。ムーニエは、経済の計画化は不可欠であるけれども、企業の管理が労働者自身に委ねられること、地方自治を可能なかぎり拡大することこそ、計画化が解放をもたらすためのなくてはならない前提であると主張した。労働者の自主的管理による産業民主主義と地方自治の徹底に基礎をおく分権的計画経済、これがムーニエの主張であった。

第二次大戦後、フランス政府はルノー自動車会社を皮切りに、金融、電力、石炭、ガスなどを国有化するとともに、経済の近代化と成長のための一連の経済計画を実施した。これらの政策のもとで、フランス経済は国際水準を上まわる成長をとげるが、それは同時に、国家による経済活動のコントロールの飛躍的増大、テクノクラートの支配力の拡大ということであった。言葉をかえていえば、それはまた、労働者階級の自立をめざすサンディカリスムの潮流の衰退過程でもあった。もちろん、労働者の自立への意志は死滅したのではなく、一九六八年の「五月革命」や時計メーカーのリップでの自主管理闘争（一九七三年）でほとばしりでたけれども。

この本の原稿を出版社にわたして二ヶ月のちに、フランスでは社会党政権が成立した。国有化部門の拡大、執行権力の縮小と立法機関の権限の拡大、地方自治の充実、さらに自主管理社会主義などがいわれているけれども、この政権のもとでどのような政治的、社会的、文化的変革が実行されるのか、いまださだかではない。またこの政権の中枢を国立行政学院出身のエリートが握っているとすれば、エリート層による統治という問題は依然として残るであろう。管理と自立という問題をめぐって、どのような実験が行なわれるかを見守りたいと思う。

もとより労働者民衆の自立や自主管理社会主義の未来はけっして楽観できるものではない。むしろ反対であろう。技能的熟練に基礎をおく小作業場をモデルにしたプルードンの構想はもはや有効ではないし、巨大国家の存在と機能を前にしては、民衆の自立など蟷螂の斧でしかないと見えるであろう。しかしこうした契機を欠いた「社会主義」は人間の解放からほど遠いものでしかないことは明らかである。この本が、これらの問題をその原点において考えるうえでいくらかでも役立てば幸いである。

この本は、最初は書き下ろしの予定で進められたが、結局、序章、I―一、二、IIを新たに執筆し、他の部分は、つぎの論文に大幅な加筆修正を行なって用いた。

I―三――原題　サン＝シモニアンの経済学批判（『人文学報』四七号、一九七九年）

IV――原題　プルードンの社会批判と革命観（河野健二編『プルードン研究』、岩波書店、一九七四年）

V――原題　反国家主義の政治革命論I・II（『経済学雑誌』七〇巻三、四号、一九七四年）

いま校正刷を読みかえしてみると、つっこみの足りないところ、まわりくどい論の運び、論じ尽せていないところばかりが目につく。とくに、この国でこれまでよく取りあげられたマルクス＝プルードン問題については、プルードンの主張をフランスの社会と歴史のなかで再構成するという目的のために意識的に排除したのだが、やはり心残りではある。しかし、これらすべてのことは他日を期しながら、現時点では対象との格闘の軌跡であるというよりほかはない。

この本が成るについて、好意に満ちたはげましと教示をいただいた多くのかたがたに、心から感謝のことばをささげたい。出口勇蔵先生には大学院在学中に社会思想史の世界を開いていただいた。河野健二先生は、京大人文科学研究所の助手になって以来、一貫して理解ある指導と支持を与えてくださった。とくに対象の客観的な把握という点で多くのことを教えていただいたことを忘れることはできない。また西川長夫氏と谷川稔氏の友情に満ちた支持を記さないわけにはゆかない。とりわけ谷川稔氏には文献や資料について多くの教示をいただいた。そしていちいち名前を記すことはできないが、私がこれまで参加した共同研究のメンバーからは、大きな知的刺激をうけた。

新評論の藤原良雄氏からこの本を出版するようおすすめをうけたのは、一九七五年のことであった。一向に進まぬ仕事にたいして、かぎりない寛容をもって接してくださった藤原良雄氏に心から感謝を申し上げる。またこの本の出版にご協力くださったすべての方に心からお礼申し上げる。

最後に、私事にわたるが、遅々としてはかどらぬ仕事を支えてくれた妻裕子に感謝するとともに、喜寿をこえた両親の健在中にこの本ができあがったことを喜びとしたい。

一九八一年七月

阪上　孝

平凡社ライブラリー版あとがき　いまなぜプルードンを読むのか

本書は四〇年あまり前の著書『フランス社会主義——管理か自立か』（一九八一年、新評論刊）の再刊です。再刊にあたって、表題を『プルードンの社会革命論』と改め、加筆改訂を行ないました。

二〇〇九年に平凡社ライブラリーから『プルードン・セレクション』が刊行されたときに、この年がプルードン生誕二〇〇年であることから、『フランス社会主義——管理か自立か』の改訂再刊を考えました。しかしその時点ではまだ漠然とした考えでしかありませんでした。その後一〇年ほど経ったころ、何人かの若い人からプルードンの思想に関心があり、この本を読みたいのだが、古書店では見つからないと聞かされました。この言葉は私を喜ばせてくれましたが、同時にプルードンの思想の現代的意味についてあらためて考える契機になりました。

私の考えでは、プルードンを読み考えることの現代的意義は三つあります。

（一）何よりもまずプルードンの思想が、常識となっている捉え方を疑うこと、世界を異なる仕方で見ることを教えてくれることです。

現代文明が直面している状況から考えてみましょう。文明には、人間を自然から護り自然に働きかけて生存の必要物を得るという対自然関係の側面と、人間の社会関係のコントロールという側面の二つがあります。

近年、ハリケーンや竜巻、集中豪雨、熱波とそれにともなう大規模な森林火災などが頻発して、各地で大災害を惹き起こしています。地球温暖化はこれらの災害に深くかかわっており、人類の生存を左右する大問題です。二〇一五年に「国連気候変動枠組条約締約国会議」がまとめた「パリ協定」は「世界の平均気温上昇を産業革命以前にくらべて二度以下に保ち、一・五度に抑えるように努力する」という目標を設定し、現在の二酸化炭素排出がこのまま続くと、「この世の終わりのような非常事態」になると警告しています。対自然関係は、人類が生き延びることを難しくするほど切迫した状況にあります。社会関係の側面では、多くの先進諸国で経済格差の拡大と固定化の深刻さの度合いがますます増しています。他方で、先進諸国と開発途上国の間の経済格差は拡大する一方です。そしてこのことが地球温暖化対策を遅らせる結果になっています。

要するに現代文明は、対自然の関係の面でも社会関係の面でも根本的な変革を必要とする重大な危機に直面しているのです。このような危機的状況を乗り切るには、これまで常識とされてきた価値観や考え方を思いきって一変させることが不可欠でしょう。

プルードンが考えた所有と国家をめぐる問題に即して考えましょう。フランス革命で決議された「人間と市民の権利の宣言」において、所有権は「あらゆる政治的団結の目的」である「絶対に取り消し不可能な自然権」(第二条)の一つであり、「神聖かつ不可侵の権利である」(第一七条)と定義されて以来、さまざまな国の憲法や権利宣言に盛り込まれ、社会の最も基礎的な条件として定着してきました。また私たちは日本という国に生まれ、生まれたときから日本という国はすでにありました。だから国家は問うまでもない自明の存在であり、無意識のうちに私たちの思考の枠組になっています。

しかし国家はそれほど古くから存在したわけではありません。ホモ・サピエンスの誕生はおよそ二〇万年前とされていますが、最初の国家が成立するのはそれよりずっと後の紀元前三三〇〇年頃です。トマス・ホッブズが『リヴァイアサン』で国家の成立根拠を弁証したのは西暦一六五一年、今から三七〇年ほど前のことにすぎません。人類が国家ぬきで生きた時間のほうが圧倒的に長い。それだけではありません。今も国家ぬきで自発的な相互扶助と協力慣習によって秩序を保って暮らしている人びとが世界に多数存在することを、人類学は教えてくれます。

かつて人類学は植民地経営に寄与する学問として機能しました。しかし今では逆に、国家ぬきで秩序を保ち平和に暮らす社会の事例を報告することによって、国家なしでは秩序を考えられない現代人の蒙を啓く役割を担っています。人類学者のJ・C・スコットは書いています。「私たちは、この二〇〇〇年間にわたる強い国家と自由主義経済によって飼い慣らされて多くの相互性の慣習を失ってしまい、ホッブズが自然状態に生息すると考えた危険な掠奪者になりつつある、そんな危機にいるのかもしれない。リヴァイアサンは、自身の存在を正当化する理由を自ら生み出してしまったのかもしれない」(『実践　日々のアナキズム』、清水展他訳、岩波書店、二〇一七年)。人類学は国家の存在を正当化する理由をあらためて問い直す目を育ててくれます。『負債論』で有名なデヴィッド・グレーバーは、人類学とアナーキズムには親和性があると述べています(『アナーキスト人類学のための断章』、高祖岩三郎訳、以文社、二〇〇六年)。

プルードンは「所有とは盗みだ」という言辞で常識人にショックを与えました。通常は無秩序、混乱と見なされて否定的にしか理解されないアナルシーという語の意味を逆転させて肯定的な意味を与え、「社会の最高の完成は秩序とアナルシーの結合に存する」と述べました。こうした逆説を駆使するプルードンは、目から常識のうろこを落とさせる最適任者の一人だといってよいでしょう。プルードンはこれらの言説を思いつきで述べたのでも、奇をてらって述べたのでもありません。それどころかプルードンは資本と国家に教会を加えた三者を「絶対主義の三位一体」と呼び、その批判の理論的展開に生涯をかけました。

人類学は、相互性と自発的な協力で維持されている社会の事例を示すことで、現代社会とは異なる社会も存在しうるということを教えてくれました。プルードンは「絶対主義の三位一体」に果敢に挑んで現代社会に取って代わるべき社会を構想しました。こうした見方を知ることは、目から常識のうろこを削ぎ落として世界を見る目を変えるのに役立つでしょう。

(二) 現代的意義の第二は、アソシアシオン(アソシエーション)の思想です。プルードンが活躍した一八四〇―五〇年代のフランスの左翼陣営は、アソシアシオン論をめぐって百家争鳴の状態でした。プルードンはそうした状況のなかでさまざまなアソシアシオン論と格闘し批判検討を加えながら、自らのアソシアシオン論を築きました。この点は本書のⅢ、Ⅳで詳論したので、次の点を指摘するにとどめます。プルードンが重視したのは個人の自由・自立とアソシアシオンの調和的結合という問題であったこと、プルードンが成功して繁栄しているアソシアシオンの定款や運動を吟味して、自らのアソシアシオン論を構想していること、産業的帝政に取って代わるべき経済的システムとしてアソシアシオンの具体的組織化の構想(Ⅳ―四を参照)を提起していることです。

マルクスの社会主義像を国有化プラス計画経済だと規定する言説にたいする批判は、一九六〇年代からすでにありました。市民社会の資本主義社会への「転成」に注目して、市民社会的な社会主義こそマルクスの社会主義像だと主張した平田清明(『市民社会と社会主義』、岩波書店、一九六九年)はその代表格です。ベルリンの壁の崩壊(一九八九年)に続く「社会主義」圏の崩壊は、アソシエーションの概念をもとにしてマルクスの社会主義を再定義する試みを加速させました。田畑稔『マルクスとアソシエーション』(新泉社、一九九四年)、田畑他編著『アソシエーション革命へ』（社会評論社、二〇〇三年）、柄谷行人『トランスクリティーク』（批評空間、二〇〇一年／岩波現代文庫、二〇一〇年）はその一例です。

たしかに『共産党宣言』には「各人の自由な発展が万人の自由な発展の条件であるような、一つのアソシエーションが出現する」と書かれており、アソシエーションの語は何度か見られます。けれどもその内容は貧しいといわざるをえません。共産主義は成就されるべき状態や理想ではなく、現状を止揚する現実の運動のことだと述べたマルクスは、将来を語ることにはきわめて禁欲的な態度を貫いたことがその理由の一つだったのでしょう。それにたいして国家権力を奪取したプロレタリアートが取るべき方策としてあげられている一〇の項目の圧倒的部分は国家に集中しています。土地所有を収奪して地代を国家支出に振り向ける、国家資本および排他的独占をもつ国立銀行によって、信用を国家の手に集中する、すべての運輸機関を国家の手に集中するなどなど。強度の累進税や反逆者・亡命者の財産の没収という項目にしても、税を課し徴収する主体、財産を没収する主体は国家ですから、プロレタリア権力が取る方策が国家主義的色彩の濃いものだったことは否定できないでしょう。

一八五〇—六〇年代のマルクスは資本制社会の研究に全力を集中したからでしょうか、アソシエーションへの言及はわずかで断片的なものです。『資本論』第三巻で、株式会社と生産協同組合を対比して、前者が資本制の消極的止揚であるのにたいして、後者はその積極的止揚だと述べて生産的協同組合を高く評価していますが、生産協同組合についての具体的な議論はわずかです。これらの点を考えると、マルクスのアソシエーションにかかわる言説だけでは、アソシエーションの概念によってマルクスの社会主義論を革新することは困難だと思われます。マルクスのアソシエーション論を豊かにするためには、プルードンのアソシアシオン論を検討することが不可欠だと考えます。その検討は、視野を広げれば、アソシエーションを軸とする社会を構想する一助となるでしょう。

(三) 最後に取り上げなければならないのは、「連合の制度」です。プルードンは敗北に終わった二月革命を総括して、次のように述べました。政府なるものはその起源がいかに民衆的であったとしても、結局は最も知識があり豊かな階級の側につき、はじめのうちは自由主義的な姿勢を示すけれども、最終的には自由と平等の破壊に励む(『一九世紀における革命の一般理念』)というのです。この苦い教訓を踏まえ、他方では第二帝政のもとで肥大化の一途をたどる国家機構という現状を見据えながら、連合の制度はこのような集権的支配からの解放を目指す具体的方策として構想されました。

さて、プルードンは連合の制度を考える出発点を、自由と権威という互いに対立しながら支え合う二つの原理に置きます。この二つの原理は分かちがたく結びついている。どんなに権威主義的な社会においても一部は自由のために残されているし、最も自由な社会においても最小限の権威は存在する、というわけです。完全に自由な政治や完全に権威主義的な政治というのは観念の中にしか存在しない、現実の政治は自由と権威という二つの原理の妥協形態だというのです。この考えには何の新しさもないことは、プルードン自身も認めているところです。プルードンはこの古臭い常套句にどんな新しい内容を盛り込もうとするのでしょうか。

プルードンがいう政治体を、ラグビーの楕円球の比喩で考えてみましょう。つまり政治体を、自由と権威という二つの原理を焦点とする楕円球と考えるわけです。楕円は二つの焦点が近づけば近づくほど円に近くなり、遠ざかれば直線に近くなる。ラグビーボールでいえば、二つの焦点が近づけばサッカーボールに、遠ざかれば円盤に近づくでしょう。しかし自由と権威という二つの原理は根本的な対立物で、両者が接近するとは考えにくいから、問題は二つの原理のどちらの力が勝るかということになり、強い力をもつ側が膨らんだ瓢箪形になるでしょう。権威の原理が強い力をもつようになれば権威の側が膨らんだ瓢箪、自由の原理が優越すれば自由の側が膨らんだ瓢箪になります。

帝政のもとで権威の側はますます強大になり、それにたいして自由の側はさまざまな抑圧を受けて弱小化を余儀なくされています。帝政下の政治体は権威の側が圧倒的に膨らんだ瓢箪形になっているのです。連合の制度は、コミューンの自治、自治するコミューンの連合体、農工連合、交換銀行などの方策を駆使して、権威の側の一方的な肥大化を食い止め、自由の原理の強化を目指すもの、自由の側が膨らんだ瓢簞形を目指すものとして構想されました。

「自由の強力な魅力にもかかわらず、民主政もアナルシーも、それらの理念の完全無欠な姿ではどこでも設立されたことはない」、それらは「永遠の希望条項の状態にとどまる」(『連合の原理』、三三九頁)とプルードンは書いています。とすれば、それらの理念に近づいていくことを可能にする制度と組織を構想し設立することが取るべき方策になるでしょう。連合の制度はそうした制度・組織として提起されたのです。じっさいパリ・コミューンを闘った人びとは、マルクスの女婿シャルル・ロンゲが証言した(「エンゲルス序文の若干の点について」『フランスの内乱』、岩波文庫、一九五二年)ように、プルードンの連合の主張を受け入れ、実行に移そうとしました。パリのコミューンは、地方と農民に連帯を呼びかけ、各コミューンに結集した市民による業務の直接的・民主的管理を実行するように訴えたのです。マルクスがこれらの方策を、ついに見出されたプロレタリア独裁の具体的姿態として高く評価したのは周知のところです。

問題を少し異なる視角から検討しましょう。

グラムシはロシアとヨーロッパにおける革命戦略の違いに注目しました。ロシアでは国家がすべてで市民社会はゼラチン状であり、それゆえに機動戦での勝利が決定的だった。それにたいして、西方つまりヨーロッパでは市民社会が堅固な構造を整えているから、市民社会のなかで陣地を獲得し築くことが重要だ、つまりヨーロッパにおける革命の戦略は、機動戦から陣地戦に重点を移すべきだというのです（『グラムシ・セレクション』、平凡社ライブラリー）。プルードンが提唱した交換銀行、連合の制度の基盤であるコミューンの自治と農工連合は、「陣地戦」における陣地の構築と解釈することはできないでしょうか。もしそう解釈することができるなら、古い常套句に盛り込んだ新しい内容とは、陣地戦における陣地の構築だったと見ることができるでしょう。古臭くてマルクスから罵倒されたプルードンの思想は、意外な現代性を秘めているといえるでしょう。

およそ四〇年前に書いた文章に手を入れるのは容易ではありませんでした。もとの文章を書いたころと現在では考えにかなりの違いがあり、大幅に書き直そうと考えもしましたが、諸般の事情で部分的な改訂・加筆に留めざるをえませんでした。それでも何とかまとめることができたのは、本書の再刊を支持し、遅れがちな校正を我慢強く待ち、適切な時期に適切な助言を与えてくださった編集者の保科孝夫氏のおかげです。保科孝夫氏に心からお礼を申しあげます。最後になりましたが、本書の刊行を許可いただいた『フランス社会主義――管理か自立か』の版元である新評論にお礼を申しあげます。

二〇二三年三月

阪上　孝

ンス・ブルジョア社会の成立』，1977年.
「プルードン主義とサンディカリスム」，『思想』1978年５月.
「二月革命を越えて」，野田宣雄編『一九世紀のヨーロッパ』，有斐閣新書，1980年.
次田健作「クレディ・モビリエ研究の一視角（上）」，『大阪大学経済学』24巻４号，1975年.
「クレディ・モビリエ」，原輝史編『フランス経営史』，有斐閣双書，1980年.
ディドロ，本田・平岡訳『ラモーの甥』，岩波文庫，1964年.
デュプー，G.，井上幸治監訳『フランス社会史』，東洋経済新報社，1968年.
西川長夫「反国家主義の思想と論理」，河野編『プルードン研究』，岩波書店，1974年.
「ボナパルティズムの原理と形態」，河野編『フランス・ブルジョア社会の成立』，岩波書店，1977年.
「フランス的明晰とは何か」，饗庭孝男編『フランス六章』，有斐閣，1980年.
二宮宏之「フランス絶対王政の統治構造」，吉岡・成瀬編『近代国家形成の諸問題』，木鐸社，1979年
樋口謹一「政治運動史におけるプルードン」，河野健二編『プルードン研究』，岩波書店，1974年.
『ルソーの政治思想』，世界思想社，1978年.
広田明「サン－シモンの社会組織思想における市民社会と国家（一，二）」，『社会労働研究』20巻１，２号，1974年.
藤田その子「ミシェル・シュヴァリエ小論」，『西洋史学』101号，1976年.
ブーバー，M.，原島正訳「社会と国家とのあいだ」，『ブーバー著作集第８巻』，みすず書房，1970年.
長谷川進訳『ユートピアの途』，理想社，1972年.
ポラニー，K.，吉沢他訳『大転換』，東洋経済新報社，1975年
マニュエル，F.，森博訳『サン＝シモンの新世界（上，下）』，厚生閣，1975年.
見市雅俊「サン＝シモン主義の社会観と実践」，『思想』1976年２月.
山田慶児『混沌の海へ――中国的思考の構造』，筑摩書房，1975年.
吉田静一『サン＝シモン復興――思想史の淵から』，未来社，1975年.
ルフェーヴル，H.，河野他訳『パリ・コミューン』上・下，岩波文庫，2011年.
ロム，J.，木崎喜代治訳『権力の座についた大ブルジョアジー』，岩波書店，1970年.

「発端・市民社会の経済学的措定」，内田他編『経済学史』，筑摩書房 1970年.
木崎喜代治『フランス政治経済学の生成』，未来社，1976年.
喜安朗「フランスにおける資本と労働の‘初期的’対抗と6月事件」，『歴史学研究』237号，1960年.
『民衆運動と社会主義』，勁草書房，1977年.
桑原武夫編『フランス革命の研究』，岩波書店，1959年.
河野健二他編『世界資本主義の歴史構造』，岩波書店，1970年.
「プルードンの社会主義」，『世界』321号，1972年.
「プルードン主義の背景」，河野編『プルードン研究』，岩波書店，1974年.
「第二帝政とブルジョア化の完成」，河野編『フランス・ブルジョア社会の成立——第二帝政期の研究』，岩波書店，1977年.
『資料 フランス初期社会主義——二月革命とその思想』（編），平凡社，1979年.
後藤修三「プルードンのウィーン体制観（上，下）」，『三田学会雑誌』1967年1月，4月.
阪上孝「第二帝政と国民経済観の二類型」，河野編『フランス・ブルジョア社会の成立』，1977年.
坂本慶一『フランス産業革命思想の形成』，未来社，1961年.
『マルクス主義とユートピア』，紀伊国屋書店，1970年.
作田啓一「プルードンの家族観」，『ソシオロジ』54・55合併号，1971年.
『価値の社会学』，岩波書店，1972年.
「プルードンの社会理論」，河野編『プルードン研究』，1974年.
佐藤茂行『プルードン研究』，木鐸社，1975年.
シィエス，稲本他訳『第三身分とは何か』，岩波文庫，2011年.
杉村和子「労働者の新聞『ラトリエ』紙」，『史林』52巻3号，1969年.
スミス，アダム，大河内一男訳『国富論』，中央公論社『世界の名著』，1968年.
米林富男訳『道徳情操論』，未来社，1969年.
セレクション　河野健二編『プルードン・セレクション』，平凡社ライブラリー，2009年.
竹内成明「プルードンのコミュニケイション論」，河野編『プルードン研究』1974年.
「第二帝政とコミュニケーション」，河野編『フランス・ブルジョア社会の成立』，1977年.
竹内芳郎『国家と文明』，岩波書店，1975年.
田中治男『フランス自由主義の生成と展開』，東京大学出版会，1970年.
谷川稔「「産業帝政」化におけるフランス労働運動の再生」，河野編『フラ解決」,『資料 フランス初期社会主義』)
Traités……*Si les traités de 1815 ont cessé d'exister?* 1863.[『一八一五年の条約はもはや存在しないか』]
RITTER, A., *The Political Thought of P.-J. Proudhon*, Princeton, 1969.
RODRIGUES, O., "Considérations générales sur l'industrie", *Producteur*, T. I.
ROSANVALLON, P., *Le capitalisme utopique*, Paris, 1979.(長谷俊雄訳『ユートピア的資本主義』, 国文社, 1990年)
ROUEN, P. J., 1. "Société commanditaire de l'industrie (1,2)", *Producteur*, T. I.
2. "Examen d'un nouvel ouvrage de M. Dunoyer (1, 2, 3)", *Producteur*, T. II, III.
3. De la classe ouvrière, *Producteur*, T. III.
RUDE, F., *L'Insurrection lyonnaise de novembre 1831*, Paris, 1969.
SAINT-SIMON, *L'Industrie, Œuvres de Saint-Simon et Enfantin*, T. XVIII, XIX. réimp. Otto Zeller, 1964.[『産業』]
L'Organisateur, Œuvres de Saint-Simon et Enfantin, T. XX.[『組織者』]
Système industriel, Œuvres de Sain-Simon et Enfantin, T. XXI.[『産業体制論』]
STERN, D., *Histoire de la révolution de 1848*, Paris, 1850.
TCHERNOF, I., *Le parti républicain sous la monarchie de juillet*, Paris, 1901.
THIERS, A. *Discours parlementaires de M. Thiers*, T. V, IX. 1880.
TOCQUEVILLE, A. de., *Souvenirs, Œuvres complètes de Alexis de Tocqueville*, Paris, 1971.(阪上孝訳「新しい革命の社会主義的性格」,『資料 フランス初期社会主義』, 喜安朗訳『フランス二月革命の日々——トクヴィル回想録』, 岩波文庫, 1988年)
WALRAS, L., *L'économie politique et la Justice*, Paris, 1860.
WEILL, G., *Histoire du parti républicain en France*, Paris, 1928.
WOODCOCK, G., *Pierre-Joseph Proudhon*, London, 1956.
ZELDIN, T., *The Political System of Napoleon III*, London, 1971 (1st ed. 1958).

浅田彰「ローとモンテスキュー」, 樋口謹一編『モンテスキュー研究』, 白水社, 1984年.
井手伸雄「七月王朝期におけるパリ建築工の運動」,『史淵』67-68合併号, 1956年.
内田義彦『経済学史講義』, 未来社, 1961年.

＊Corr.……*Correspondances de P.-J. Proudhon*, 14 vol. 1875. réimp.

Démocrates assermentés……*Les démocrates assermentés et les réfractaires*, 1863.［『宣誓した民主主義者と宣誓拒否者』］

Dimanche……*De l'utilité de la célébration du dimanche*, 1839.［『日曜礼拝論』］

La guerre et la paix……*La guerre et la paix*, 1861.

Idée générale……*Idée générale de la révolution au XIXe siècle*, 1851.（陸井四郎訳『19世紀における革命の一般理念』，三一書房，1971年）

＊Impôt……*Théorie de l'impôt*, 1861. éd. Garnier Frères.

Fédération et l'unité……*La fédération et l'unité en Italie*, 1862.［『連合とイタリアの統一』］

France et Rhin……*France et Rhin*, 1867.

Justice……*De la justice dans la Révolution et dans l'Eglise*, 4 vol. 1858.［『革命と教会における正義』］

Majorats……*Les majorats littéraires, examen d'un projet de loi ayant pour but de créer au profit des auteurs, inventeurs et artistes, un monopole perpetuel*, 1862.

＊Manuel……*Manuel du spéculateur à la bourse*, 3e éd. Lacroix. 1856.［『株式取引所における投機家提要』］

＊Mélanges……*Mélanges (Articles de journaux 1848-1852)*, 3 vol. éd. Lacroix.

Observations……*Nouvelles observations sur l'unité italienne*, 1864.

Ordre……*De la création de l'ordre dans l'humanité, ou Principes d'organisation politique*, 1843.

I^e Mémoire……*Qu'est-ce que la propriété?* 1840.（長谷川進訳『所有とは何か』，三一書房，1971年）

Principe fédératif……*Du principe fédératif et de la nécessité de reconstituer le parti de la révolution*, 1863.（江口幹訳『連合の原理』，三一書房，1971年）

Projet……*Projet d'exposition perpétuelle*, 1855.［『永続的博覧会の計画について』］

＊Propriété……*Théorie de la propriété*, éd. Garnier Frères, 1866.

＊Résumé……*Résumé de la question sociale*, éd. Garnier Frères. 1848.［『社会問題綱要』］

Révolution sociale……*La révolution sociale démontrée par le coup d'Etat du 2 décembre*, 1852.［『クーデタによって証明された社会革命』］

＊Solution……*Organisation du crédit et de la circulation, et solutions du problème social*, 1848.（阪上孝訳「信用と流通の組織化と社会問題の

LE JOURNAL DES TRAVAILLEURS, Paris, juin 1848.（谷川稔訳「合同コルポラシオン協会の創出――『ジュルナル・デ・トラヴァユール』紙」,『資料 フランス初期社会主義』）

LEROUX, J., *Aux ouvriers typographes*, Paris, 1833, *Les révolutions du XIXe siècle*, 1re série. T. IV.

LEROUX, P., "De l'individualisme et du socialisme", 1831. dans EVANS, D. O., *Le socialisme romantique, Pierre Leroux et ses contemporains*, Paris, 1948.

LOUIS-NAPOLEON, Bonaparte. *Rêveries politiques, Œuvres de Napoléon III*. T. I. 1854a. (1re éd. 1832)

L'idée napoléonienne, Œuvres de Napoléon III, T. I. 1854b. (1re éd. 1839)

MOSS, B. H., *The Origins of French Labour Movement, 1830-1914*, California, 1976.

L'ORGANISATEUR, *L'organisateur,* 1829-1831.［『組織者』］

OTT, A., *Des associations d'ouvriers*, Paris, 1838, *Les révolutions du XIXe siècle*. 2e série, T. I. Paris, 1979.

PECQUEUR, C., *Théorie nouvelle d'économie sociale et politique*, Paris, 1842, réimp. 1971.

PÉREIRE, E. J., *Leçons sur l'industrie et les finances*, Paris, 1832.

PIROU, G., *Proudhonisme et syndicalisme révolutionnaire*, Paris, 1910.

PRODUCTEUR, *Le Producteur,* 1825-1826.［『生産者』］

"Prospectus de producteur", *Producteur*, T. I. 1825.

"Introduction de producteur", *Producteur*. T. I.

PROUDHON, P.-J.,（＊印以外は，Rivière版のŒuvres complètes de P.-J. Proudhon所収による）

＊Banque du peuple……*Banque du peuple*, 1849. éd. Garnier Frères.［『人民銀行』］

Capacité politique……*De la capacité politique des classes ouvrières*, 1865.（三浦精一訳『労働者階級の政治的能力』，三一書房，1971年）

Carnets……*Carnets de P.-J. Proudhon,* 4 vol.［『手帖』］

Confessions……*Les confessions d'un révolutionnaire, pour servir à l'histoire de la révolution de février*, 1849.（山本光久訳『革命家の告白――二月革命史のために』，作品社，2003年）［『一革命家の告白』］

Contr. écon.……*Système des contradictions économiques ou Philosophie de la misère*, 2 vol. 1846.（斉藤悦則訳『貧困の哲学』上・下，平凡社ライブラリー，2014年）［『経済的矛盾の体系』］

Contr. pol.……*Contradictions politiques: Théorie du mouvement constitutionnel au XIXe siècle*, 1870.［『政治的矛盾』］

DUVEAU, G., "Introduction de «Si les traités de 1815 ont cessé d'exister?»", *Œuvres complétes de P.-J. Proudhon*, éd. Marcel Rivière, 1952.

EFRAHEM, Z., *De l'association des ouvriers de tous les corps d'état*, Paris, 1833. *Les Révolutions du XIXe siècle*. 1re série T. VI.（阪上孝訳「あらゆる職能組織の労働者による協同組織について」，『資料　フランス初期社会主義』）

ENFANTIN, P., 1. "Des sociétés anonymes et en commandite par actions", *Producteur*, T. I. 1825.

2. "Considérations sur la baisse progressive du loyer des objets mobiliers et immobiliers", *Producteur*, T. I. 1825.
3. "Des banques d'escompte (1, 2)", *Producteur*, T. II. 1826.
4. "Considération sur l'organisation féodale et l'organisation industrielle", *Producteur*, T. III. 1826.
5. "Du système d'emprunt comparé à celui des impôts", *Producteur*, T. III.
6. "De la concurrence dans les entreprises industrielles", *Producteur*, T. III.
7. "De la circulation", *Producteur*, T. III.
8. "Considération sur les progrès de l'économie politique (1, 2, 3)", *Producteur*, T. IV. 1826.
9. *L'économie politique et politique industrielle*, Paris, 1831.

FAURE, A. et Rancière, J., *La parole ouvrière 1830-1851*, Paris, 1976.

FEUGUERAY, H., *L'association ouvrière industrielle et agricole*, Paris, 1851.

GILLE, B., *La banque en France au XIXe siècle*, Genève, 1970.

LE GLOBE, *Le globe*, 1826-1831.

GOSSEZ, R., *Les ouvriers de Paris*, Paris, 1967.

GRIGNON, *Réflection d'un ouvrier tailleur sur la misère des ouvriers en général*, 1833. *Les révolutions du XIXe siècle*. 1re série.（谷川稔訳「一仕立工の考察」，『資料 フランス初期社会主義』）

GUERIN, D., "Proudhon et l'autogestion ouvrière", *L'Actualité de Proudhon*, Bluxelle, 1967.

GURVITCH, G., *Proudhon, sa vie, son œuvre*, Paris, 1965.

HALÉVY, D., *La vie de Proudhon*, Paris, 1948.

HALÉVY, E., *The Growth of Philosophical Radicalism*, London, 1900.

IGGERS, G. G., *The Cult of Authority*, Hague, 1958.

ISAMBERT, F. A., *Buchez ou l'âge théologique de la sociologie*, Paris, 1967.

初期社会主義』）
BOUGLÉ, C., *Sociologie de Proudhon*, Paris, 1932.
"Introduction de l'exposition de la doctrine de Saint-Simon", *La doctrine de Saint-Simon*, Paris, 1924.
BUCHEZ, P. J. B., "Moyen d'améliorer la condition des salariés des villes", *L'Européen*, 24. déc. 1831.（谷川稔訳「都市賃金労働者の境遇を改善するための方策」,『資料 フランス初期社会主義』）
Histoire parlementaire de la révolution française, T. XXXII, Paris, 1834-1838.（谷川稔訳「『フランス革命議会史』第三二巻序文」,『資料 フランス初期社会主義』）
Introduction à la science de l'histoire, Paris, 1842.
CAHEN, G., "Louis Blanc et la commission de Luxembourg", *Annales de l'école libre des sciences politiques*, N°. 12. 1897.
CHAMBRE DE COMMERCE DE PARIS, *Statistique de l'industrie à Paris*, Paris, 1851.（富永茂樹訳「パリ商工会議所報告」,『資料 フランス初期社会主義』）
CHARLTON, D. G., *Secular Religions in France, 1815-1870*, London, 1963.
CHARLÉTY, S., *Histoire du Saint-Simonisme*, éd. Gonthier, Paris, 1965.
CHEVALIER, M., *Cours d'économie politique*, T. I. Paris, 1841.
COLOMB, B., *Détail historique sur les journées de Lyon et les causes qui ont précédées*, Lyon, 1832. *Lés Révolutions du XIXe siècle*, 1re série, T. V. 1974.（阪上孝訳「リヨン蜂起とその原因について」,『資料 フランス初期社会主義』）
COMTE, A., "Considération sur le pouvoir spirituel (1, 2, 3)", *Producteur*, T. II.
CORBON, A., *Secret du peuple de Paris*, Paris, 1863.
CUVILLIER, A., *Hommes et idéologies de 1840*, Paris, 1956.
Un journal d'ouvriers, "L'Atelier" (1840-1850), Paris, 1954.
D'ALLEMAGNE, H. R., *Les saint-simoniens*, Paris, 1930.
DANSETTE, A., *Du 2 décembre au 4 septembre*, Paris, 1972.
DOLLÉANS, É., *Proudhon*, Paris, 1948.
DOCTRINE DE SAINT-SIMON, *Doctrine de Saint-Simon, Exposition*, 1829-1830. éd. par C. Bouglé et E. Halévy, Paris, 1924.（見市雅俊訳「第四講義, 敵対と普遍的協同」,『資料 フランス初期社会主義』）[『サン＝シモン学説解義』]
DUMOND, L., *Homo aequalis*, Paris, 1977.
DURKHEIM, E., *Le socialisme*, 3e éd. Paris, 1971.

参照文献略記表

欧文文献はアルファベット順、邦語文献は五十音順に配列した。欧文文献のうち邦訳のあるものは（　）内に示した。プルードンらの著作名略記、誌紙名略記のうち本文で日本語題で言及しているものは、それを［　］内に示した。

AGUET, J. P., *Les grèves sous la monarchie de juillet (1830-1847)*, Genève, 1954.

AMOUDRUZ, M., *Proudhon et l'Europe*, Paris, 1945.

ANSART, P., *Sociologie de Proudhon*, Paris, 1967.

Marx et l'anarchisme, Paris, 1969.

Sociologie de Saint-Simon, Paris, 1970a.

Naissance de l'anarchisme, Paris, 1970b.

ARON, R., *Les étapes de la pensée sociologique*, Paris, 1967.

L'ATELIER, *L'Atelier*. [『アトリエ』]

"Réforme industrielle", oct. 1840.

"Réponse à quelques objections", nov. 1840.

"De l'association ouvrière", jan. 1841.（谷川稔訳「生産協同組合契約プラン」，河野健二編『資料 フランス初期社会主義』，平凡社，1979年）

"Moyen de commencer immediatement l'organisation du travail", avril 1841.

"Réforme industrielle", juillet, août, sept. 1841.

"Les ouvriers peintres", avril 1844.（谷川稔訳「塗装工たち――ルクレール生産協同組合」，『資料 フランス初期社会主義』）

BANCAL, J., *Proudhon, pluralisme et autogestion*, 2 vol. Paris, 1970.

BAZARD, St. A., 1. "De la nécessité d'une nouvelle doctrine générale", *Le Producteur*, T. III.

2. "Considération sur l'histoire", *Producteur*, T. IV.

BLANC, L., *L'organisation du travail*, 4e éd. Paris, 1845. (1re éd. 1840)

"Introduction de l'organisation du travail (1847)", *Questions d'aujourd'hui et de demain*, 4e série, Paris, 1882.

"L'état dans la démocratie", *Questions d'aujourd'hui et de demain*, 5e série, Paris, 1884a.

"La révolution du février au Luxembourg", *Questions d'aujourd'hui et de demain*, 5e série, Paris, 1884b.

BLANQUI, A., *Des classes ouvrières en France pendant l'année 1848*, Paris, 1849.（阪上孝訳「リール市とノール県の労働者階級」，『資料 フランス

[著者]
阪上孝（さかがみ・たかし）
1939年、神戸生まれ。京都大学大学院経済学研究科修士課程修了。京都大学名誉教授。専攻、近代思想史。著書に『近代的統治の誕生——人口・世論・家族』（岩波書店）、編著に『1848 国家装置と民衆』（ミネルヴァ書房）、『統治技法の近代』（同文舘出版）、『変異するダーウィニズム——進化論と社会』（京都大学学術出版会）、共編著に『人文学のアナトミー——現代日本における学問の可能性』（岩波書店）、訳書に『ルソー全集 第5巻 政治経済論』（白水社）、コンドルセ他『フランス革命期の公教育論』（編訳、岩波文庫）、『フランス革命事典』全7巻（共監訳、みすず書房）など、多数がある。

平凡社ライブラリー 941
プルードンの社会革命論

発行日…………2023年5月10日　初版第1刷

著者……………阪上孝
発行者…………下中美都
発行所…………株式会社平凡社
〒101-0051　東京都千代田区神田神保町3-29
電話　(03)3230-6579［編集］
(03)3230-6573［営業］

印刷・製本……藤原印刷株式会社
ＤＴＰ…………大連拓思科技有限公司＋平凡社制作
装幀……………中垣信夫

ISBN978-4-582-76941-8

平凡社ホームページ https://www.heibonsha.co.jp/

落丁・乱丁本のお取り替えは小社読者サービス係まで
直接お送りください（送料は小社で負担いたします）。